글로벌 트렌드

스마트 프롭테크

진 하 수

-

글로벌 트렌드 스마트 프롭테크

발   행 | 2024년 05월 28일
저   자 | 저자명
펴낸이 | 한건희
펴낸곳 | 주식회사 부크크
출판사등록 | 2014.07.15.(제2014-16호)
주   소 | 서울특별시 금천구 가산디지털1로 119 SK트윈타워 A동 305호
전   화 | 1670-8316
이메일 | info@bookk.co.kr

ISBN | 979-11-410-8674-9

글로벌 트렌드

스마트 프롭테크

진 하 수

저자 소개

  한국디지털경제연구원 대표원장, 다빈치논문컨설팅 대표박사, 디지털경제학 박
사, 데이터통계처리(stata, spss, sci, kci), python과 R을 활용하는 빅데이터 처리
분석, 머신러닝과 딥러닝의 인공지능 분석 처리와 전문평가위원, 블록체인과 가상
화폐 분석처리와 전문심사위원, 기후변화 및 ESG 전문위원, 여러대학의 박사/석사
과정의 강사로 활동하고 있다.

<차례>

<표 차례>

<그림 차례>

프롭테크(Proptech) 트렌드 - 부동산 산업의 미래를 형성하는 혁신

21세기 초반, 기술 혁신은 모든 산업을 재편성했다. 부동산도 예외는 아니었다. 부동산 산업도 또한, 급속한 기술 발전의 영향을 받고 있다. 기술의 급격한 발전은 부동산 업계에 혁명적인 변화를 가져왔고, 이를 우리는 프롭테크(PropTech)라 부른다. 프롭테크는 부동산(Property)과 기술(Technology)의 합성어로, 부동산 시장에서 기술을 활용한 모든 혁신을 의미한다. 프롭테크(Proptech)는 부동산 업계에 혁신적인 변화를 가져오며, 전통적인 입무 방식을 재정의하고 있다. 본 잭은 부동산 산업에서 나타날 주요 프롭테크 트렌드를 조명한다.

먼저, 스마트 홈으로 현대 생활의 표준이 될 것이다. 스마트 홈(Smart Home)은 사물 인터넷(IoT) 기술을 활용하여 주택 내의 다양한 장치와 시스템을 자동화하고 원격으로 제어할 수 있는 주거 환경을 말한다. 스마트 홈 기술은 에너지 효율성, 편의성, 보안성을 향상시키며, 현대 생활의 필수 요소로 자리 잡아가고 있다.

스마트 조명, 스마트 온도 조절 장치로 학습 기능이 탑재되어 사용자의 생활 패턴을 학습하여 최적의 온도를 자동으로 설정한다. 원격 제어로 스마트폰을 통해 집 밖에서도 난방 및 냉방 시스템을 제어할 수 있다. 에너지 관리 기능 탑재로 에너지 사용량을 모니터링하고 효율적으로 관리할 수 있다. 스마트 보안 시스템으로 스마트 도어벨 및 잠금 장치로 영상 통화 기능을 통해 방문자를 확인하고, 원격으로 문을 열거나 잠글 수 있다. 스마트 허브 및 음성 비서 기능으로 중앙 제어 허브로 다양한 스마트 기기를 연결하고 제어할 수 있는 중앙 장치이다. 음성 비서 기능으로 아마존 알렉사, 구글 어시스턴트, 애플 시리 등 음성 명령을 통해 스마트 홈 기기를 제어할 수 있다.

스마트 홈의 도전 과제로 스마트 홈 시스템 구축에는 상당한 초기 비용이 들 수 있고, 프라이버시 및 보안 문제로 인터넷에 연결된 모든 장치는 해킹의 위험에 노출될 수 있다. 개인 정보 보호와 보안을 강화하기 위한 추가적인 조치가 필요하다. 기술 호환성에서 다양한 제조사에서 제공하는 스마트 기기들이 상호 호환되지 않을 수 있다. 표준화된 프로토콜의 부족으로 인해 통합이 어려울 수 있다.

스마트 홈 기술은 주거 생활의 질을 크게 향상시키며, 현대 사회에서 점점 더 보편화되고 있다. 편의성, 에너지 효율성, 보안성 등의 장점을 통해 많은 사람들이 스마트 홈을 채택하고 있으며, 기술의 발전에 따라 그 활용 범위는 계속해서 확장되고 있다. 스마트 홈이 표준이 되는 미래는 더 편리하고 안전하며 효율적인 생활을 가능하게 할 것이다.

블록체인 기술인 스마트 콘트렉트 기술을 가미한 전자 서명이 표준이 될 것이다. 디지털 계약 프로세스는 효율성과 편의성을 제공하며, 종이 문서 작업을 최소화할 것으로 보인다. 부동산 업계는 독점 광고 솔루션을 활용하여 마케팅 역량을 강화할 것이다. 타깃 광고와 데이터 분석을 통해 고객 관여도를 높일 수 있다. Audience Town과 같은 혁신적인 플랫폼이 부상하면서 부동산 마케팅의 새로운 지평을 열고 있다. 소셜 네트워킹 앱 NextDoor도 지역 커뮤니티 기반 부동산 활동을 활성화하고 있다. 임대 부동산 관리 및 자동화 솔루션과 CRM 소프트웨어 플랫폼도 주목받고 있다.

또한, 조각 부동산 투자에 대한 관심이 높아지고 있으며, 스마트 홈 기술이 점점 더 보편화될 것이다. 마지막으로 미국에서는 iBuyers와 같은 새로운 비즈니스 모델도 부상힐 것으로 에싱된다.

본 책은 이러한 트렌드를 자세히 탐구하고, 프롭테크가 부동산 산업에 미치는 영향과 기회를 조명한다. 프롭테크가 어떻게 부동산 업계를 변화시키고 있는지, 그리고 그 혁신들이 부동산의 미래를 어떻게 만들어가고 있는지에 대해 다룬다. 혁신적인 기술은 부동산 거래, 마케팅, 관리 등 다양한 측면에서 변화를 가져올 것이며, 부동산 전문가와 기업들은 이러한 트렌드를 이해하고 적응함으로써 경쟁력을 높일 수 있을 것이다. 부동산과 기술의 융합은 단순히 트렌드가 아닌, 앞으로도 지속될 혁신의 물결이다. 독자들이 이 책을 통해 프롭테크의 현재와 미래를 이해하고, 새로운 기회를 발견하기를 바랍니다.

또한, 최근 한국의 부동산 트렌드 설문조사 결과에 따르면, 집은 주로 에너지를 충전하고 휴식하는 공간으로 여겨지며, 여가 활동은 주로 집 밖에서 선호하는 경향이 있다. 이에 따라 집의 기능에 대한 인식이 변화하고 있다. 먼저, 집은 의식주를 해결하기 위해 필요한 공간으로 여겨지며, 타인과의 교류 및 커뮤니티 형성이 중요시되는 경향이 있다. 이전보다도 커뮤니티를 형성하고 타인과의 교류를 활발히 하는 비율이 증가하고 있다. 또한, 남는 방의 용도로 사무용 공간이나 개인 여가생활 방, 운동 홈 트레이닝 방 등을 선택하는 비율이 감소하는 반면, 집 밖에서의 작업을 선호하는 비율이 증가하고 있다.

아파트 커뮤니티도 소통을 중시하는 시설을 강조하고 있다. 특히 코로나 팬데믹 이후에는 개인이 사용할 수 있는 공간이 증가하는 경향을 보이고 있으며, 다양한 모임을 할 수 있는 공간이 조성되고 있다. 또한, 건강에 대한 관심이 높아지면서 운동 시설 및 강좌 서비스에 대한 수요도 증가하고 있다.

이러한 트렌드를 바탕으로 앞으로는 각 공간이 본연의 역할에 충실하고, 사용자들의 다양한 필요에 맞게 조성되는 공간이 더욱 중요해질 것으로 전망된다. 사용자들의 라이프 스타일과 요구에 맞춰 적절한 공간이 조성되어야 하며, 이는 부동산 시장의 트렌드로 나타날 것으로 예상된다.

2024.05.25.

I. 새로운 변화의 물결, 프롭테크

1. 프롭테크 배경: 오픈데이터 정책

전통적인 저차원적 기술 산업(Low-Tech) 이었던 부동산 산업에도 디지털 변혁의 물결이 거세게 밀려오고 있고, 수요자 중심의 서비스 혁신이 확산되고 있다. 이 변화는 단순한 기술 도입을 넘어, 수요자 중심의 서비스 혁신이라는 새로운 패러다임을 이끌어내고 있다. 과거 개발업자, 건설사, 개발금융 등 공급측에 집중했던 부동산 산업은 이제 임대, 운영 관리, 감정평가, 중개 자문, 종합자산관리 등 수요자 편의를 최우선으로 생각하는 서비스 중심 산업으로 진화하고 있다.

부동산 산업의 디지털 변혁의 근원은 데이터 활용이며, 이를 바탕으로 새로운 지평이 열렸다. 먼저, 데이터 활용의 중요성을 인지하였다. 부동산 산업의 디지털 변혁은 데이터 활용의 새로운 지평을 열었다. 과거에는 부동산 정보가 제한적이고 비대칭적이었기 때문에, 시장 분석 및 의사결정에 어려움이 많았다. 하지만 데이터 활용이 가능해지면서 부동산 시장의 투명성이 높아지고, 효율적인 거래가 가능해졌다.

둘째, 데이터 활용이 다양한 분야에서 응용되었다. 예를 들면, 부동산 시장 분석 분야에서 빅데이터 분석을 통해 부동산 시장 트렌드, 가격 변동, 수요 및 공급 상황 등을 파악하여 투자 전략 수립 및 의사 결정에 활용하고 있다. 개인 맞춤형 서비스 제공 분야에서도 사용하고 있다. 고객의 검색 패턴, 거래 내역 등을 분석하여 개인 맞춤형 부동산 정보 및 서비스를 제공하고 있다. 부동산 가격 예측에서 AI 모델을 활용하여 부동산 가격 변동을 예측하고 투자 위험 관리를 수행하고 있다. 마지막으로 신규 사업 기회 발굴에서 데이터 분석을 통해 새로운 부동산 서비스 및 사업 모델 개발하고 있다.

셋째, 데이터 활용의 과제로는 방대한 양의 데이터 확보 및 관리에 대한 어려움이 존재하며, 데이터 분석 전문 인력이 부족하다. 그러므로 데이터 분석 및 활용 전문 인력을 확충하는 교육이 병행되어야 한다. 개인정보 보호 문제에서 가장 큰 어려움이 존재한다. 데이터 활용 과정에서 발생하는 개인정보 침해 및 악용 문제 등이 가장 큰 해결과제가 되고 있다. 또한, 규제 및 법적 문제에서 데이터 활용 관련 규제 및 법적 쟁점을 해결할 필요가 있다. 이런 법적 및 규제가 해결되지 않은 상태에서는 활발한 발전을 기대할 수 없을 것이다.

이러한 변화는 부동산 산업의 디지털 변혁에 기인하고 있으며 특히 데이터의 자유로운 활용에 영향을 미쳤다. 먼저 선진국을 중심으로 부동산 산업이 제조업을 대체할 서비스 산업의 핵심 부분으로 재인식되었다. 이에 따라 각 국은 ICT 기술을 활용하여 새로운 서비스를 창출하기 위한 공공부문의 오픈 데이터 정책을 추진하기 시작했다. 2009년, 미국은 오바마 전 대통령이 공표한 '전례 없는 수준으로 정부를 개방할 것(Open Government Initiative)'을 통해 공공데이터를 전면 개방하였다.

1) 부동산 시장: 디지털 변혁

부동산 산업의 디지털 변혁은 데이터 활용을 통해 새로운 가능성을 열어주고 있다. 데이터 활용의 중요성이 커짐에 따라, 데이터 확보 및 관리, 분석 전문 인력 양성, 개인정보 보호 강화, 규제 및 법적 문제 해결 등 해결해야 할 과제도 함께 존재한다. 이러한 과제를 해결하고 데이터 활용을 적극적으로 추진한다면, 부동산 산업은 더욱 효율적이고 투명하며, 수요자 중심적인 산업으로 발전할 수 있을 것이다.

프롭테크(Property Technology)의 등장은 부동산 산업에 비옥한 혁신의 기반을 조성한 요소들이 복합적으로 작용했다고 볼 수 있다. 프롭테크가 부상하게 된 주요 요인들을 다음과 같이 분석한다.

첫째, 기술 발전이다. 인터넷과 모바일 기술의 발전은 사람들이 정보를 찾고, 거래를 하고, 그들의 삶을 관리하는 방식을 근본적으로 변화시켰다. 이러한 행동의 변화는 부동산 분야에서도 기술 중심의 솔루션에 대한 수요를 만들었다. 이 디지털 혁명은 온라인 플랫폼과 모바일 앱을 활용하는 프롭테크 솔루션의 길을 열었다. 빅데이터 분석과 같은 분야의 발전으로 프롭테크 기업은 방대한 부동산 데이터를 수집, 분석 및 활용할 수 있게 되었다. 이 데이터는 시장 분석, 부동산 가치 평가 및 시장 동향 예측에 활용될 수 있다. 클라우드 컴퓨팅의 성장으로 프롭테크 기업들은 상당한 초기 인프라 투자 없이도 솔루션을 개발하고 구현하는 것이 용이해졌다. 인공지능(AI), 가상현실(VR), 증강현실(AR)와 같은 새로운 기술들이 프롭테크(PropTech) 내에서 혁신의 문을 열고 있다. 예를 들어, 인공지능은 부동산 검색을 개인화할 수 있고, VR은 가상 투어를 제공할 수 있으며, AR은 실시간 데이터를 물리적인 공간에 오버레이 할 수 있다.

둘째, 전통 부동산 시장의 문제점 발견이다. 투명성 부족으로 전통적인 부동산 시장은 신뢰할 수 있고 쉽게 이용할 수 있는 데이터에 대한 접근성이 제한적이며 불투명하다는 비판을 오랫동안 받아왔다. 프롭테크 솔루션은 온라인 부동산 목록, 시장 데이터 플랫폼 및 가격 비교 도구를 통해 더 큰 투명성을 제공함으로써 이를 해결한다. 비효율성으로 많은 전통적인 부동산 프로세스는 시간이 많이 걸리고 번거롭다. 프롭테크 솔루션은 자동화 및 온라인 플랫폼을 통해 부동산 검색, 세입자 선별, 임대료 징수 및 부동산 관리와 같은 작업을 간소화한다. 고비용으로 전통적인 부동산에서는 거래비용, 중개수수료, 재산관리비 등이 상당한 부담이 될 수 있다. 프롭테크 기업들은 보다 효율적이고 자동화된 서비스를 제공함으로써 이러한 비용을 낮추는 것을 목표로 하고 있다.

셋째, 진화하는 소비자 및 투자자 기대가 존재했다. 오늘날 세계의 소비자들은 매끄럽고 디지털적인 경험을 기대한다. 그들은 온라인에서 부동산을 검색하고, 쉽게 열람 일정을 잡고, 임대료를 전자적으로 관리할 수 있기를 원한다. 프롭테크 기업들은 사용자 친화적인 플랫폼과 디지털 도구를 제공함으로써 이러한 기대에 부응한다. 투자자들은 점점 더 데이터 중심의 통찰력과 효율적인 투자 프로세스를 찾고 있다. 온라인 투자 플랫폼과 크라우드펀딩 모델과 같은 프롭테크 솔루션은 부동산 투자를 위한 새로운 길을 제공하고 정보에 입각한 의사결정을 용이하게 하고 있다.

셋째, 소비자 선호도 변경이다. 밀레니얼 및 Z세대 인구 통계로 주택 시장에 진입하는 젊은 세대는 삶의 모든 측면에서 기술을 사용하는 데 익숙하다. 그들은 부동산을 찾고, 임대를 관리하고, 심지어 부동산에 투자할 때도 기술 중심적인 경험을 기대한다. 유연성과 편리성에 대한 수요 프롭테크 솔루션은 부동산 거래에서 유연성과 편리성에 대한 증가하는 수요를 충족시킨다. 가상 투어, 온 디맨드 부동산 뷰잉 및 디지털 임대 계약은 임대인과 구매자에게 보다 유연하고 시간을 절약하는 경험을 제공한다.

소비자의 효율성 및 투명성 제고 필요성으로 기존 부동산 프로세스는 시간이 많이 걸리고 종이 집약적일 수 있다. 온라인 문서 관리 시스템 및 자동화된 워크플로우와 같은 프롭테크 솔루션은 이러한 프로세스를 간소화하고 업계 내에서 효율성을 향상시키는 것을 목표로 한다. 부동산 거래의 투명성 부족은 오랫동안 문제가 되어 왔다. 프롭테크 기업들은 신뢰할 수 있는 부동산 데이터에 대한 접근성을 높이고 구매, 판매, 임대 과정 전반에 걸쳐 투명성을 촉진하는 솔루션을 개발하고 있다.

　이에 이어 2010년, 영국은 '투명성 아젠다(Transparency Agenda)[1]'를 통해 공공데이터 개방 원칙을 발표하였다. 2022년 글로벌 종합 부동산서비스 회사 존스랑라살르(JLL)가 발표한 부동산 투명성 지수(GRETI)에 따르면 영국이 투명성 순위 1위, 미국이 4위를 기록하며 부동산 산업의 디지털 혁신을 주도하고 있는 것으로 밝혀졌다.[2] 아시아에서는 싱가포르(11위), 홍콩(15위), 일본(19위)이 상위에 오른 반면 한국은 29위로 태국(34위)보다 앞서 있다[3].

　GRETI 보고서는 양질의 시장 데이터의 가용성, 거버넌스 및 규제 프레임워크, 거래 프로세스, 전문 서비스, 지속 가능성 고려 사항 등의 요소를 기반으로 국가를 평가한다. 영국과 미국은 이 지수에서 높은 순위를 차지함으로써 투명하고 효율적인 부동산 시장을 보유하고 있어 더 많은 투자를 유치하고 시장 참가자의 더 나은 의사결정을 촉진할 수 있다고 인식하고 있다.

　PropTech 솔루션의 사례기업들을 보면, 온라인 상장 플랫폼인 질로우, 트룰리아, Realtor.com 와 같은 플랫폼은 사람들이 부동산을 검색하는 방법에 혁명을 일으켰다. 가상 투어 기술로 3D 가상 투어 및 대화형 360° 속성 보기를 통해 잠재 구매자 또는 임대인이 원격으로 속성을 탐색할 수 있다. 부동산 크라우드펀딩으로

---

1) 투명성 의제(Transparency Agenda)는 영국 정부, 특히 2010년부터 2015년까지 보수당-자유민주당 연립정부 하에서 정부 운영 및 공공 서비스의 투명성과 개방성을 높이기 위해 도입된 일련의 정책 및 이니셔티브이다.
2) 글로벌 부동산 투명성 지수(GRETI)는 전 세계 부동산 시장의 투명성을 평가하는 벤치마크이다. JLL과 LaSale Investment Management가 공동으로 제작하며 외국 부동산 시장에서 활동하는 기관들에게 소중한 자료로 여겨진다. 먼저, 투명성에 초점을 맞춤으로 GRETI는 부동산 시장의 투명성 수준을 측정한다. 여기에는 신뢰할 수 있는 시장 데이터의 가용성, 규제의 질, 사업의 용이성 등의 요소가 포함된다. 둘째, 방법론에서 이 지수는 JLL과 라살의 부동산 시장 전문가를 대상으로 한 글로벌 설문조사를 통해 수집된 정량적 데이터와 정성적 정보를 종합한 것으로, 이 설문조사는 94개국, 156개 도시 시장을 대상으로 한다. 셋째, 사용자를 위한 혜택에서 GRETI는 부동산 업계의 다양한 이해 관계자에게 귀중한 통찰력을 제공한다. 특히 투자자에게 투자 결정을 내리기 전에 다양한 시장의 위험과 기회를 평가하는 데 도움이 된다. 개발자에게 그들은 GRETI를 사용하여 개발 프로젝트에 대한 명확한 규정과 효율적인 프로세스를 가진 시장을 식별할 수 있다. 법인에게 사업 확장을 원하는 기업은 GRETI를 활용하여 다양한 위치에 있는 사무실 공간을 쉽게 취득하거나 임대할 수 있는 이점을 파악할 수 있다. 넷째, 순위 및 보고서에서 GRETI는 투명성 점수를 기반으로 국가 및 도시의 연간 순위를 발표한다. 또한 각 시장의 장단점에 대한 통찰력을 갖춘 상세한 보고서를 제공한다. 글로벌 부동산 투명성 지수는 전 세계 부동산 시장의 투명성 수준을 이해하는 데 중요한 도구이다. 국제 부동산 환경에서 투자자, 개발자, 기업 및 기타 주체들에게 정보에 입각한 의사 결정을 가능하게 한다.
3) 2010년 발표에서 한국은 태국보다 뒤에 위치하였다.

프롭테크 플랫폼을 이용하면 개인이 더 적은 금액으로 부동산 프로젝트에 투자할 수 있다.

2) 영국

영국의 부동산 산업의 디지털 혁신에서 투명성 아젠다로 정부 부처와 공공기관의 데이터를 개방하여 시민들이 정보에 쉽게 접근할 수 있도록 하고 있다. 가지고 있는 부동산 정보로는 부동산 소유권 정보, 거래 내역, 부동산 가치 평가 등이 포함되어 있다. 또한, 부동산 시장 분석, 투자 의사 결정, 부동산 가격 예측 등을 하도록 데이터 활용 예시를 제공한다.

영국은 강력한 규제 환경, 높은 수준의 기업 지배 구조, 선진적인 데이터 수집 및 보급 관행 등을 바탕으로 지속적으로 가장 투명한 부동산 시장 중 하나였다. 영국은 부동산 데이터와 프로세스를 디지털화하는 데 있어 영국 토지 등록부의 디지털 매핑 및 부동산 정보 서비스와 같은 계획을 통해 상당한 발전을 이루었다. 영국의 부동산 시장은 법적, 금융적 인프라가 잘 구축되어 있어 투명성이 제고되고 외국인 투자를 유치할 수 있는 혜택을 받는다. 보고서는 영국의 지속가능성 데이터 공개, 프롭테크 도입, 대체 부동산 데이터 소스 제공 등의 분야에서 진전을 보이고 있음을 강조한다.

투명성 아젠다의 핵심은 영국 정부와 공공기관이 보유한 부동산 데이터를 개방하여 시민들이 쉽게 접근할 수 있도록 하는 것으로 이러한 데이터에는 부동산 소유권 정보, 거래 내역, 그리고 부동산 가치 평가와 관련된 정보 등이 포함된다. 이러한 데이터를 활용하는 예시로는 다양한 분야에서의 응용이 가능하다.

먼저, 부동산 시장 분석을 통해 특정 지역의 부동산 시장 동향을 파악할 수 있다. 이는 투자자들이 특정 지역에 투자할 가치가 있는지를 판단하는 데 도움이 될 수 있다. 또한, 이러한 데이터를 활용하여 투자 의사 결정을 지원할 수 있다. 부동산 가치 평가 및 거래 내역을 분석함으로써 투자 대상 부동산의 가치를 정확히 평가할 수 있으며, 이를 기반으로 투자 전략을 수립할 수 있다.

뿐만 아니라, 부동산 데이터를 활용하여 부동산 가격의 예측도 가능하다. 과거 거래 내역과 부동산 가치 평가를 분석하여 향후 부동산 시장의 흐름을 예측할 수 있으며, 이는 부동산 시장에 참여하는 다양한 이해관계자들에게 가치 있는 정보가 될 것이다.

이처럼, 영국의 투명성 아젠다를 통해 개방된 부동산 데이터는 다양한 분야에서 활용될 수 있으며, 시민들과 비즈니스에게 가치 있는 정보를 제공할 수 있다.

영국의 투명성 의제에 관한 주요 세부 사항으로 먼저, 오픈 데이터(Open Data)로 투명성 의제의 한 축은 정부 데이터를 오픈 데이터 이니셔티브를 통해 대중에게 공개하는 것이었다. 여기에는 다양한 정부 부처와 공공기관의 데이터 세트를 data.gov.uk 에 게시하는 것이 포함되어 시민, 연구자 및 기업이 이 정보에 쉽게 접근하고 사용할 수 있게 되었다.

둘째, 공공부문 투명성 의제(Public Sector Transparency)는 공공부문 조직이 세부 지출 데이터, 조직도, 성과 지표 등 특정 데이터와 정보를 공개하도록 요구함으로써 투명성을 높이고자 했다. 이는 책임을 강화하고 공적 자금이 어떻게 사용되고 있는지에 대한 대중의 조사를 가능하게 하기 위함이었다.

셋째, 정보의 자유 (Freedom of Information, FOI)로 정부는 개인이 공공 기관에 정보를 요청할 수 있도록 하는 정보 자유법의 사용을 강화하고 촉진하는 것을 목표로 했다. 이것은 FOI 발표 통계를 발표하고 정부의 개방 문화를 장려하는 것과 같은 조치들을 포함했다.

넷째, 지방정부의 투명성(Transparency in Local Government)으로 지방정부와 의회는 일정 수준 이상의 고위 직원의 급여, 계약, 지출 등에 대한 자료를 공개해야 했다. 이는 지역 주민들이 자신들의 의회가 어떻게 운영하고 지출하는지를 더 잘 이해할 수 있도록 하기 위함이었다.

다섯째, 공공 서비스의 투명성 의제(Transparency in Public Services)는 또한 의료 및 교육과 같은 공공 서비스의 투명성을 높이는 것에 초점을 맞추었다. 여기에는 사용자가 서비스 품질을 비교 평가할 수 있도록 학교, 병원 및 기타 서비스 제공자에 대한 성과 데이터를 게시하는 것이 포함되었다.

여섯째, 공공부문 정보(Public Sector Information, PSI)로 정부는 경제성장과 혁신을 촉진하기 위해 공간정보(geospatial data), 기상정보(meteorological data), 연구 결과(research findings) 등 공공부문 정보의 공개와 상업적 활용을 촉진하고자 하였다.

일곱째, 공공 협의(Public Consultations)로 이 안건은 온라인 상담과 크라우드소싱 아이디어(crowdsourcing ideas)와 같은 메커니즘을 통해 공공 협의의 중요성과 의사결정 과정에 시민을 참여시키는 것을 강조했다.

투명성 의제(Transparency Agenda)는 투명성과 정보에 대한 접근성을 높이면

책임감이 향상되고, 대중의 조사가 가능하며, 공공 서비스의 더 나은 의사결정과 전달로 이어질 것이라는 믿음에 의해 동기가 부여되었다. 그러나 데이터 품질, 개인 정보 보호 문제 및 이러한 조치를 효과적으로 시행할 공공 조직의 능력과 관련된 문제에도 직면했다.

3) 미국

미국의 부동산 산업의 디지털 혁신에서의 경우, 데이터.gov 라는 플랫폼을 중심으로 정부 부처의 데이터를 한 곳에 통합하여 제공하는 플랫폼이다. 가지고 있는 부동산 정보로는 주택 가격, 주택 매매 내역, 주택 담보 대출 정보 등이 포함되어 있다. 부동산 시장 트렌드 파악, 개인 맞춤형 부동산 정보 제공, 부동산 신규 사업 기회 발굴 등의 데이터 활용 예시를 제공하고 있다.

미국은 영국보다 순위가 낮지만, 특히 뉴욕, 로스앤젤레스, 샌프란시스코와 같은 주요 도시에서 매우 투명한 부동산 시장으로 평가받고 있다. 미국은 전문 서비스, 시장 펀더멘털 데이터, 상장 차량 공시 등의 분야에서 좋은 점수를 받고 있다. 그러나 보고서는 미국이 토지 등록부와 부동산 데이터의 디지털화 등 여러 주와 도시에 걸쳐 상당한 차이를 보이며 뒤처지고 있다고 지적했다. 미국 부동산 시장은 강력한 기업지배구조 기준과 부동산 크라우드펀딩 플랫폼과 같은 대체 데이터 소스의 이용 가능성을 높이 평가받고 있다. 보고서는 미국이 투명성을 더욱 강화하기 위해 부동산 데이터와 프로세스를 디지털화하는 노력을 계속할 것을 촉구한다.

구체적으로 미국의 데이터.gov는 정부 부처의 다양한 데이터를 한 곳에 통합하여 제공하는 플랫폼으로, 부동산 데이터 또한 그 중요한 부분이다. 주로 주택 가격, 주택 매매 내역, 그리고 주택 담보 대출 정보 등이 제공한다.

이러한 다양한 부동산 데이터를 활용하여, 부동산 시장 트렌드 파악, 개인 맞춤형 부동산 정보 제공 및 부동산 신규 사업 기회 발굴을 하도록 한다. 먼저, 주택 가격과 매매 내역 데이터를 분석하여 특정 지역 또는 전체 시장의 부동산 시장 동향을 파악할 수 있다. 이를 통해 투자자나 집 구매자들은 향후 부동산 시장의 방향성을 예측하고, 그에 맞는 전략을 세울 수 있다. 둘째, 사용자의 요구에 따라 주택 가격, 지역별 부동산 시장 분석, 그리고 주택 담보 대출 정보 등을 조합하여 개인에게 맞춤형 부동산 정보를 제공할 수 있다. 이를 통해 집 구매나 투자 결정에 도움을 줄 수 있다. 셋째, 부동산 데이터를 기반으로 한 분석을 통해 특정 지역의 부동산 시장에 관한 새로운 사업 기회를 발굴할 수 있다. 예를 들어, 주택 가격이 상승하는 지역에 새로운 주택 개발 프로젝트를 시작하는 등의 기회를 찾을 수 있다.

이처럼 데이터.gov를 통해 제공되는 다양한 부동산 데이터는 부동산 시장의 이해를 돕고, 투자 결정에 유용한 정보를 제공하며, 새로운 사업 기회를 발굴하는 데 도움을 주고 있다.

4) 싱가포르

JLL의 2022년 글로벌 부동산 투명성 지수(GRETI) 보고서에 따르면 싱가포르는 부동산 시장 투명성 측면에서 높은 순위를 차지하고 있다. 종합 순위에서 싱가포르는 GRETI 보고서에서 평가한 94개국 중 6위를 차지하고 있으며, 이는 이전 2020년 보고서의 위치를 유지하고 있다. "투명한" 부동산 시장으로 평가받고 있다.

글로벌 부동산 투명성 지수(GRETI) 보고서에 따르면 싱가포르의 특장점으로 규제 및 법적 환경에서 싱가포르는 강력한 규제 환경, 강력한 법적 프레임워크, 상장 부동산 차량의 효과적인 거버넌스 측면에서 매우 높은 점수를 받고 있다.

데이터 가용성에서 보고서는 임대 가격, 공실률, 건설 활동 등 싱가포르 시장의 기본 데이터의 우수한 가용성과 품질을 특히 강조하고 있다. 거래 과정에서 싱가포르의 부동산 거래는 명확한 가격 결정 메커니즘과 접근 가능한 거래 데이터로 높은 투명성으로 찬사를 받고 있다고 하였다.

프로페셔널 서비스에서 싱가포르는 부동산 가치 평가, 중개 및 시설 관리 서비스를 포함한 전문적인 부동산 서비스 생태계가 잘 발달되어 있다.

지속 가능성 보고에서 보고서는 싱가포르의 상장 부동산 회사들이 에너지 효율성과 탄소 배출 측정 기준과 같은 좋은 수준의 지속 가능성 데이터 공개를 제공한다는 점에 주목한다.

프롭테크 도입에서 싱가포르는 부동산 거래를 위해 토지 등기부를 디지털화하고 블록체인과 같은 혁신적인 기술을 개발하는 등 프롭테크 솔루션을 도입하는 노력을 인정받고 있다. 특히, 온라인 플랫폼에서 부동산 관련 정보를 종합적으로 제공한다. 가지고 있는 부동산 정보로는 부동산 매물 정보, 임대 정보, 부동산 시장 분석 자료 등이 있다. 부동산 검색 및 거래, 부동산 투자 정보 확인, 부동산 정책 및 규제 정보 확인 등 데이터 등을 활용할 수 있다.

싱가포르의 단점으로 싱가포르는 부동산 투명성에 관한 대부분의 측면에서 예외적으로 우수한 성과를 거두지만, 보고서는 다음과 같은 부분에서 여전히 개선의 여지가 있음을 시사한다. 부동산 크라우드 펀딩에서 플랫폼 및 온라인 부동산 상장 포털과 같은 대체 데이터 소스의 가용성과 접근성을 향상시켜야 한다. 부동산 산업 전반에 걸쳐 프롭테크 솔루션 채택을 더욱 촉진해야 한다.

전반적으로 싱가포르가 GRETI 보고서에서 강한 성과를 보인 것은 강력한 규제 환경, 고품질의 데이터 가용성, 투명한 거래 프로세스, 효과적인 거버넌스 기준 등에 기인한다고 볼 수 있다고 했고, 동 보고서는 부동산 분야에서 디지털 기술과 지속가능성 보고서를 수용하기 위한 싱가포르의 노력을 인정하고 있다.

싱가포르 부동산 싱글 포털(PropertyGuru https://www.propertygurugroup.com/, https://www.srx.com.sg/)은 부동산 관련 정보를 종합적으로 제공하는 온라인 플랫폼으로, 다양한 부동산 데이터를 포함하고 있다. 이에는 부동산 매물 정보, 임대 정보, 그리고 부동산 시장 분석 자료 등이 포함되어 있다.

이러한 데이터를 활용하여 부동산 검색 및 거래, 부동산 투자 정보 확인 및 부동산 정책 및 규제 정보 등을 확인할 수 있다. 먼저, 사용자들은 싱가포르 부동산 싱글 포털을 통해 원하는 지역의 부동산 매물 정보를 검색하고, 관련된 거래 정보를 확인할 수 있다. 이를 통해 집을 구매하거나 임대하는 등의 부동산 거래에 대한 정보를 쉽게 얻을 수 있다. 둘째, 부동산 싱글 포털은 싱가포르 부동산 시장의 트렌드와 분석 자료를 제공하여 부동산 투자에 관심 있는 사용자들에게 유용한 정보를 제공한다. 이를 통해 투자 결정을 내리는 데 도움이 될 수 있다. 셋째, 정부의 부동산 정책이나 규제 사항에 대한 정보를 싱가포르 부동산 싱글 포털을 통해 확인할 수 있다. 이는 부동산 거래나 투자를 계획하는 사람들에게 정책 변화에 대한 영향을 파악하는 데 도움이 된다.

싱가포르에서 https://www.srx.com.sg/로 싱가포르 부동산 중개소(SRX: Singapore real estate exchange)가 온라인으로 부동산 가격 정보를 볼 수 있는 사이트를 2015년 개시하였다. 주택 소유주들에게 더욱 투명한 가격 정보를 제공하기 위하여 개설된 무료 온라인 사이트는 주택 가치의 변화, 임대료, 임대 수익률 등의 정보를 손쉽게 확인할 수 있도록 도와준다. 또한, 주변 지역에서 올라온 부동산 매물이나 거래 정보를 제공하고, 해당 부동산의 공시원가와 거래가를 비교해 준다. 각 사용자는 자가 주택의 우편번호와 핸드폰 번호를 사용하여 개별화된 URL에서 위 내용을 확인할 수 있다. 사이트에 표시된 정보는 "X-value"라고 불리는 부동산 판매가와 임대료도 함께 제공한다. "X-value"는 30여 개의 공공 기관 및 부동산 에이전시의 정보를 수집하여 컴퓨터로 각 부동산의 가치를 평가하기 때문에 사람보다 더 공정한 평가치를 계산하고 있다. 이처럼 싱가포르 부동산 싱글 포털은 다양한 부동산 관련 정보를 종합적으로 제공하여 사용자들이 부동산 시장을 더 잘 이해하고 효과적인 결정을 내릴 수 있도록 지원한다.

5) 한국

JLL의 2022년 세계 부동산 투명성 지수 (GRETI) 보고서에 따르면, 한국은 평가된 94개국 중 28위를 차지하고 있다. 한국의 장점으로 순위 개선으로 한국의 순위는 2020년 이전 보고서의 29위에서 개선되어 부동산 시장 투명성 제고에 진전이 있는 것으로 나타났다. 규제 환경(Regulatory environment)에서 보고서는 상장 (listed) 부동산 기업에 대한 법적 프레임워크와 기업 지배구조 기준이 잘 마련되어 있어, 한국 정부의 강력한 규제 환경이 높은 순위 개선효과로 작용하였음을 인정하고 있다.

자료의 가용성(Data availability)에서 한국 정부는 임대가격, 공실률, 건설 활동 등 시장 펀더멘털 자료의 가용성과 질적인 측면에서 다양한 정보와 자료를 공개함으로 비교적 좋은 점수를 받았다. 또한, 상장 매개 공시(Listed vehicle disclosures)에서 보고서는 리츠와 같은 국내 상장 부동산 투자 매개가 양호한 수준의 공시성과 투명성을 제공한다는 점에 보고서는 주목하였고, 이로 인하여 상승된 순위 개선효과가 있었다.

프롭테크 도입(PropTech adoption)에서 한국 부동산 시장이 프롭테크 솔루션 도입에 박차를 가하고 있으며, 다양한 신 스마트 기술을 활용하여 프롭테크 부분을 선도하려고 하며, 부동산 거래를 위한 블록체인 기술과 스마트 콘트렉트와 같은 기술을 개발하여 적용하려는 스타트업들이 다수 등장하고 있다. JLL의 2022년 세계 부동산 투명성 지수 (GRETI) 보고서에 따르면, 한국의 단점으로 토지 등기부 및 지적(Land registration and cadastre)에서 토지 등기부 및 지적(재산지도) 정보의 디지털화 및 접근성에서 우리나라가 뒤처지고 있는 핵심 분야 중 하나이다.

거래 프로세스 투명성(Transaction process transparency)에서 보고서는 불투명한 가격 결정 메커니즘, 거래 데이터의 제한된 가용성 등 부동산 거래 프로세스의 투명성 부족을 강조하고 있다. 지속가능성 자료(Sustainability data)에서 우리나라는 에너지 효율성, 탄소배출량 등 부동산 자산에 대한 지속가능성 관련 자료의 가용성 및 공개 측면에서 상대적으로 낮은 점수를 받고 있음을 지적하였다. 전문 서비스(Professional services)에서 그 보고서는 한국이 부동산 가치 평가와 중개 서비스와 같은 전문적인 부동산 서비스의 투명성과 경쟁력을 향상시킬 수 있다고 제안한다. 대체 데이터 소스(Alternative data sources)에서 보고서는 부동산 크라우드 펀딩 플랫폼이나 온라인 부동산 상장 포털과 같은 대체 데이터 소스의 제한된 가용성에 주목하여 시장 투명성을 강화할 수 있다.

Global Real Estate Transparency Index, 2022

Transparency level	Composite rank 2022	Market	Composite score 2022
High	1	United Kingdom	1.25
	2	United States	1.34
	3	France	1.34
	4	Australia	1.38
	5	Canada	1.44
	6	Netherlands	1.54
	7	Ireland	1.69
	8	Sweden	1.76
	9	Germany	1.76
	10	New Zealand	1.77
	11	Belgium	1.84
	12	Japan	1.88
Transparent	13	Finland	1.96
	14	Singapore	1.96
	15	Switzerland	1.97
	16	Hong Kong SAR	1.98
	17	Denmark	2.01
	18	Spain	2.06
	19	Italy	2.12
	20	Poland	2.15
	21	Czech Republic	2.27
	22	Norway	2.27
	23	Hungary	2.34
	24	Portugal	2.37
	25	Luxembourg	2.39
	26	South Africa	2.40
	27	Slovakia	2.44
	28	South Korea	2.49
	29	Chinese Taipei	2.52
	30	China – SH/BJ	2.54
	31	UAE - Dubai	2.56
	32	Romania	2.58
	33	Malaysia	2.61
Semi	34	Thailand	2.63
	35	Israel	2.66
	36	India	2.73
	37	Greece	2.73
	38	Turkey	2.83
	39	Indonesia	2.86
	40	Mexico	2.87
	41	Bulgaria	2.89
	42	Philippines	2.91
	43	Croatia	2.95
	44	Brazil	2.97
	45	UAE - Abu Dhabi	2.98
	46	Chile	3.10
	47	Peru	3.22
	48	Kenya	3.27
	49	Saudi Arabia	3.27
	50	Slovenia	3.30
Semi	51	Mauritius	3.35
	52	Vietnam	3.36
	53	Serbia	3.42
	54	Botswana	3.46
	55	Macao SAR	3.46
	56	Argentina	3.48
Low	57	Colombia	3.51
	58	Morocco	3.55
	59	Puerto Rico	3.57
	60	Nigeria	3.60
	61	Egypt	3.60
	62	Malta	3.64
	63	Costa Rica	3.64
	64	Sri Lanka	3.67
	65	Zambia	3.67
	66	Bahrain	3.80
	67	Cayman Islands	3.91
	68	Pakistan	3.91
	69	Jordan	3.93
	70	Kuwait	3.95
	71	Qatar	3.98
	72	Bahamas	4.00
	73	Uruguay	4.08
	74	Kazakhstan	4.09
	75	Rwanda	4.11
	76	Ghana	4.13
	77	Oman	4.18
	78	Ecuador	4.27
	79	Angola	4.30
Opaque	80	Tunisia	4.36
	81	Uganda	4.40
	82	Mozambique	4.41
	83	Panama	4.42
	84	Lebanon	4.43
	85	Iran	4.43
	86	Ivory Coast	4.44
	87	Algeria	4.46
	88	Senegal	4.49
	89	Honduras	4.50
	90	Tanzania	4.52
	91	Dominican Republic	4.54
	92	Iraq	4.58
	93	Guatemala	4.59
	94	Ethiopia	4.60

China – SH/BJ = Shanghai and Beijing
Source: JLL, LaSalle, 2022

[그림 1] JLL Global Real Estate Transparency Index

출처 : https://www.austchamthailand.com/

전반적으로, 한국이 부동산 투명성을 개선하는 데 있어서 진전이 있는 반면, GRETI 보고서는 토지 등록부를 디지털화하고, 거래 과정 투명성을 강화하고, 지속 가능한 데이터 공개를 촉진하고, 그리고 대체 데이터 소스를 육성하는 것과 같은, 추가적인 개선이 필요한 영역들을 확인한다. 이러한 영역들을 해결하는 것은 한국이 순위에서 더 높이 올라가고, 부동산 시장에 더 많은 외국인 투자를 유치하도록 도울 수 있다.

GRETI 보고서는 투명성 제고를 위한 노력을 인정하면서도 추가적인 관심이 필요한 부분을 강조하고 있다. 규제 환경과 데이터 가용성 측면에서는 한국이 더 나은 성과를 보이고, 동남아 여러나라들 보다 규제 개혁과 지속 가능성 보고에서 약진하였다. 그러나 토지 등록부의 디지털화, 거래 과정의 투명성 강화, 지속 가능성 데이터 공개 촉진, 그리고 대체 데이터 소스의 개발과 같은 분야에서 어려움을 겪고 있다. 이러한 분야를 해결하는 것은 더 많은 외국인 투자를 유치하고 부동산 시장의 전반적인 효율성과 투명성을 향상시키는 데 도움이 될 수 있다.

2. 프롭테크 1.0

1) 프롭테크 1.0 배경

시대적 배경을 보면, 프롭테크 1.0은 1970년대 후반부터 2000년대 초반까지 지속된 단계로, 부동산 산업에 정보통신기술(ICT)을 접목하여 효율성을 높이고 정보 비대칭성을 해소하는 데 초점을 맞춘 시기이다. 프롭테크 1.0은 부동산 산업의 효율성과 투명성 제고를 목적으로 하는 웹 기반 솔루션의 등장을 특징으로 하는 부동산 기술 개발의 초기 단계를 의미한다. 인터넷 등장 이전, 부동산 정보는 주로 부동산 중개업소를 통해 비대칭적으로 제공되었고, 거래 과정은 복잡하고 비효율적이었다. 프롭테크 1.0은 이러한 문제를 해결하기 위해 온라인 플랫폼과 데이터 분석 기술을 도입했다.

역사적 배경으로 프롭테크 1.0 이전에는 부동산 정보가 비대칭적으로 제공되었는데, 주로 부동산 중개업자를 통해 제공되었다. 정보의 투명성과 접근성 부족으로 거래 과정이 복잡하고 비효율적이었다. 인터넷과 온라인 플랫폼의 등장과 함께 프롭테크 1.0은 다음과 같은 것들을 도입하여 부동산 목록 및 거래를 위한 온라인 플랫폼과 부동산 데이터를 보다 효율적으로 처리하기 위한 데이터 분석 기술 등 이러한 문제들을 해결하는 것을 목표로 했다. 즉, 프롭테크 1.0은 인터넷의 잠재력을 활용하여 소비자, 투자자, 전문가를 위한 기본적인 부동산 프로세스를 간소화하는 데 중점을 두었다. 이러한 솔루션은 주로 쉽게 식별할 수 있는 문제점을 해결하고자 하였다.

주요 개발 사항으로 온라인 부동산 상장 플랫폼 등장으로 이는 사람들이 집이나 사무실에서 편안하게 부동산 정보, 사진, 가상 투어 등을 둘러볼 수 있게 함으로써 부동산 검색의 초기 단계를 혁신적으로 이끌었다. 질로우(Zillow), 트룰리아, Realtor.com 같은 플랫폼이 대표적인 예가 되었다. 부동산 데이터 분석 및 관리 소프트웨어 도입, 부동산에 대한 디지털 마케팅 및 온라인 광고 사용 증가 및 구매자 및 판매자의 부동산 정보 접근성 향상이다. 가상 투어에서 초기의 가상 투어 기술은 잠재 구매자나 임차인이 원격으로 부동산을 경험할 수 있는 방법을 제공하여 특히 지리적으로 멀리 떨어진 옵션의 경우 편의성과 도달 범위를 높였다. 온라인 재산 관리 도구에서 이들 플랫폼은 임차인 커뮤니케이션 관리, 임대료 징수, 유지보수 요청 간소화 도구를 제공하여 재산 관리자의 효율성을 높이는 데 목적을 두었다.

또한, 인터넷과 모바일 기술의 광범위한 채택으로 20세기 말과 21세기 초에 인터넷과 휴대폰 사용이 크게 증가했다. 이러한 사용자 행동의 변화는 전통적인 방법보다 더 접근하기 쉽고 편리한 온라인 부동산 서비스에 대한 수요를 창출했다. 효율성과 투명성 향상의 필요성으로 전통적인 부동산 프로세스는 종종 시간이 많이 걸리고 종이 집약적이며 특히 소비자를 위한 투명성이 부족했다. 프롭테크 1.0 솔루션은 작업을 자동화하고 디지털 데이터 액세스를 제공하며 워크플로우를 간소화함으로써 이러한 문제를 해결하는 것을 목표로 했다.

기술의 초기 혁신으로 기본적인 온라인 플랫폼과 디지털 도구의 개발은 프롭테크를 더욱 발전시킬 수 있는 기반을 마련했다. 이러한 초기 솔루션은 정교함에는 한계가 있지만, 부동산 분야를 변화시킬 수 있는 기술의 잠재력을 입증했다.

전반적으로 프롭테크 1.0은 부동산 산업에서 디지털 기술의 초기 채택을 의미하며, 인터넷과 데이터 분석을 활용하여 프로세스를 효율화하고 정보 흐름을 개선하며 부동산 거래의 비효율성을 줄이는 데 중점을 두었다.

2) 프롭테크 1.0 주요 특징

(1) 정보의 비대칭성을 해소한 것이다.

프롭테크 1.0이 어떻게 온라인 플랫폼을 도입하고 일반 소비자들이 정보를 더 쉽게 이용할 수 있도록 함으로써 부동산의 정보 격차를 줄이는 것을 목표로 했는지에 대한 더 자세한 예를 제공할 수 있다. 부동산 정보가 주로 부동산 중개업소를 통해 제공되어 일반 소비자들이 접근하기 어려웠는데, 온라인 플랫폼을 통해 이러한 정보 격차를 해소하고자 했다.

첫째, 온라인 부동산 상장 플랫폼

프롭테크 1.0 이전의 부동산 목록은 주로 부동산 중개업자들에 의해 통제되어 소비자들이 포괄적인 부동산 정보에 접근하기 어려웠다. 질로우, Realtor.com, 트룰리아와 같은 플랫폼은 다양한 출처의 부동산 목록을 가장 먼저 집계하고 소비자들이 온라인에서 검색하고 탐색할 수 있도록 했다. 온라인 플랫폼을 통해 부동산 검색 엔진을 제공하여 사용자가 원하는 지역, 가격대, 크기 등의 조건으로 부동산을 검색할 수 있게 한 것이다. 이를 통해 일반 소비자들도 손쉽게 부동산 시장을 탐색할 수 있다.

둘째, 부동산 평가 및 가격 추정 도구

또한 이들 플랫폼은 자동화된 가치 평가 모델(AVM)과 가격 추정 도구를 도입하여 소비자들이 유사한 판매 데이터와 다른 요소를 기반으로 부동산 가치에 대한 대략적인 개념을 얻을 수 있도록 했다. 이는 소비자들에게 이전에는 부동산 중개인이나 감정사를 통해서만 접근할 수 있었던 정보를 제공하는 데 도움이 되었다. 온라인 플랫폼을 통해 해당 지역의 부동산 시장 가격 동향을 제공하고, 유사한 매물의 가격 비교도 가능하게 한 것이다. 이를 통해 소비자들은 가격에 대한 정보를 투명하게 확인할 수 있다.

온라인 플랫폼을 활용하여 부동산 정보 비대칭성을 해소하는 방법은 여러 가지가 있다. 예를 들어 다음과 같은 방법들이 있을 수 있다.

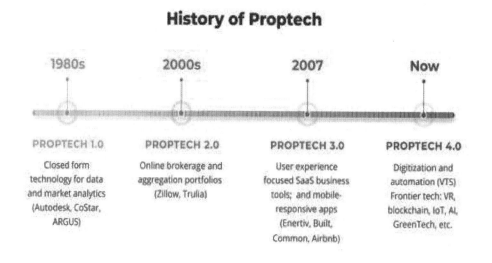

[그림 2] 프롭테크 역사
출처 : https://www.linkedin.com/[4]

셋째, 가상 투어 및 대화형 지도

온라인 플랫폼은 가상 투어, 대화형 지도 및 거리 전망을 제공하기 시작했으며, 잠재 구매자가 부동산 및 주변 환경을 직접 방문하지 않고도 더 잘 파악할 수 있도록 했다. 이는 소비자에게 투명성과 편의성을 강화했다. 온라인 플랫폼을 통해 매물의 상세 정보를 제공하고, 사진 및 가상 투어를 통해 집을 미리 살펴볼 수 있도록 한 것이다. 이를 통해 일반 소비자들도 중개업소에 의존하지 않고 집을 탐색

---

4) 본 도서에서는 프롭테크 1.0에 프롭테크 1.0에서 프롭테크 3.0까지를 포함한다.

하고 비교할 수 있다.

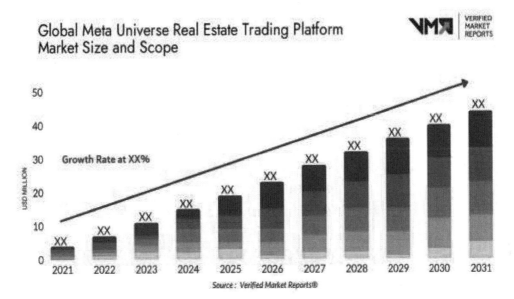

[그림 3] Top Real Estate Trading Platform Market Companie
출처 : https://www.linkedin.com/pulse/

넷째, 부동산 검색 및 필터링

이제 소비자들은 위치, 가격대, 침실 수, 편의시설 등 특정 기준에 따라 부동산을 검색할 수 있게 되었고, 자신의 취향에 맞는 부동산을 쉽게 찾을 수 있게 되었다. 이는 부동산 중개업자들에게만 필터링된 옵션을 제공하는 것에 비해 크게 향상된 것이었다. 온라인 플랫폼을 통해 이전 거주자들이나 해당 지역에 대한 리뷰와 평가를 제공한다. 이를 통해 사용자들은 해당 지역의 생활 환경 및 주변 시설에 대한 정보를 얻을 수 있다.

다섯째, 이웃 및 학교 정보

플랫폼은 이웃 데이터, 학교 정보, 범죄 통계 및 기타 관련 커뮤니티 세부 정보를 통합하여 소비자가 잠재적으로 거주할 수 있는 지역에 대해 더 많은 정보에 입각한 결정을 내릴 수 있도록 했다.

여섯째, 온라인 부동산 교육 및 리소스

프롭테크 1.0 플랫폼은 또한 소비자들이 부동산 과정, 시장 동향 및 기타 관련 정보에 대해 배울 수 있는 교육 자료, 블로그 및 포럼을 제공하여 이러한 지식을 부동산 중개인에게 의존하는 것을 줄였다. 온라인 플랫폼을 통해 부동산 시장의 데이터와 분석 자료를 제공하여 사용자들이 부동산 시장의 동향을 파악할 수 있도록 한 것이다. 이를 통해 사용자들은 더 나은 결정을 내릴 수 있다.

프롭테크 1.0은 온라인 플랫폼을 통해 부동산 정보에 대한 접근성, 검색 가능성, 투명성을 높임으로써 소비자에게 부동산 시장을 보다 독립적으로 탐색하고 정보에 입각한 의사결정을 내릴 수 있는 필요한 도구와 데이터를 제공하는 것을 목표로 했다. 이러한 방법들을 통해 온라인 플랫폼은 부동산 정보의 비대칭성을 해소하고, 일반 소비자들도 부동산 시장에 쉽게 접근하고 정보를 활용할 수 있도록 도와줄 수 있었다.

(2) 거래 과정을 효율화하였다.

프롭테크 1.0이 온라인 플랫폼과 데이터 분석 기술을 이용하여 복잡하고 비효율적인 부동산 거래 프로세스를 단순화하고 개선하는 것을 목표로 삼았다. 복잡하고 비효율적이었던 부동산 거래 과정을 온라인 플랫폼과 데이터 분석 기술을 활용해 간소화하고 개선하려 했다.

부동산 거래 과정을 온라인 플랫폼과 데이터 분석 기술을 활용하여 효율화하고 개선하는 방법은 다음과 같은 것들이 있다.

첫째, 온라인 부동산 거래 플랫폼

레드핀, 질로우 오퍼즈, 오픈도어 등의 플랫폼은 상장부터 폐업까지 부동산 거래 전 과정을 간소화하는 온라인 도구를 선보였다. 판매자는 자신의 부동산을 나열하고 제안을 받고 조건을 협상하며 판매를 완전히 온라인으로 완료할 수 있으므로 광범위한 서류 작업과 직접 대화할 필요가 없다. 구매자는 이러한 플랫폼을 통해 부동산을 검색하고 제안을 제출하고 거래 진행 상황을 추적할 수 있다. 부동산 거래 과정의 대부분을 온라인으로 이루어지도록 하여 중개인과의 직접적인 접촉을 최소화한다. 이를 위해 온라인 거래 플랫폼을 구축하여 부동산 매물 검색부터 계약 체결까지 모든 단계를 온라인 상에서 처리할 수 있도록 한 것이다.

둘째, 가상 속성 투어 및 3D 모델링

온라인 플랫폼은 가상 투어, 3D 모델링 및 대화형 평면도를 통합하여 구매자가 물리적으로 방문하지 않고 원격으로 부동산을 탐색할 수 있도록 했다. 이는 특히 초기 심사 과정에서 직접 보여줄 필요성을 줄여 효율성을 높였다. 또한 가상 투어를 통해 구매자는 가족이나 조언자와 쉽게 부동산 정보를 공유할 수 있어 의사 결정 과정을 간소화할 수 있었다. 부동산 매물에 대한 가상 투어 기능을 제공하여 구매자가 직접 현장을 방문하지 않고도 매물을 살펴볼 수 있도록 한 것이다. 또한 영상 시연을 통해 매물의 상태와 장점을 자세히 소개하여 구매자의 선택을 용이하게 한다.

셋째, 부동산 데이터 분석

프롭테크 1.0은 데이터 분석 기술을 활용해 부동산 거래, 부동산 가치, 시장 동향, 소비자 행동 등과 관련된 대형 데이터 세트를 처리하고 부서했다. 이러한 데이터 기반 접근 방식을 통해 부동산 전문가와 소비자는 종합적인 시장 통찰력을 바탕으로 보다 정보에 입각한 의사 결정을 내릴 수 있었다. 예를 들어, 자동화 평가 모델(AVM)은 데이터 분석을 사용하여 보다 정확한 부동산 평가를 제공하여 경우에 따라 수동 평가의 필요성을 대체했다. 부동산 시장 데이터를 분석하여 해당 지역의 시장 평균 가격과 비교하여 매물의 가격 적정성을 평가한 것이다. 이를 통해 구매자는 더 정확한 가격 판단을 할 수 있으며, 판매자는 경쟁력 있는 가격을 제시할 수 있다.

넷째, 디지털 서명 및 문서 관리

프롭테크 1.0은 디지털 서명 및 문서 관리 기술을 활용하여 물리적인 서류 작업과 직접 회의를 할 필요를 없앴다. 계약, 공시 및 기타 법률 문서를 전자적으로 서명 및 공유할 수 있어 문서의 인쇄, 스캔 및 우편 발송에 소요되는 시간과 노력을 줄일 수 있었다. 이를 통해 프로세스를 간소화하고 물류 문제로 인한 지연을 최소화할 수 있었다. 온라인 상에서 디지털 계약 시스템을 도입하여 계약서 작성 및 서명 과정을 간소화하고, 안전하게 진행할 수 있도록 한 것이다. 또한 온라인 결제 시스템을 통해 보증금 및 중개 수수료 등의 결제를 간편하게 처리할 수 있다.

다섯째, 자동 인수 및 대출 처리

온라인 모기지 플랫폼과 대출 기관은 대출 신청, 고용 정보, 신용 점수 및 기타 금융 데이터를 신속하게 분석할 수 있는 자동 인수 시스템을 구현했다. 이 자동화된 프로세스는 종종 시간이 많이 걸리고 오류가 발생하기 쉬운 전통적인 수동 언더라이팅 프로세스를 대체했다. 보다 빠른 대출 승인을 가능하게 하고 자금 조달 확보에 소요되는 전반적인 시간을 단축했다. 온라인 플랫폼을 통해 구매자와 판매자 모두에게 실시간으로 상담 및 지원 서비스를 제공한 것이다. 이를 통해 거래 과정에서 발생하는 문제나 궁금한 사항을 즉시 해결할 수 있다.

위와 같은 방법들을 통해 부동산 거래 과정을 온라인으로 효율화하고 개선함으로써 중개 과정의 복잡성과 비효율성을 줄이고, 구매자와 판매자 간의 거래를 원활하게 진행할 수 있었다.

(3) 정보통신기술(ICT)을 적용하였다.

프롭테크 1.0의 핵심 목표는 정보통신기술(ICT)을 접목해 효율성을 높이는 것이었다. 이를 위해 온라인 플랫폼과 데이터 분석 기술을 활용한 것이다 정보통신기술(ICT)을 부동산 산업에 접목하여 효율성을 높이는 것이 프롭테크 1.0의 핵심 목표였다. 온라인 플랫폼, 데이터 분석 등의 기술이 대표적인 예이다.

프롭테크 1.0의 핵심 목표는 정보통신기술(ICT)을 부동산 산업에 접목하여 효율성을 높이는 것이다. 이를 위해 다양한 기술을 활용할 수 있었다.

첫째, 온라인 부동산 상장 플랫폼

질로우(Zillow), Realtor.com, 트룰리아(Trulia)와 같은 플랫폼은 부동산 중개인, 중개인 및 다중 상장 서비스(Multi-Listed Services, MLS)를 포함한 다양한 출처의 부동산 목록을 집계했다. 이러한 리스팅에 대한 중앙 집중식 접근은 구매자와 판매자가 여러 출처를 통해 검색하거나 개별 에이전트에만 의존할 필요를 없애 효율성을 높였다. 고급 검색 필터 및 정렬 옵션을 통해 사용자는 특정 기준과 일치하는 속성을 빠르게 찾을 수 있어 검색 프로세스를 간소화할 수 있다. 온라인 플랫폼을 개발하여 부동산 거래 및 관리 과정을 모두 이곳에서 처리할 수 있도록 한 것이다. 이 플랫폼은 부동산 매물 검색, 가상 투어, 계약 체결, 관리 및 유지 보수 등을 효율적으로 관리할 수 있는 기능을 제공한다.

둘째, 부동산 데이터 분석

질로우와 코어로직과 같은 프롭데그 1.0 회사들은 데이터 분석을 활용하여 부동산 전문가와 소비자들에게 가치 있는 통찰력과 도구를 제공했다. AVM(Automated Valuation Models)은 고급 알고리즘과 방대한 데이터 세트를 사용하여 기존의 수동 평가보다 더 효율적이고 정확하게 부동산 가치를 추정했다. 시장 분석 도구는 판매 동향, 가격 및 재고 수준에 대한 실시간 데이터를 분석하여 대리인과 구매자가 정보에 입각한 의사결정과 가격 전략을 내릴 수 있도록 지원했다. 데이터 분석 기술을 사용하여 부동산 시장의 동향과 패턴을 파악한 것이다. 이를 통해 매물 가격 적정성을 판단하고, 투자자들에게 최적의 투자 기회를 제공한다. 또한 AI를 활용하여 구매자와 맞춤형으로 부동산을 추천하거나 특정 조건에 맞는 매물을 예측할 수 있다.

셋째, 속성 제목 및 증서 관리과 부동산 거래를 위한 스마트 계약

Propy, Ubitquity, Velox.RE와 같은 회사들은 블록체인을 사용하여 부동산의 제목과 행동을 기록하고 추적하기 위한 안전하고 분산된 원장을 개발했다. 이는 오류, 사기 및 비효율이 발생하기 쉬운 전통적인 종이 기반 기록 보관의 필요성을 제거하는 것을 목표로 했다. 블록체인 장부는 소유권 및 이전 이력에 대한 불변의 투명한 기록을 제공하여 재산 거래에 대한 신뢰성과 신뢰를 높일 것이다. 블록체인 기술을 활용하여 부동산 거래의 신뢰성과 투명성을 높인 것이다. 스마트 계약을 통해 거래 과정을 자동화하고, 거래 기록을 블록체인에 안전하게 저장하여 거래의 변경이나 위조를 방지한다.

부동산 거래의 특정 측면을 자동화하고 집행하기 위한 방안으로 블록체인 기반의 스마트 계약을 모색하였다. 예를 들어, 스마트 계약은 성공적인 재산 양도나 검사 통과와 같은 특정 조건이 충족되면 에스크로 계좌에서 자동으로 자금을 방출할 수 있다. 이는 중개인의 필요성을 제거함으로써 투명성을 높이고 분쟁의 위험을 줄이며 거래 절차를 효율화하는 것을 목표로 하였다. 프롭테크 1.0 시대에는 아직 초기 단계이지만 블록체인 기술의 활용은 분산적이고 안전하며 불변하는 특성을 활용하여 다양한 부동산 프로세스의 신뢰성, 투명성 및 효율성을 높이는 데 가능성을 보여주었다.

넷째, 온라인 모기지 및 대출 플랫폼

Quicken Loans와 Lending Tree와 같은 회사들은 모기지 신청과 승인 절차를 간소화하는 온라인 플랫폼을 소개했다. 대출자는 재무 정보, 고용 정보 및 신용 보고서를 디지털로 제출할 수 있어 물리적인 서류 작업과 직접 회의를 할 필요가 없다. 자동화된 언더라이팅 시스템은 데이터를 분석하고 더 빠른 대출 사전 승인 및 승인을 제공하여 기존 수동 프로세스에 비해 효율성을 높였다. 또한, IoT 기기를 부동산에 설치하여 건물의 상태를 실시간으로 모니터링하고 관리한 것이다. 예를 들어 스마트 미터를 통해 에너지 사용량을 관리하거나 스마트 잠금장치를 통해 출입을 제어할 수 있다.

다섯째, 가상 속성 투어 및 3D 모델링

온라인 플랫폼은 가상 투어, 3D 모델 및 대화형 평면도를 통합하여 구매자가 물리적으로 방문하지 않고도 원격으로 부동산을 탐색할 수 있다. 이는 특히 초기 심사 과정에서 직접 상영에 소요되는 시간과 노력을 줄여 효율성을 높였다. 또한 가상 투어를 통해 구매자는 가족이나 조언자와 쉽게 부동산 정보를 공유할 수 있어

의사 결정 과정을 간소화할 수 있었다. 가상현실(VR) 및 증강현실(AR) 기술을 활용하여 부동산 매물의 가상 투어를 제공하거나, 실제 공간에 가상적인 요소를 추가하여 구매자에게 더욱 현실적인 경험을 제공한 것이다.

여섯째, 온라인 트랜잭션 관리 및 보안 데이터 공유 및 신원 확인

닷루프와 스카이슬로프와 같은 플랫폼은 문서 저장, 전자 서명, 작업 관리 등 부동산 거래 관리를 위한 디지털 도구를 제공했다. 이를 통해 물리적인 서류 작업의 필요성을 없애고 오류를 줄였으며 거래에 관련된 모든 당사자 간의 원활한 의사소통과 협력을 촉진했다. 이러한 플랫폼은 거래 과정의 다양한 측면을 디지털화하고 자동화함으로써 효율성을 크게 높이고 부동산 거래를 완료하는 데 필요한 시간과 노력을 절감하였다.

또한, 블록체인의 분산되고 암호화된 특성으로 민감한 부동산 데이터를 안전하게 공유하고 신원을 확인하는 데 적합했다. 예를 들어, 거래에 관련된 당사자들은 블록체인 네트워크에서 문서와 자격 증명을 공유할 수 있어 데이터 무결성과 개인정보 보호를 보장할 수 있다. 이는 사기나 데이터 변조의 위험을 줄여 부동산 거래 과정에서의 신뢰와 신뢰를 높이고자 한 것이다.

일곱째, 임대 및 임대 관리

렌트베리와 리스케이크와 같은 회사들은 블록체인을 이용하여 임대 계약과 임대 조건에 대한 투명하고 변조되지 않는 기록을 만들었다. 이를 통해 임대료 지불, 보증금 관리 및 유지보수 요청과 같은 프로세스를 자동화하여 효율성을 높이고 분쟁을 줄일 수 있다.

이러한 사례들은 부동산 산업의 다양한 측면에서 프롭테크 1.0이 온라인 플랫폼, 데이터 분석 및 디지털 도구를 활용하여 프로세스를 효율화하고 정보에 대한 접근성을 개선하며 궁극적으로 효율성을 높이는 방법을 보여준다. 이러한 기술들을 통해 부동산 산업에 ICT를 접목하여 효율성을 높이고, 사용자들에게 더 나은 서비스를 제공하는 것이 프롭테크 1.0의 주요 목표였다. 이러한 노력을 통해 프롭테크 1.0 시기에는 부동산 시장의 정보 투명성이 높아지고 거래 효율성이 개선되는 성과를 거두었다. 이는 이후 프롭테크 2.0 단계로 발전하는 기반이 되었다.

요약하면, 프롭테크 1.0의 가장 큰 특징은 온라인 부동산 플랫폼의 등장이다. 대표적인 예시로는 부동산 정보 플랫폼으로 부동산 매물/임대 정보, 시세, 전문가 분석 등을 온라인으로 제공하여 정보 비대칭성을 해소하고 소비자의 정보 접근성을 높였다. 대표적인 사이트로는 부동산114, 알투코리아, 직방 등이 있다. 또한, 온라

인 부동산 거래 플랫폼을 영위한다. 부동산 매매/임대 계약, 부동산 금융, 부동산 전문가 상담 등을 온라인으로 지원하여 거래 과정을 간편하고 효율적으로 만들었다. 대표적인 플랫폼으로는 직방, 다방, 굿옥션 등이 있다.

프롭테크 1.0은 부동산 시장 데이터 분석을 통해 투자 및 거래 의사결정을 지원하는 데 초점을 맞췄다. 즉, 과거 거래 데이터, 매물/임대 동향, 지역별 특성 등을 분석하여 부동산 시세를 예측하고 투자 가치를 평가하는 데 활용했다. 또한, 투자 대상 부동산의 수익률, 위험성, 투자 전략 등을 분석하여 투자자의 의사결정을 지원했다. 그리고, 단순 데이터 제공하였다. 부동산 매물 정보, 시세, 전문가 조언 등을 온라인에서 제공하는 데 중점을 뒀다. 기존 오프라인 방식에 비해 부동산 정보에 대한 접근성을 크게 향상시켰다. 주로 일방적인 정보 제공 방식으로, 사용자 상호작용은 제한적이었다. 대표적인 기술로는 웹사이트, 포털 사이트, 온라인 부동산 중개 플랫폼 등이 있다.

\<AVM(Automated Valuation Models)\>

　AVM(Automated Valuation Models)은 부동산 업계에서 기존의 수동 평가에 비해 더욱 효율적이고 데이터 중심적인 방식으로 부동산 가치를 평가하는 데 점점 더 중요한 도구가 되었다.

　AVM(자동 평가 모델)은 자동화된 방식으로 수학적 모델링 기술을 사용하여 지정된 날짜에 지정된 부동산의 가치를 제공하는 부동산 평가 시스템이다. AVM은 통계적 평가 방법이며 비교 기반 AVM과 헤도닉 모델(Hedonic Models)로 구분한다. 다른 통계적 평가 방법으로는 주택 가격 지수와 단일 매개변수 평가가 있다.

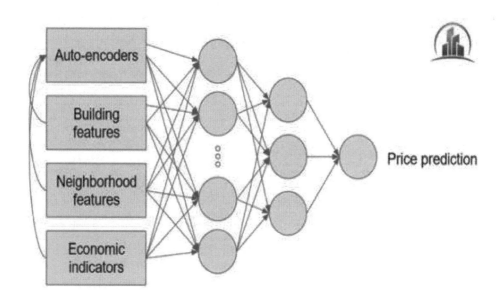

[그림 4] AVM(Multi-layer neural network)
출처 : https://xai.land

1) 비교 기반 AVM 대 Hedonic 모델

　비교 기반 AVM 대 Hedonic 모델을 보면, 비교 대상 기반 AVM은 평가할 부동산의 특성을 기반으로 각 개별 평가에 대한 비교 대상을 선택한다. 따라서 이는 판매 비교 접근 방식을 통해 부동산의 가치를 평가할 때 감정인이 작업하는 방식과 유사하게 작동한다. 반면에 헤도닉 모델은 사전 계산된 매개변수의 형태로 개별 부동산 특성의 영향을 분리한다. 헤도닉 모델을 사용하여 평가를 수행하는 경우 실제 비교나 자동화된 프로세스가 발생하지 않지만 대신 사전 정의된 매개변수가 포함된 특정 수학 방정식에 부동산 특성을 채워 값이 계산한다. 비교대상 기반 AVM은 평가할 개별 자산을 기준으로 비교 대상을 선택하므로 평가 결과를 추적할 수 있다. 헤도닉 모델의 경우에는 그렇지 않다. 헤도닉 모델은 또한 사용하는 수학 방정식에서 매개변수화된 변수만 고려하므로 보다 일반화에 의존한다. AVM은 데이터 기반으로 판매 가격, 이전 평가 값 또는 요구 가격을 사용한다.

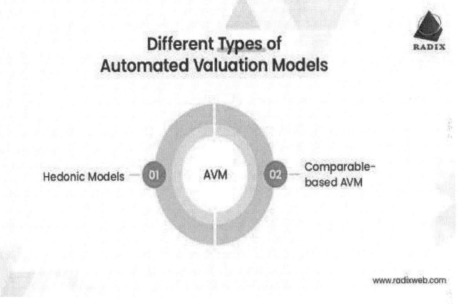

[그림 5] 자동화된 평가 모델 유형
출처 : https://radixweb.com/blog/

감정인, 투자 전문가 및 대출 기관은 주거용 부동산 분석에 AVM 기술을 사용한다. AVM은 밀리초 안에 얻을 수 있는 주거용 평가 보고서이고 기술 중심의 보고서이다. 자동화된 평가 기술의 제품은 주거용 부동산의 예상 가치에 대한 계산된 추정치를 제공하기 위해 결합된 공공 기록 데이터와 컴퓨터 결정 논리의 분석에서 비롯된다. AVM은 두 가지 이상의 평가 유형을 조합하여 사용하지만 가장 일반적으로는 헤도닉 모델과 반복 거래 지수를 사용한다. 각 모델의 결과에는 신뢰도 점수가 부여되고 해당 점수에 따라 가중치가 부여되며 분석된 후 지정된 날짜를 기준으로 최종 가치 추정치로 보고한다.

AVM에는 일반적으로 다음이 포함된다. 단일 주거용 부동산의 시장 가치(자본 가치 또는 임대 가치)를 나타낸다. 대상 부동산에 대한 정보와 유사 부동산의 최근 이력이 포함된다. 유사한 부동산의 비교 판매 분석이며, 현재 이와 같은 가격으로 부동산이 활발하게 매매되고 있음을 보여준다.

2) AVM의 장점과 단점

1990년대 후반 미국에서 이 기술은 주로 기관 투자자들이 담보 모기지 대출을 구매할 때 위험을 판단하는 데 사용되었다. AVM은 UK Valuation 및 Hometrack 의 출현으로 2000년대 초반 영국에서 인기를 얻었다.

장점으로 AVM은 모기지 대출 기관이 평가에 따라 대출할 수 있도록 부동산의 가치를 결정 하는 데 점점 더 많이 사용되고 있다. 전통적인 평가에 비해 AVM을 사용하면 시간, 비용, 자원을 절약할 수 있어(예: 운송 요구 사항이 없음) 부동산 평가 비용이 낮아진다는 장점이 있다. 많은 AVM을 적은 비용으로 사용할 수 있으므로 평가 방법론에서 더 많은 선택이 가능하다. 전통적인 평가와 달리 AVM 산출물은 특정 제공자가 시스템을 의도적으로 조작하거나 부동산 기능이 잘못 입력된 경우 동일한 사기 위험을 겪지 않는다. AVM은 평가 과정에서 인간적 요소를 제거하고 인간의 편견과 주관성을 제거하기 위해 컴퓨터의 객관성에 의존한다.

AVM은 부동산 포트폴리오의 가치를 평가하는 데 특히 유용하다. 자동화된 모델을 사용하면 공급자가 적절한 수준의 정확도를 제공할 수 있는 개별 자산의 가치를 평가하는 데에도 유용하다.

단점은 부동산에 대한 물리적 검사가 이루어지지 않아 부동산 상태를 고려하지 않는다는 점이다. 따라서 산출된 평가는 현재 현실을 반영하지 못할 수 있는 평균 조건을 가정한다. AVM 지원 모기지 신청에 의존하는 구매자는 부동산의 실제 상태를 확인하기 위해 별도의 조언을 받아야 한다. 신축 부동산은 비교 가능한 부동산과 과거 데이터가 부족하기 때문에 가치를 평가하기가 특히 어렵다.

그러나 AVM의 장점은 더 큰 비교 대상 풀을 끌어들이기 때문에 주장된 '신규 구축 프리미엄'을 통합하는 경향이 없다는 것이다. 그러나 이를 달성하기 위해 실제 검사를 통해 비교 대상에 의존하게 된다. 사용된 기타 데이터 소스는 기록된 판매 가격(예: 토지 등록부)에 숨겨진 인센티브로 인해 오해의 소지가 있는 경우가 있다. 또한 AVM은 측면이 가치에 큰 영향을 미칠 수 있는 대형 아파트 블록에서는 특히 잘 작동하지 않는다.

또한 많은 AVM은 거래 데이터를 사용하고 있는데, 이는 3~6개월 정도 지연될 수 있지만 조사원은 데이터 최신성 측면에서 유사하게 제한한다. 따라서 이는 좋은 데이터 소스이지만 여전히 현재 시장 상황의 변화를 설명하지 못하고 있다.

AVM은 지난 15년 동안 모기지 대출 기관에서 점점 더 많이 사용되었으며, 특히 신규 주택 단지와 같이 주택 재고가 매우 일반적인 경우에 효과적이다. 다양한 부동산 유형과 스타일이 있는 지역에서는 효과가 훨씬 떨어진다. 대부분의 높은 대출 가치 비율 대출에는 실제 검사가 필요하며, 위험이 낮은 모기지나 대출자는 AVM을 통해 평가한다.

3) AVM 평가 프로세스

첫째, 알고리즘과 데이터로 AVM은 고급 알고리즘과 머신러닝 기법을 활용해 부동산 내역, 판매 이력, 위치 데이터, 시장 동향 등이 담긴 대규모 데이터 셋을 분석하고, 이를 통해 정확한 가치평가 추정치를 알려줄 수 있는 패턴과 관계를 파악할 수 있다.

둘째, 속도와 비용 효율성에서 AVM의 주요 장점 중 하나는 각 부동산을 방문하기 위해 인간 감정사를 고용하는 것에 비해 신속하고 저렴한 비용으로 부동산 평가를 생성할 수 있다는 것이다. 이러한 확장성은 대량의 부동산을 다루는 대출 기관, 투자자 및 부동산 전문가에게 가치가 있다.

셋째, 객관성에서 AVM은 데이터와 정량적 모델에 의존하여 때때로 수동 평가에 영향을 미칠 수 있는 인간의 편견이나 주관성의 가능성을 줄였다.

넷째, 제한 사항으로 AVM은 강력한 도구이지만 오류가 없는 것은 아니다. 이들의 정확도는 데이터 품질 문제, 데이터에 포착되지 않는 고유한 속성 특성 및 급변하는 시장 상황에 의해 영향을 받을 수 있다. 이와 같이 AVM은 특히 고부가가치 속성 또는 비표준 상황에 대해 다른 평가 방법과 결합하여 사용되는 경우가 많다.

다섯째, 지속적인 개발로 AVM 알고리즘과 데이터 소스는 예측 정확도를 향상시키고 새로운 과제나 시장 역학을 해결하기 위해 지속적으로 개선되고 업데이트되고 있다.

AVM은 부동산 산업에서 필수적인 기술이 되었으며, 평가 프로세스를 간소화하는 동시에 인간의 전문 지식과 감독을 요구하며, 특히 더 복잡하거나 높은 지분의 부동산 평가를 위해 더욱 그렇다.

<Multi-Listed Services>

MLS(Multi-Listed Services)는 부동산 기술(PropTech) 분야, 특히 부동산 산업에서 중요한 역할을 한다. Multiple(다수의) Listing(시장에 나와있는 부동산) Service(서비스)로 말 그대로 해석하면 현재 판매 목적으로 시장에 나와있는 다수의 부동산에 대한 정보를 제공하는 서비스이다. 2000년대 초만 하더라도 사람들이 직접 모여 정보를 나누는 MLS의 형태였지만 현재는 많이 다르다. 인터넷과 스마트폰이 발달했고, 정보 전달 방법 또한 근본적으로 변화했다. 그렇기에 오늘날의 MLS는 부동산 정보가 결집된 온라인 플랫폼이다. MLS는 부동산 중개인과 대리인이 매물이나 임대를 위해 나열한 부동산에 대한 정보를 공유할 수 있도록 하는 민간 데이터베이스 또는 플랫폼이다.

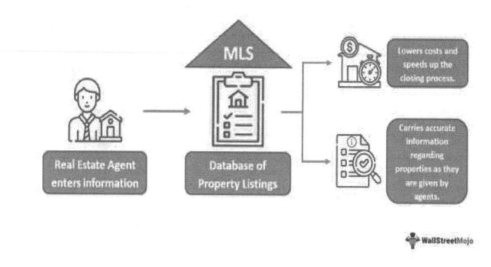

[그림 6] MLS
출처 : https://www.wallstreetmojo.com

1) MLS의 프로세스

모든 listing을 받은 에이전트는 MLS에 listing 매물에 대한 구체적인 정보(커미션 %, 사진, 부동산에 대한 세부 정보 등)를 업로드 해야 한다. 참고로 listing이란 집을 판매하고자 하는 셀러가 에이전트에게 본인 부동산 판매 알선을 의뢰하는 것을 뜻한다. 그렇기 때문에 부동산 브로커들은 MLS를 통해 현재 부동산 시장에 나와있는 매물들을 한 눈에 볼 수 있는 것이다. 즉, 각 지역의 지역 부동산 업계는 각 지역의 다중 목록 서비스(MLS)를 개발, 유지 및 자금을 지원한다. 부동산 중개인은 포괄적인 세부 정보와 이미지를 포함하여 목록을 MLS에 게시한다. 여기에는 비디오, 다이어그램, 그림 등의 사용도 포함될 수 있다.

참여 중개인과 중개인은 부동산 다중 목록 서비스 데이터베이스에서 액세스할 수 있는 데이터를 자주 업데이트한다. 자신의 부동산을 독립적으로 판매하는 주택 소유자는 MLS에 추가할 수 없다. 대부분의 경우 주택을 등록하려면 중개업자나 중개업자와 협력해야 한다.

일반적으로 부동산 업계의 모든 참가자는 짧은 기간 내에 MLS 시스템에 목록을 등록해야 한다. 결과적으로 부동산 시장은 MLS의 개발을 통해 더 잘 기능할 수 있으며, 이는 제공되는 서비스 품질을 높이고 마케팅 및 판매 활동 수행과 관련된 비용을 낮출 수 있다.

이 시스템은 다른 시장과 마찬가지로 작동한다. (부동산에 대한) 수요가 있으면 검색 요청이 있고 사람들은 일치하는 프로필을 찾고 분석한다. 그 후 수요와 공급이 일치하면 판매자와 구매자가 거래를 성사시킬 수 있다. 기본 규칙은 거래 당사자를 대표하는 대행사 또는 브로커 간에 수수료를 분할히는 것이다. 따라서 부동산 소유자는 중개인이나 중개인 수수료를 징수하는 유일한 당사자이다. 이는 대행사가 서비스 품질을 지속적으로 개선하기 위해 노력하도록 강요한다.

이렇게 이야기하면 대중에게 제공되는 Zillow, Redfin과 같은 부동산 매물 플랫폼들을 생각할 수도 있다. MLS는 Zillow 혹은 Redfin과 비슷한 개념이지만 퍼블릭의 접근이 불가능하고 에이전트 및 브로커들만이 수수료를 내용하고 사용할 수 있다. 또한 에이전트들이 직접 정보를 업데이트 하기 때문에 제 3의 플랫폼 보다는 정보가 정확하며 업데이트가 신속하다.

그렇다면 에이전트 없이 직접 집을 팔고 싶어하는 셀러는 어떻게 해야 할까? 집을 파는 과정은 복잡하고, 거래되는 돈의 액수가 크며, 법적 문제 발생 여부가 있기 때문에 브로커와 함께 진행하는 것이 현명하지만, 에이전트 없이 MLS에 업데이트를 하고 싶다면 에이전트에게 소량의 돈을 지불하고 대신 업로드를 부탁하는 방법이 있다. MLS에 정보를 올릴 수 있다면 그만큼 많은 사람들에게 정보가 전달되고 집 판매도 좀 더 수월하게 매매할 수 있다.

2) MLS의 특징

첫째, 중앙 집중형 데이터베이스로 MLS는 특정 지리적 영역 내의 부동산 목록에 대한 중앙 집중형 데이터베이스의 역할을 하며, 일반적으로 지역 부동산 협회 또는 복수의 목록 서비스 기관에 의해 관리된다. 이 데이터베이스는 부동산의 사양, 특징, 가격 및 관련 매체(사진, 가상 투어 등)를 포함하여 부동산에 대한 상세한 정보를 포함한다.

둘째, 데이터 공유로 MLS의 주요 목적은 부동산 전문가들 간의 데이터 공유를 용이하게 하는 것이다. MLS에 부동산을 상장함으로써, 에이전트와 중개인은 그들의 상장을 서비스의 다른 구성인들과 공유할 수 있고, 그들의 싱징에 대한 입력을 가능하게 하고 노출을 증가시킨다.

셋째, 구매자 및 판매자를 위한 접근으로 MLS 데이터는 주로 부동산 전문가를 대상으로 하지만, 많은 MLS 플랫폼은 잠재적 구매자 및 판매자가 자신의 지역에서 사용 가능한 부동산 목록을 검색하고 볼 수 있도록 하는 공개 웹 사이트 또는 포털도 제공한다.

넷째, 데이터 통합으로 프롭테크 분야에서 MLS 데이터는 종종 부동산 검색 플랫폼, 부동산 웹사이트, 모바일 애플리케이션 등 다양한 부동산 기술 솔루션과 통합된다. 이러한 통합을 통해 프롭테크 기업은 MLS에서 직접 사용자에게 최신의 포괄적인 부동산 정보를 제공할 수 있다.

다섯째, 자동화된 가치 평가 모델(AVM)로 MLS 데이터는 매매 가격, 상장 세부 정보 및 시장 동향을 포함한 풍부한 과거 부동산 데이터를 제공하기 때문에 자동화된 가치 평가 모델(AVM)을 개발하고 훈련하는 데 특히 유용하다. 이 데이터는 정확하고 신뢰할 수 있는 AVM을 구축하는 데 필수적이다.

여섯째, 데이터 표준으로 MLS 조직은 구성원이 제공하는 정보의 일관성과 정확성을 보장하기 위해 데이터 표준과 지침을 수립하는 경우가 많다. 이러한 표준은 서로 다른 PropTech 솔루션 전반에 걸쳐 데이터 통합과 호환을 용이하게 할 수 있다.

일곱째, 분석 및 통찰력에서 프롭테크 기업은 MLS 데이터를 활용하여 시장 동향, 가격 비교 및 부동산 성과 지표와 같은 가치 있는 통찰력과 분석을 도출할 수 있으며, 이는 부동산 전문가와 소비자 모두에게 가치가 있을 수 있다.

MLS 데이터는 주로 부동산 산업에 초점을 맞추고 있지만, 그 중요성은 부동산 검색 플랫폼, 부동산 분석 도구 및 자동화된 가치 평가 모델을 포함한 다양한 프롭테크 응용 분야로 확장된다. 정확하고 최신의 부동산 정보와 서비스를 제공하고자 하는 많은 프롭테크 기업들은 MLS 데이터에 접근하고 효과적으로 활용하는 것이 매우 중요하다.

3) MLS 시스템 장점과 단점

장점으로 등재 대리인은 MLS에 모든 정보를 입력해야 한다. 그러므로 그 정확성을 검증할 것이라는 확신이 있다. 또한 MLS를 감독하는 위원회의 규제를 받으며 모든 정보는 대개 정확하다.

거대한 데이터베이스를 보유하고 있으며 구매자와 판매자에게 잠재 고객을 제공한다. 대부분의 산업화된 국가의 경제는 부동산 부문에 크게 의존하고 있으며 MLS는 목록 데이터베이스를 컴파일하여 거래를 좀 더 쉽게 만든다.

중앙 집중식 데이터로 MLS는 부동산 목록에 대한 중앙 집중식 데이터베이스를 제공하여 부동산 전문가들이 주어진 시장 또는 지역 내에서 쉽게 목록 정보에 접근하고 공유할 수 있도록 한다.

노출 증가로 MLS에 부동산을 상장함으로써 부동산 중개인은 잠재 구매자 및 기타 중개인의 광범위한 네트워크에 대한 노출과 목록의 가시성을 높일 수 있다.

협력 및 보상으로 MLS는 대리인과 중개인 간의 협력을 촉진하여 성공적인 거래를 위해 목록을 공유하고 보상을 분배할 수 있다.

포괄적인 부동산 정보로 MLS 목록은 일반적으로 부동산의 마케팅 및 판매에 도움이 될 수 있는 설명, 사진, 가상 투어 및 기타 관련 세부 정보를 포함하는 상세한 부동산 정보를 포함한다.

시장 데이터 및 분석으로 MLS 데이터를 활용하여 가격 동향, 재고 수준, 판매 통계 등 가치 있는 시장 통찰력을 창출하여 가격 전략 및 시장 결정에 정보를 제공할 수 있다.

효율성으로 MLS는 속성 정보를 공유하고 액세스하는 프로세스를 간소화하여 개별 에이전트가 수동으로 광범위한 네트워크에 목록을 배포할 필요성을 줄인다.

MLS 시스템의 단점으로 일부 MLS는 다른 MLS와 목록을 교환하지 않으며 다른 부동산 협회의 회원 자격이 필요할 수도 있다. 이로 인해 추가 비용이 발생할 수 있다. 즉, 접근 제한으로 MLS 데이터에 대한 접근은 일반적으로 공인된 부동산 전문가에게 제한되어 소비자와 잠재 구매자의 직접적인 접근이 제한된다.

전산화되어 있다. 따라서 전력 부족으로 인해 정상적인 기능이 중단될 수 있으며 목록 편집이나 업데이트가 지연되어 거래가 성사될 가능성이 부족한 경우도 있다. 데이터 정확성 및 일관성에서 MLS 조직은 데이터 표준을 가지고 있지만, 특히 개별 에이전트에 의존하여 정보를 입력하는 경우, 여러 목록에 걸쳐 데이터 정확성 및 일관성을 보장하는 것은 어려울 수 있다.

일반적인 수수료율은 5~7% 내외로 경쟁 수수료율보다 높은 것으로 간주되어 부담은 구매자에게 있다. 비용 및 회비 면에서 MLS에 참여하려면 일반적으로 회비가 필요하며, 이는 일부 부동산 전문가, 특히 막 시작하거나 소규모로 운영하는 사람들에게 재정적 부담이 될 수 있다.

부동산을 더 쉽게 찾을 수는 있지만 기술 발전과 높은 수수료율로 인해 부동산은 바람직하지 않고 쓸모없게 되기도 한다.

오용 가능성에서 MLS 데이터에 대한 오용 또는 무단 접근의 위험이 있으며, 이는 프라이버시 문제 또는 잠재적인 법적 문제로 이어질 수 있다.

기술적 한계로 일부 MLS 시스템은 구식 기술 또는 제한된 기능을 가질 수 있으며, 이는 현대의 PropTech 솔루션과의 통합을 방해하거나 고급 데이터 분석 및 시각화 기능을 활용하는 능력을 제한할 수 있다.

지역 단편화로 MLS 시스템은 지역 또는 지역 수준으로 구성되고 운영되는 경우가 많으며, 이로 인해 단편화가 발생할 수 있으며, 여러 지역 또는 시장에 걸쳐 데이터에 접근하거나 통합하기가 어려울 수 있다.

MLS 시스템은 부동산 산업 내에서 데이터 공유 및 협력 측면에서 상당한 이점을 제공하지만, 눈에 띄는 단점과 한계도 있다. 데이터의 정확성, 보안 및 접근성을 보장하면서 MLS 데이터를 효과적으로 활용하고자 하는 MLS 조직 및 PropTech 기업들은 이러한 문제를 해결하는 데 지속적으로 집중하고 있다.

　　MLS(Multiple Listing Service)는 주로 주거용 부동산에 사용되는 시스템. 부동산 중개업자와 중개업자가 매매 또는 임대 가능한 주거용 부동산에 대한 정보를 공유할 수 있도록 한다. 반면에, CIE(상업정보거래소)로 미국의 상업용 부동산을 위해 특별히 고안된 시스템으로 MLS와 비슷한 목적을 가지고 있지만, 상업용 부동산에 대한 정보를 공유히는 데 중점을 두고 있다. MLS와 CIE 둘 다 본질적으로 중개인 또는 대리인의 각각의 연합에 의해 관리되는 부동산의 대규모 데이터베이스이다. 이들은 부동산 시장에서 효율성을 높이는 협업 도구로 기능한다.

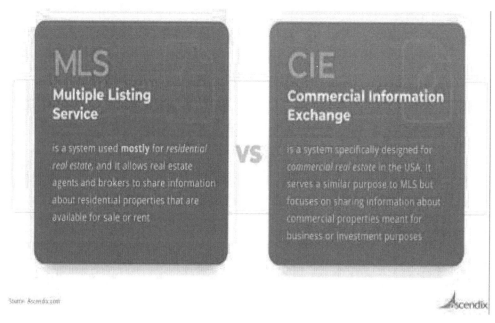

[그림 7] MLS vs CIE
출처 : https://ascendix.com/blog

　　구매자 노출 확대로 다양한 부동산 웹사이트 및 플랫폼에 대한 신디케이션을 통해 더 많은 고객을 확보할 수 있다. 의사소통 및 협업 촉진으로 에이전트는 수많은 브로커와 개별적으로 접촉하지 않고도 고객의 요구에 맞는 속성을 찾을 수 있다. 데이터 표준화로 속성이 표시되는 방식의 일관성을 보장하여 구매자가 목록을 쉽게 비교할 수 있도록 한다.

MLS와 CIE의 보다 포괄적인 비교는 다음과 같다.

[표 1] MLS와 CIE

특징	MLS	CIE
부동산 Focus	주거용	상업용
데이터 공유	주거용 부동산 표준화	특정 CIE에 따라 달라질 수 있음
보상	협력 에이전트에 대한 보상 제안 포함	일반직으로 보상 제인을 포함히지 않음
사례	미국 전역에 많은 지역 MLS 조직이 있음.	미국에서 CIE의 예로는 CoStar, LoopNet, California Commercial Information Exchange (CCIE) 등이 있음.

3. 프롭테크 1.0의 한계

1) 기술적 한계

인터넷 속도 및 기술 발전 수준이 낮아 현재에 비해 사용자 경험이 부족했다. 즉, 프롭테크 1.0의 한계 중 하나는 기술적인 측면에서 발생한 제약이다. 몇 가지 구체적인 예시로 살펴보면 다음과 같다.

첫째, 제한된 인터넷 연결 및 대역폭

프롭테크 1.0의 초기 단계 동안 인터넷 연결은 여전히 상대적으로 느리고 비용이 많이 들었으며, 특히 주거용 사용자의 경우 더욱 그러했다. 전화 접속 연결 및 제한된 대역폭으로 인해 데이터가 많은 부동산 플랫폼에 액세스하거나 가상 부동산 투어 및 3D 모델을 원활하게 스트리밍하기가 어려웠다. 이는 인터넷 연결에 크게 의존하는 일부 프롭테크 1.0 솔루션의 광범위한 채택과 사용자 경험을 방해했다. 즉, 인터넷 속도와 연결 문제로 프롭테크 1.0 시대에는 빠른 인터넷 속도와 안정적인 연결이 보장되지 않았다. 이로 인해 온라인 부동산 플랫폼이나 가상 투어 기능을 활용하는 데 어려움을 겪는 사용자들이 있었다. 느린 인터넷 속도로 인해 매물 사진이나 가상 투어가 원활하게 로딩되지 않을 수 있었다.

둘째, 제한된 데이터 저장 및 처리 기능

프롭테크 1.0 시대의 데이터 분석 및 처리 기능은 오늘날의 표준에 비해 상대적으로 제한적이었다. 대규모 부동산 데이터 세트, 복잡한 알고리즘 및 리소스 집약적인 계산은 사용 가능한 하드웨어 및 소프트웨어 리소스에 부담을 줄 수 있다. 이는 자동화된 가치 평가 모델(AVM), 시장 분석 및 예측 분석과 같은 도구의 정교함과 정확성을 제한했다. 하드웨어 기술 발전 수준의 한계에 직면했다. 프롭테크 1.0 시기에는 현재보다 발전된 기술이 적용되지 않았다. 예를 들어, 가상현실(VR)이나 증강현실(AR)과 같은 고급 기술을 활용하여 부동산 매물을 더 생생하게 보여주는 것이 어려웠다.

셋째, 최적화된 사용자 경험(UX)과 사용자 인터페이스(UI) 설계의 부족

최적화된 사용자 경험(UX)과 사용자 인터페이스(UI) 설계의 부족은 실제로 많은 프롭테크 1.0 솔루션과 온라인 부동산 플랫폼의 상당한 한계였다. 즉, 투박하고 직관적이지 않은 인터페이스로, 초기의 많은 온라인 부동산 플랫폼은 투박하고 직관적이지 않은 사용자 인터페이스를 가지고 있어서 사용자가 탐색하고 필요한 정보나 기능을 찾기 어려웠다. 현대 UX와 UI의 설계 원리는 여전히 진화하고 있었고,

그 결과 레이아웃이 어수선하고, 메뉴 구조가 혼란스러웠고, 정보 구조가 부실했다. 이는 사용자들에게 좌절감을 주고, 경험이 복잡하고 압도적인 경우가 많았기 때문에 이러한 플랫폼의 채택을 방해했다.

제한된 검색 및 필터링 기능 때문에 PropTech 1.0은 부동산 검색 및 정보 접근을 개선하는 것을 목표로 했지만, 검색 및 필터링 기능은 종종 초보적이고 융통성이 없었다. 사용자는 특정 검색 기준을 적용하기 위해 다수의 화면 또는 메뉴를 탐색해야 할 수 있으며, 이로 인해 프로세스가 번거로울 수 있다. 고급 필터링 옵션 및 개인화 기능이 부족하다는 것은 사용자가 고유한 선호도를 기반으로 검색을 쉽게 개선할 수 없다는 것을 의미했다.

시각적 표현이 좋지 않음으로 초기 온라인 플랫폼은 종종 부동산 목록과 부동산 데이터를 나타내는 시각적으로 매력적이고 매력적인 방법이 부족했다. 목록에는 제한된 사진이나 저품질 이미지가 있을 수 있으며, 가상 투어나 3D 모델과 같은 대화형 기능은 드물었다. 이는 사용자가 부동산의 특징과 주변 환경에 대한 포괄적인 이해를 어렵게 하여 정보에 입각한 의사결정을 하는 데 방해가 되었다.

또한, 사용자 경험 부족이 발생했다. 당시의 온라인 부동산 플랫폼이나 솔루션은 사용자 경험을 최적화하지 못했다. 사용자들이 매물을 검색하고 정보를 얻는 과정이 복잡하거나 불편할 수 있었다. 또한, UI/UX 디자인 측면에서도 개선이 필요했다.

넷째, 보안 및 개인 정보 보호에 대한 중요한 관심사

프롭테크 1.0 시대에 온라인 부동산 거래가 증가하면서 보안 및 개인 정보 보호에 대한 중요한 관심사가 드러났다. 기술이 발전하는 동안 이러한 문제를 완전히 해결할 수 있는 능력은 여전히 초기 단계에 있었다.

데이터 보안 취약성으로 민감한 데이터 노출로 인하여 온라인 플랫폼은 구매자, 판매자, 세입자의 부동산 정보, 금융 정보, 개인 정보 등 수많은 민감한 정보를 보유하고 있었다. 이는 취약점을 악용하여 무단 접근을 시도하는 사이버 범죄자들에게 매력적인 표적이 되었다. 또한, 데이터 침해 및 유출로 인하여 플랫폼의 보안 결함이나 인적 오류는 데이터 침해로 이어져 민감한 정보를 권한 없는 당사자에게 노출시킬 수 있다. 이는 관련된 개인과 기업에 재정적 손실, 신원 도용 및 평판 손상을 초래할 수 있다.

개인정보 보호 우려 사항으로 투명성 및 통제 부족으로 인하여 사용자는 자신의 데이터가 온라인 플랫폼에서 어떻게 수집되고 사용되고 공유되는지 완전히 알지 못했을 수 있다. 이러한 투명성 부족은 개인 정보 보호 문제로 이어질 수 있으며 이러한 서비스에 대한 신뢰를 약화시킬 수 있다. 또한, 무단 데이터 수집 및 사용으로 인하여 일부 플랫폼은 의도한 서비스에 필요한 수준 이상의 사용자 데이터를 수집하고 사용하는 비윤리적 행위를 했을 수 있다. 여기에는 개인 정보를 제3자에게 판매하거나 명시적인 동의 없이 표적 광고에 사용하는 것이 포함될 수 있다.

보안 및 개인 정보 보호를 위한 제한된 기술로 초기 보안 조치로 인하여 프롭테크 1.0 동안 시행된 보안 조치들은 기본적인 비밀번호와 방화벽과 같은 초보적인 것들이 많았다. 이것들이 정교한 사이버 공격에 항상 효과적인 것은 아니었다. 또한, 개인정보 보호 규정 및 프레임워크로 인하여 개인정보 보호 규정 및 프레임워크는 여전히 진화하고 있었고, 온라인 부동산 분야에서의 집행은 제한적이었을 수 있다.

이런 보안과 프라이버시 문제 발생했다. 온라인 부동산 거래가 증가함에 따라 보안과 프라이버시 문제가 더욱 중요해졌지만, 당시의 기술은 이러한 문제를 충분히 해결할 수 없었다. 거래 정보의 누출이나 해킹과 같은 보안 위협이 존재했을 수 있었다.

이러한 기술적 한계로 인해 프롭테크 1.0 시대에는 부동산 산업의 디지털화가 제한되었으며, 사용자들의 만족도와 편의성이 현재보다 낮았을 수 있었다.

2) 데이터 부족

부동산 데이터 확보 및 분석 기술이 발달하지 않아 데이터 기반 의사결정의 정확도가 제한되었다. 프롭테크 1.0 시대의 한계 중 하나는 부동산 데이터의 부족으로 인한 문제였다. 이는 데이터 확보 및 분석 기술의 부족으로 인해 발생했다. 몇 가지 구체적인 예시로 살펴보면 다음과 같다.

첫째, 한정된 데이터 소스

부정확하고 불완전한 시장 통찰력으로 정확도 제한되었다. 비정형 데이터에 대한 의존도가 높아서 프롭테크 1.0 플랫폼은 온라인 목록, 리뷰, 소셜 미디어 게시물과 같은 비정형 데이터 소스에 의존하는 경우가 많았다. 이 데이터는 청소, 분석 및 의미 있는 통찰력을 추출하는 데 어려움이 있었다. 또한, 거래 데이터에 대한 제한적 접근성으로 정확하고 포괄적인 거래 데이터에 대한 접근성이 부족하여 시장 동향을 파악하고 가격 패턴을 파악하며 부동산 가치를 정밀하게 평가하기 어려웠다.

그리고 세분화된 데이터 부족으로 이용 가능한 데이터에는 부동산 특성, 지역 인구 통계 및 경제 지표와 같은 세분화된 세부 정보가 부족한 경우가 많아 심층적인 시장 분석을 방해했다.

[그림 8] Benefits of Data-Driven Decision Making for Businesses
출처 : https://jelvix.com/blog/data-driven-decision-making[5]

---

5) 데이터 기반 의사 결정이 기업에 미치는 이점에 해당한다. 이미지는 이점을 4가지 범주로 나누고 있다. 지속적 개선은 데이터를 사용하여 개선해야 할 부분을 식별하고 성능을 최적화하기 위해 변경 사항을 구현하는 지속적인 프로세스를 의미한다. 데이터는 기업이 시간이 지남에 따라 진행 상황을 추적하고 노력의 효과를 측정하는 데 도움이 될 수 있다. 비용 절감 및 수익 개선은 데이터 기반 의사결정을 통해 달성할 수 있는 잠재적인 비용 절감 및 수익 증대를 강조한다. 기업은 데이터를 사용하여 운영을 효율화하고 낭비를 줄이며 마케팅 노력을 보다 효과적으로 목표로 삼을 수 있는 분야를 식별할 수 있다. 더 큰 투명성과 책임은 데이터 중심의 의사 결정에서 투명성의 중요성을 강조한다. 데이터를 사용하여 의사 결정을 지원함으로써 기업은 이해 관계자에게 더 많은 책임을 지고 자신의 행동이 목표와 일치하는지 확인할 수 있다. 비즈니스 결정은 언제나 분석 통찰력에 맞다. 이것은 데이터 기반의 결정은 직관이나 추측이 아니라 증거와 분석에 근거한다고 말하는 단순화된 방식일 수 있다. 기업은 데이터를 사용하여 선택 사항을 알려줌으로써 성공적인 결정을 내릴 가능성을 높일 수 있다. 이 이미지는 전반적으로 기업이 성능을 개선하고 비용을 절감하며 수익을 늘리고 목표를 달성하기 위한 방법으로 데이터 기반 의사 결정을 촉진하고 있다. 데이터 기반 의사결정의 구체적인 이점은 사업의 성격과 데이터를 수집하는 유형에 따라 달라질 수 있다. 데이터를 효과적으로 수집, 분석, 해석하기 위해서는 필요한 도구와 전문 지식에 투자하는 것이 중요하다. 데이터 중심의 의사 결정은 인간의 판단을 대체하는 것이 아니라 더 나은 의사결정을 알리고 지원하기 위한 도구이다.

시장 예측 및 모델링의 어려움이 발생했다. 부정확한 예측으로 프롭테크 1.0 솔루션은 포괄적이고 신뢰할 수 있는 데이터가 없으면 정확한 시장 예측과 예측을 하는 데 어려움을 겪었고, 이는 오해의 소지가 있는 투자 조언과 의사 결정으로 이어질 수 있다. 또한, 제한된 예측 모델로 정교한 데이터 분석 도구와 기법의 부족으로 복잡한 시장 역학을 포착할 수 있는 고급 예측 모델의 개발이 제한되었다. 그리고 신흥 트렌드 파악 불가로 프롭테크 1.0 플랫폼은 데이터 제한으로 인해 신흥 트렌드, 시장 변화 및 잠재적 기회를 놓쳤을 수 있다.

데이터 처리 및 분석의 한계는 PropTech 1.0 솔루션의 효율성에 큰 영향을 미쳤다. 사용자 가치 감소로 정확하고 통찰력 있는 시장 데이터를 제공할 수 없기 때문에 사용자를 위한 많은 PropTech 1.0 툴의 가치 제안이 감소했다. 또한, 혁신 방해 요인으로 데이터 기반 통찰력의 부족은 혁신과 보다 정교한 PropTech 솔루션 개발을 방해했다. 그리고, 제한된 시장 채택으로 데이터 처리 및 분석의 한계는 업계 전문가 및 투자자가 PropTech 1.0 솔루션을 제한적으로 채택하는 데 기여할 수 있었다.

이런 한정된 데이터 소스로 인한 데이터 처리 문제가 심각하게 발생했다. 프롭테크 1.0 시기에는 부동산 시장에 대한 데이터가 제한적이었다. 주로 부동산 중개업체나 일부 정부 기관에서 제공하는 데이터를 활용할 수 있었지만, 이러한 데이터는 제한적이었다. 예를 들어, 부동산 시장의 실제 거래 내역이나 대규모 데이터셋이 부족했기 때문에 정확한 시장 분석이 어려웠다.

둘째, 데이터 품질과 정확도의 문제

프롭테크 1.0에서 데이터 품질과 정확성이 중요한 관심사였다. 데이터의 불일치와 불완전성으로 인해 발생한 문제로는 다음과 같은 것들이 있다.

일관되지 않고 잘못된 데이터로 발생하는 정확도 문제이다. 데이터 입력 오류로 데이터 입력 중 발생하는 인적 오류는 평방 피트, 가격 및 편의 시설과 같은 부동산 정보의 불일치 및 부정확성을 초래했다. 또한, 다양한 데이터 표준으로 소스마다 다른 데이터 형식, 정의 및 측정 표준을 사용하여 데이터를 효과적으로 비교 분석하기 어려웠다. 그리고 구시대적이고 불완전한 데이터로 데이터가 정기적으로 업데이트되지 않아 구시대적인 정보가 많았다. 또한 데이터 세트가 불완전하여 정확한 분석을 위해 중요한 정보가 누락되는 경우가 허다하였다.

데이터 기반 의사결정에 미치는 영향이 컸다. 오해의 소지가 있는 통찰력으로 데이터 품질 문제는 오해의 소지가 있는 통찰력과 부정확한 시장 동향을 초래하여 잠재적으로 투자 결정과 부동산 가치 평가에 영향을 미쳤다. 또한, PropTech 도구에 대한 신뢰 감소로 데이터 신뢰 부족으로 인해 PropTech 도구에 대한 신뢰가 저하되어 사용자가 중요한 의사 결정을 내릴 때 이 도구에 의존하지 않았다. 그리고 방해되는 혁신으로 데이터 품질 제한은 정확하고 신뢰할 수 있는 데이터 입력이 필요한 보다 정교한 프롭테크 솔루션 개발을 방해할 수 있었다.

[그림 9] Shallow Insights
출처 : https://ati.ac/build-a-customer-retention-strategy/[6)]

---

6) 이미지는 고객 인사이트를 생성하는 데 사용된 데이터를 기반으로 고객 인사이트의 깊이를 묘사한 것이다. 짧은 설문조사(NPS, CSAT, CES) 이 범주는 짧은 고객 만족도 설문조사, 가능성 있는 순 홍보자 점수(NPS), 고객 만족도(CSAT), 고객 노력 점수(CES)를 의미한다. 이 설문조사들은 "고객 통찰력 데이터 깊이" 스펙트럼의 얕은 끝에 위치하며, 이는 기본적인 통찰력을 제공한다는 것을 나타낸다. 행동 및 거래 데이터 이 범주는 웹사이트 또는 앱 활동 추적 및 구매 이력을 통해 수집된 고객 행동 및 거래에 대한 데이터를 포함한다. 짧은 설문 조사보다 약간 더 깊이 위치하고 있어 고객 통찰력을 다소 제공한다는 것을 시사한다. 소셜 미디어 코멘트, 제품 리뷰, 제품 피드백 이 섹션은 소셜 미디어의 텍스트 데이터, 제품 리뷰 및 제품 피드백을 의미한다. 스펙트럼에 소금 너 깊이 위치하고 있어 고객의 감정과 경험에 대한 더 미묘한 통찰력을 제공한다는 것을 나타낸다. 긴 설문조사, 커뮤니티 토론 이 범주는 더 긴 고객 설문조사 및 온라인 커뮤니티 토론 데이터를 포함한다. 이전보다 더 깊이 자리 잡고 있어 더 풍부한 고객 통찰력을 제공한다는 것을 시사한다. 녹취된 채팅 & 통화, 이메일 응답 이 섹션은 기록된 고객의 채팅, 통화 및 이메일 응답에서 수집된 데이터를 의미한다. 더 깊은 곳에 위치하고 있어 고

그래서 PropTech가 발전함에 따라 데이터 품질 문제를 해결하기 위해 많은 노력을 기울였다. 데이터 클리닝 및 표준화로 데이터 클리닝 기법 및 표준화 프로세스를 구현하여 데이터 세트의 오류, 불일치 및 서식 문제를 식별하고 수정했다. 또한, 데이터 검증 및 검증으로 분석이나 의사결정에 활용되기 전에 데이터의 정확성과 완성도를 확보하기 위한 데이터 검증 및 검증 절차를 마련하였다. 그리고, 데이터 거버넌스 및 품질 관리로 데이터 품질 표준을 수립하고 데이터 무결성을 모니터링하며 지속적인 개선을 추진하기 위해 데이터 거버넌스 프레임워크 및 품질 관리 관행이 채택되었다.

이런 데이터 품질과 정확도의 문제가 제기되면서, 당시에는 부동산 데이터의 품질과 정확도에 대한 믿음이 부족했다. 부동산 거래와 관련된 데이터의 불일치나 불완전성 등의 문제가 발생할 수 있었다. 이는 데이터를 기반으로 한 의사결정의 신뢰도를 낮출 수 있었다.

셋째, 다양한 데이터 형태 부족

프롭테크 1.0의 다양한 데이터 형태가 부족하기 때문에 종합적인 분석을 수행하는 데 상당한 한계가 있었다. 외부 데이터 통합의 부족으로 인해 다양한 문제가 발생하였다.

시장 상황에 대한 제한된 이해 문제가 발생했다. 부동산 데이터 격리로 프롭테크 1.0 솔루션은 주로 상장, 가격, 거래 기록 등 부동산에 특화된 데이터에 초점을 맞추는 경우가 많았다. 이로 인해 지역 인구 통계, 경제 동향, 인프라 개발 등 광범위한 시장 상황을 이해하는 데 한계가 있었다. 또한, 숨겨진 패턴을 식별할 수 없음으로 외부 데이터를 통합하지 않으면 PropTech 1.0 플랫폼에서 숨겨진 패턴과 속성 특성, 외부 요인 및 시장 성과 간의 상관 관계를 놓칠 수 있었다. 그리고 제한적 예측력으로 다양한 데이터 부족으로 프롭테크 1.0 솔루션의 예측력이 제약되어 시장 동향을 정확히 예측하고 잠재적인 투자 기회를 파악하기 어려웠다.

위치기반 분석의 난제가 발생했다. 지리공간자료의 부족으로 재산도, 위성영상, 근린경계 등 지리공간자료의 부재는 위치기반 분석을 방해하였다. 이는 재산 적합

객 상호 작용에 대한 훨씬 더 상세한 통찰력을 제공한다. 증거 및 사례 연구는 가장 심층적인 고객 통찰력을 보여준다는 점을 시사하며 스펙트럼의 가장 깊은 부분에 위치한다. 전반적인 메시지는 보다 광범위한 데이터 소스를 사용함으로써 보다 깊고 포괄적인 고객 인사이트를 얻을 수 있다. 각 데이터 소스 카테고리의 배치는 상대적일 가능성이 높으며, 구체적인 통찰의 깊이는 데이터의 품질 및 분석에 따라 달라질 수 있다. 여러 출처의 데이터를 결합하면 더욱 풍부한 고객 통찰력을 얻을 수 있다. 고객 데이터를 수집하고 사용할 때 고객 개인 정보 보호 고려 사항이 중요하다.

성을 평가하고 잠재적 위험을 파악하며, 근린경계에 관한 역학을 이해하는 능력을 제한되었다. 또한, 공공데이터에 대한 접근성으로 구역 규정, 교통망, 범죄 통계 등 공공데이터 소스에 대한 접근이 제한되거나 제한되는 경우가 많았다. 이로 인해 프롭테크 1.0 솔루션은 이러한 중요한 요소들을 분석에 포함시키지 못했다.

다양한 데이터 형태의 부족은 PropTech 1.0의 적용에 큰 영향을 미쳤다. 제한된 시장 통찰력으로 PropTech 1.0 도구는 사용자에게 포괄적인 통찰력을 제공하는 기능을 제한하면서 시장에 대한 전체적인 관점을 제공하는 데 어려움을 겪었다. 또한, 가치 제안 감소로 외부 데이터를 통합할 수 없어 많은 PropTech 1.0 솔루션의 가치 제안이 감소하여 잠재적 사용자에게 매력이 떨어졌다.

이런 다양한 데이터 형태가 미비하였기 때문에 프롭테크 1.0 시기에는 다양한 형태의 부동산 관련 데이터가 부족했다. 예를 들어, 지리적 데이터나 공공 시설 데이터와 같은 외부 데이터를 통합하여 종합적인 분석을 수행하는 것이 어려웠다.

넷째, 분석 도구와 기술 제한

PropTech 1.0의 제한된 분석 도구와 기법은 사용 가능한 데이터에서 의미 있는 통찰력을 추출하는 데 상당한 어려움을 초래했다.

대용량 데이터 처리 불가 등 기술 제한으로 발생했다. 제한된 인프라로 부동산 산업에서 이용 가능해지기 시작한 대량의 데이터를 처리할 수 있는 당시의 기술 인프라가 갖추어져 있지 않았기 때문에 이러한 데이터셋을 효율적으로 처리하고 저장하고 분석하는 것이 어려웠다. 또한, 표준화가능한 툴 부족으로 데이터 분석 툴은 빅데이터의 확장성 요구사항을 처리하도록 설계되지 않았기 때문에 데이터 볼륨이 증가함에 따라 분석을 확장하기가 어려웠다.

제한된 데이터 마이닝 및 통찰력이 부족했다. 제한된 데이터 마이닝 기법으로 데이터 마이닝 기법은 오늘날처럼 정교하지 않아 대규모 데이터 세트에서 복잡한 패턴, 관계 및 통찰력을 추출하는 것이 어려웠다. 또한, 예측 모델링 부족으로 예측 모델링 기능이 제한되어 시장 동향을 예측하고 투자 기회를 파악하며 재산 위험을 평가하는 기능을 방해했다.

이런 분석 도구 및 기법의 한계는 PropTech 1.0 솔루션의 역량에 큰 영향을 미쳤다. Shallow Insights에서 PropTech 1.0 도구는 기본적인 통찰력과 분석만 제공할 수 있어 복잡한 부동산 문제를 해결하는 데 한계가 있다. 또한, 가치 제안 감소로 데이터에서 더 깊은 통찰력을 추출할 수 없기 때문에 많은 PropTech 1.0 솔루션의 가치 제안이 감소했다. 개발자들이 만들 수 있는 솔루션의 종류가 제한됨에 따라 고급 분석 도구의 부족이 프롭테크의 혁신을 방해했다.

이런 분석 도구와 기술의 제한으로 한계에 직면하였기 때문에 데이터 분석에 필요한 도구와 기술이 제한적이었다. 빅데이터 처리와 분석, 머신러닝 및 인공지능 기술 등이 발전하기 전이었기 때문에 데이터를 심층적으로 분석하고 가치를 추출하는 데 어려움이 있었다.

이러한 데이터의 부족은 부동산 산업의 혁신과 효율성 향상을 제약하는 요인 중 하나였다. 데이터 확보 및 분석 기술의 발전이 이루어짐에 따라 프롭테크 2.0과 같은 새로운 시대에서는 이러한 한계를 극복하고 부동산 시장을 더욱 정확하게 이해하는 데 기여할 것으로 기대되었다.

3) 온라인 거래 활성화 부족

온라인 거래에 대한 안전성 및 신뢰도가 낮아 대부분의 거래는 오프라인에서 진행되었다. 그러므로 프롭테크 1.0 시대에는 온라인 부동산 거래의 활성화가 제한되었다. 이는 주로 안전성과 신뢰성에 대한 우려로 인한 것이었다. 몇 가지 구체적인 예시로 살펴보면 다음과 같다.

첫째, 보안 및 개인 정보 보호 문제

온라인 부동산 거래와 관련된 데이터의 민감한 특성 때문에 프롭테크 1.0에서 보안 및 개인 정보 보호 문제가 중요한 문제였다. 데이터 침해 및 신원 도용이 발생했다. 취약한 데이터 스토리지로 강력한 데이터 보안 조치의 부재로 인해 온라인 플랫폼이 데이터 침해에 취약해져 사용자의 민감한 개인 및 금융 정보가 노출되었다. 또한, 피싱 및 사기로 피싱 사기 및 소셜 엔지니어링 전술을 사용하여 사용자가 개인 정보 또는 금융 자격 증명을 폭로하도록 속여서 신원 도용 및 금융 손실을 초래했다.

투명성 및 데이터 관리 부족이 발생했다. 불확실한 데이터 수집 관행으로 사용자는 자신의 데이터가 어떻게 수집되고, 사용되고, 공유되고 있는지에 대해 불분명한 경우가 많아 개인 정보 보호 위반에 대한 우려가 제기되었다. 또한, 제한된 데이터 제어로 사용자는 자신의 데이터가 어떻게 사용되고 있는지에 대한 통제권이 제한되어 개인 정보를 보호하는 데 어려움을 겪었다.

보안 및 개인 정보 보호 문제는 PropTech 1.0 솔루션 채택에 큰 영향을 미쳤다. 사용자 망설임으로 사용자는 데이터의 안전성과 사기 위험에 대한 우려로 온라인 플랫폼 사용을 주저했다. 보안 취약점을 해결하는 데 초점을 맞춘 것은 프롭테크 기업의 혁신 및 새로운 기능 개발 능력을 제한했다. 규제 당국 및 데이터 보호 당국의 조사 강화로 인해 프롭테크 기업은 보안 및 개인 정보 보호 관행을 강화하도록 추가적인 압력을 받게 되었다.

이런 보안 및 프라이버시 문제가 자주 발생했으며, 온라인 부동산 거래에는 개인정보와 금전적인 정보가 포함되어 있기 때문에 보안 문제가 큰 이슈였다. 사용자들은 개인정보 유출이나 금전적 손실을 우려하여 온라인 거래에 대한 신뢰를 가지기 어려웠다. 이러한 보안과 개인정보 보호에 초점을 맞추는 것은 프롭테크가 사용자, 규제기관 및 업계 파트너의 신뢰를 얻는 데 매우 중요했고, 보다 안전하고 투명하며 혁신적인 부동산 생태계를 위한 길이었다.

둘째, 거래의 불투명성

거래의 불투명성에 대한 인식이 강했다. 온라인 거래의 경우 오프라인에서의 직접적인 접촉이 없기 때문에 거래 과정이 불투명하다는 인식이 있었다. 거래 상대방에 대한 신뢰를 구축하기 어려웠고, 거래 과정에서 발생하는 문제에 대한 해결이 어려웠다. 즉, 대면 상호 작용의 부재로 전통적인 오프라인 거래에서 당사자들은 직접 만나 악수하고 직접적인 의사소통을 할 수 있다. 이러한 대면 상호 작용은 당사자들 간의 친밀감을 형성하고 신뢰를 형성하며 신뢰감을 형성하는 데 도움이 된다. 그러나 온라인 거래에는 불투명성과 불확실성에 대한 인식을 형성할 수 있는 이러한 개인적인 요소가 없다. 제한된 비언어적 단서 평가 능력으로 오프라인 거래에서 당사자는 상대방의 의도, 성실성 및 신뢰도에 대한 귀중한 통찰력을 제공할 수 있는 몸짓 언어, 표정 및 목소리 톤과 같은 비언어적 단서를 관찰하고 해석할 수 있다. 온라인 거래는 주로 텍스트 기반 의사소통 또는 화상 회의를 통해 이루어지며 이러한 비언어적 단서를 효과적으로 평가하는 능력을 제한할 수 있다. 익명성과 신원 확인 부족으로 온라인 거래는 지리적으로 서로에게 익숙하지 않을 수 있는 당사자를 포함하는 경우가 많다. 이러한 익명성은 관련된 상대방의 신원과 신원을 확인하는 것을 어렵게 하여 불투명감과 잠재적 불신을 야기할 수 있다.

물리적 실재감 결여로 오프라인 거래에서는 일반적으로 부동산 사무실, 쇼룸 또는 회의 장소와 같은 물리적 실재감이 존재하며, 이는 당사자에게 신뢰와 확신을 제공할 수 있다. 온라인 거래에서는 이러한 물리적 실재감이 결여되어 불투명성과 불확실성에 대한 인식을 높일 수 있다. 이슈해결의 복잡성으로 온라인 거래 중 분쟁이나 문제가 발생할 경우 직접적인 대면 의사소통의 부재와 잘못된 의사소통이나 오해의 소지가 있어 해결이 더욱 복잡해질 수 있다. 이렇게 인식된 이슈해결의 어려움은 거래과정에서의 불투명성과 신뢰부족을 인식하는 원인이 될 수 있다. 사이버 보안 및 사기 우려로 온라인 거래는 해킹, 신원 도용 및 사기와 같은 사이버 보안 위협에 취약하다. 이러한 우려는 거래 과정의 안전성 및 무결성에 대해 당사자가 우려할 수 있으므로 불투명성 및 불확실성에 대한 인식을 더욱 악화시킬 수 있다.

셋째, 사기와 사기에 대한 우려

프롭테크 1.0에서 사기와 사기에 대한 우려는 온라인 거래와 관련된 고유한 위험 때문에 중요한 문제였다. 본인확인 및 재산소유권 확인이 어려웠다. 당사자 인증의 어려움으로 온라인 부동산 거래에서 구매자와 판매자의 신원을 모두 확인하는 것이 어려워 사칭 및 사기 행위의 위험성이 증가하였다. 또한, 재산 소유권 확인 부족으로 재산 소유권을 확인할 수 있는 강력한 메커니즘이 없기 때문에 사기꾼은 자신이 소유하지 않은 재산을 쉽게 나열하거나 재산 세부 정보를 잘못 표시할 수 있었다.

가짜 상장 및 피싱 시도가 있었다. 오해의 소지가 있는 목록으로 사기꾼들은 의심하지 않는 구매자나 판매자를 유인하기 위해 가짜 목록을 만들어 재정적 손실과 감정적 고통을 초래할 수 있었다. 피싱 전술로 피싱 이메일과 웹사이트는 사용자들을 속여서 개인정보나 금융자격증을 공개하도록 속여서 사기꾼들이 자금을 빼내거나 신분 도용을 저지를 수 있도록 했다.

사기와 사기에 대한 우려는 이용자 불신으로 이용자들은 사기를 당하거나 돈을 잃을 수 있다는 두려움 때문에 온라인 부동산 거래를 주저하고 있었다. 평판피해로 프롭테크 기업들은 세간의 이목을 끄는 사기 사건으로 인해 새로운 이용자를 유치하는 데 장애가 되어 평판피해에 직면했다. 규제 당국과 법 집행 기관의 조사 강화는 프롭테크 기업들에게 더 강력한 사기 방지 조치를 시행하도록 압력을 받았다.

이런 중요한 문서의 위조 및 사기의 우려가 있었고 또한, 온라인 상에서는 거래의 위조나 사기가 발생할 수 있다는 우려가 있었다. 거래 상대방의 정체성을 확인하기 어려웠고, 사기 행위를 방지하기 위한 대책이 충분하지 않았다.

넷째, 전자서명 인증의 부족

전자서명 인증의 부족으로 신뢰도가 부족하였다. 온라인 계약의 경우 전자서명 인증이 필요했지만, 이를 신뢰할 수 있는 방법이 부족했다. 전자서명의 위변조나 변조 가능성으로 인해 거래의 안전성이 떨어지는 문제가 있었다.

다섯째, 문화적 요인

특정 지역에서 프롭테크 1.0 솔루션에 대한 저항을 형성하는 데 문화적 요인이 중요한 역할을 했다. 부동산 거래의 뿌리 깊은 전통이 존재했다. 개인적 상호작용의 중요성으로 많은 문화권에서 부동산 거래는 개인적인 성격이 짙고 대면을 통한 신뢰구축을 수반한다. 인적 요소가 부족한 온라인 플랫폼으로의 전환은 저항에 부딪혔다. 또한, 전통적인 방법 선호로 온라인 거래의 비인격적인 특성보다 직접 부동산 점검, 협상, 폐쇄와 같은 확립된 관행을 선호하는 경우가 많았다.

투명성 및 통제에 대한 우려가 있었다. 온라인 프로세스에 대한 불확실성으로 일부 개인은 프로세스와 관련된 잠재적 위험에 익숙하지 않아 온라인 부동산 거래를 수용하는 것을 주저했다. 또한, 통제 및 커스터마이징 부족으로 전통적인 방식에 비해 거래 과정에 대한 통제력이 낮고 온라인 플랫폼에서 세부 사항을 커스터마이징할 수 있다는 인식이 저항 요인이 되었다.

문화 장벽은 프롭테크 1.0 솔루션 채택에 눈에 띄는 영향을 미쳤다. 느린 채택률로 PropTech 1.0 솔루션은 전통적인 부동산 관행과 문화적으로 밀접한 관련이 있는 지역에서 느린 채택률에 직면했다. 제한된 사용자 기반으로 일부 개인들이 온라인 거래에 참여하는 것을 꺼리기 때문에 프롭테크 1.0 플랫폼의 잠재적 사용자 기반이 제한되었다. 또한, 문화적 민감성에 대한 필요성으로 프롭테크 기업들은 문화적 민감성을 해결하고 이 지역의 잠재적 사용자들과 신뢰를 쌓기 위해 접근 방식과 메시지를 조정해야 했다.

이런 다양한 문화적인 요인으로 저항감이 발생했으며, 일부 국가나 지역에서는 부동산 거래에 대한 전통적인 문화가 강하게 남아있어 온라인 거래에 대한 저항감이 있었다. 사람들은 오프라인에서의 직접적인 접촉과 대화를 선호했고, 온라인 거래에 대한 거부감을 가지는 경우도 있었다. 이러한 이유들로 인해 프롭테크 1.0 시대에는 온라인 부동산 거래의 활성화가 제한되었으며, 대부분의 거래는 오프라인에서 이루어졌다.

4. 프롭테크 2.0

프롭테크 2.0은 이전의 프롭테크 1.0에서의 노력과 성과를 바탕으로 발전한 단계이다. 프롭테크 2.0은 2000년대 후반부터 현재까지 지속되고 있는 단계로, 모바일 기술, 빅데이터, 인공지능 등의 발전을 기반으로 부동산 산업의 전반적인 혁신을 추구하는 시기이다. 프롭테크 1.0은 정보 비대칭성 해소와 거래 과정 효율화에 초점을 맞춘 반면, 프롭테크 2.0은 맞춤형 서비스 제공, 부동산 투자 및 거래의 효율성 증대, 스마트 부동산 및 도시 개발 등을 목표로 한다.

프롭테크 2.0에서는 사용자의 다양한 요구와 선호도를 고려하여 맞춤형 부동산 서비스를 제공한다. 예를 들어, 사용자의 생활양식, 가족 구성원, 교육 수준, 경제 상황 등을 고려하여 최적의 주거지역을 추천하거나, 맞춤형 부동산 투자 포트폴리오를 구성하는 등의 서비스를 제공한다. 실제로 프롭테크 2.0은 데이터와 기술을 활용하여 개인의 요구와 선호도에 맞는 맞춤형 부동산 서비스를 제공하는 보다 개인화된 사용자 중심적인 접근 방식으로 나아가고 있다.

또한, 빅데이터와 인공지능 기술을 활용하여 부동산 투자와 거래 과정을 효율화하고 속도를 높인다. 예를 들어, 인공지능 알고리즘을 통해 실시간으로 부동산 시세를 분석하고, 최적의 투자 시기와 장소를 예측하여 투자자에게 제안하는 등의 서비스를 제공한다.

프롭테크 2.0에서는 스마트 시티와 관련된 기술을 활용하여 부동산 개발 및 도시 계획에 적용한다. 예를 들어, IoT 센서를 활용하여 스마트 홈 시스템을 구축하고, 에너지 효율성을 높이는 등의 스마트 부동산 서비스를 제공한다. 또한, 빅데이터 분석을 통해 도시의 교통 체증, 인구 이동 패턴 등을 분석하여 효율적인 도시 계획을 수립한다.

프롭테크 2.0에서는 부동산 생태계를 확장하여 다양한 산업과의 협업을 추구한다. 예를 들어, 은행, 보험사, 부동산 중개업체, 건설사 등과의 협업을 통해 다양한 부동산 서비스를 제공하고, 시너지 효과를 극대화한다. 프롭테크 2.0은 이러한 다양한 노력을 통해 부동산 산업의 전반적인 혁신을 추구하고, 사용자들에게 보다 편리하고 효율적인 부동산 서비스를 제공하는 것을 목표로 한다.

1. 데이터 기반 통찰력 및 권장 사항
사용자 데이터 활용으로 프롭테크 플랫폼은 검색 이력, 부동산 선호도, 금융 정보, 생활 습관 등 방대한 사용자 데이터를 수집하고 분석하고 있다.

개인화된 통찰력으로 프롭테크 시스템은 이 데이터를 분석함으로써 라이프스타일 요소에 따라 적합한 동네를 추천하고, 가족 규모와 예산에 따라 매칭 부동산을 제안하며, 재정 목표에 맞는 맞춤형 투자 기회를 제공하는 등 개인화된 통찰력을 얻을 수 있다.

2. AI 기반 매칭 및 추천

예측 분석으로 머신러닝 알고리즘을 사용하여 사용자의 행동과 선호도를 예측하여 사전 예방적 추천과 개인화된 검색 결과를 가능하게 하고 있다.

지능형 매칭으로 AI 기반 시스템은 위치, 편의시설, 가격대, 투자 가능성 등의 요소를 고려하여 사용자를 특정 기준에 맞는 속성과 매칭할 수 있다.

3. 맞춤형 부동산 경험

맞춤형 부동산 목록으로 프롭테크 플랫폼은 개인의 선호도에 따라 부동산 목록을 큐레이션하고 제시할 수 있어 사용자가 적절한 옵션을 찾는 데 드는 시간과 노력을 절약할 수 있다.

개인 맞춤형 투자 조언으로 프롭테크 서비스는 위험 감내력, 재무 목표 및 시장 트렌드를 고려한 개인 맞춤형 투자 조언을 제공할 수 있다.

4. 향상된 사용자 참여 및 만족도

관련성 및 가치에서 개인 맞춤형 추천 및 맞춤형 경험은 사용자에게 프롭테크 서비스의 관련성 및 가치를 높여준다.

향상된 사용자 환경으로 개인화된 상호 작용과 사용자 중심의 접근 방식은 전반적인 사용자 경험을 향상시켜 더 큰 만족감과 충성도로 이어진다.

5. 개인 맞춤형 프롭테크 서비스 사례

젊은 전문가를 위한 최고의 동네 추천으로 프롭테크 시스템은 그들의 생활 방식, 관심사, 직업에 대한 열망에 대한 데이터를 기반으로 활기찬 밤 생활, 직장과 가까운 거리, 저렴한 주택 옵션을 가진 동네를 제안할 수 있다.

맞춤형 투자 포트폴리오 작성으로 사용자의 위험 감내력, 재무 목표 및 투자 지평을 고려할 때 프롭테크 플랫폼은 임대 부동산, 리츠 및 크라우드 펀딩 기회를 포함한 다양한 부동산 자산 포트폴리오를 추천할 수 있다.

개인화된 부동산 투어 제공으로 프롭테크 기업은 가상현실 기술을 이용하여 개인화된 부동산 투어를 제공하여 사용자가 원격으로 그리고 자신의 편의에 따라 잠재적인 집을 탐험할 수 있다.

프롭테크 2.0의 개인화된 접근 방식은 부동산 경험을 보다 효율적이고 관련성이 있으며 사용자가 만족할 수 있도록 변화시키고 있다. 프롭테크 1.0에 비해 프롭테크 2.0은 다음과 같은 특징을 가지고 있다.

1) 모바일 기술 활용

모바일 앱을 통해 부동산 정보 검색, 거래, 금융 등을 가능하게 하여 사용자 편의성을 크게 향상시켰다. 프롭테크 2.0은 프롭테크 1.0에 비해 모바일 기술을 더욱 활용하여 부동산 산업을 혁신하고 사용자 경험을 향상시키는 특징을 가지고 있다.

첫째, 모바일 앱 기반 부동산 검색

모바일 앱 기반 부동산 검색은 프롭테크 2.0의 중요한 특징으로, 사용자가 부동산 정보에 보다 편리하고 유연하게 접근하고 탐색할 수 있도록 지원한다.

언제 어디서나 접속이 가능하다. 편리성 및 유연성으로 모바일 앱은 시간과 장소의 장벽을 허물어 출퇴근, 집, 휴가 중 언제 어디서나 속성을 검색할 수 있게 해준다. 또한, 실시간 정보로 사용자는 최신 부동산 목록, 시장 동향 및 주변 정보를 손끝으로 액세스할 수 있으므로 이동 중에도 정보에 입각한 결정이 가능하다.

개인별 맞춤형 부동산 검색이다. 맞춤형 결과로 모바일 앱을 통해 사용자는 위치, 가격대, 부동산 유형, 크기 및 편의 시설과 같은 특정 기준에 따라 검색을 세분화하여 관련 목록만 볼 수 있다. 또한, 저장된 검색 및 알림으로 사용자는 검색 기본 설정을 저장하고 기준과 일치하는 새 속성을 사용할 수 있게 되면 알림을 받을 수 있어 시간과 노력을 절약할 수 있다.

향상된 속성 검색이다. 인터랙티브 맵과 비주얼으로 모바일 앱은 종종 인터랙티브 맵과 비주얼 에이드를 통합하여 사용자가 주변 지역을 탐색하고 부동산 위치를 시각화하며 주변 지역을 파악할 수 있도록 한다. 또한, 가상 투어 및 증강 현실로 일부 앱은 가상 투어 및 증강 현실 기능을 제공하여 몰입형 경험을 제공하고 사용자가 원격으로 부동산을 "안으로" 들어갈 수 있도록 한다.

[그림 10] StreetEasy
출처 : https://www.thedrum.com/news/2022/03/14

위치 기반 서비스이다. GPS-Powered Property Searches로 사용자는 GPS 기능을 활용하여 주변 부동산을 발견하여 원하는 위치에 있는 집을 찾거나 새로운 이웃을 쉽게 탐색할 수 있다. 또한, 실시간 동네 인사이트로 일부 앱은 교통 상황, 대중교통 접근성, 지역 편의시설 등 실시간 동네 인사이트를 제공해 사용자의 정보에 입각한 결정을 돕는다.

모바일 프롭테크 앱 예를 보면, Zillow는 집을 검색하고 사진 및 가상 투어를 볼 수 있으며 에이전트와 연락할 수 있는 인기 부동산 앱이다. 트룰리아는 질로우와 유사한 기능을 제공하는 또 다른 유명 부동산 앱과 동네 평점, 학교 정보 등의 추가 도구를 제공한다. StreetEasy는 자세한 부동산 목록, 대화형 지도 및 시장 통찰력을 제공하는 뉴욕 시장에 초점을 맞춘 부동산 앱이다.

이처럼 모바일 앱은 사용자가 이동 중에 정보에 입각한 결정을 내릴 수 있도록 하는 편리하고 개인화된 위치 인식 경험을 제공하면서 사람들이 부동산을 검색하고 발견하는 방식에 혁신을 일으키고 있다. 이 추세는 프롭테크 2.0과 그 이상으로 모바일 기술을 더 통합하고 사용자 경험을 향상시키면서 계속될 것으로 보인다.

즉, 모바일 앱의 프롭테크 환경으로의 통합은 부동산 산업을 보다 접근성이 높고 사용자 친화적이며 데이터 중심적으로 변화시키고 있다.

둘째, 모바일 앱 기반 온라인 거래

모바일 앱 기반의 온라인 거래는 프롭테크 2.0의 혁신적인 측면으로 부동산 프로세스를 간소화하고 사용자가 어디서나 편리하고 안전하게 거래를 완료할 수 있도록 하였다.

최종 간 온라인 거래이다. 편리성 및 효율성에서 모바일 앱은 물리적인 회의와 서류 작업의 필요성을 제거하여 부동산 검색부터 마감까지 부동산 거래 전 과정을 온라인으로 완료할 수 있다. 또한, 시간 및 비용 절감으로 온라인 거래는 전통적인 부동산 거래와 관련된 시간 및 비용을 크게 줄여 사용자의 시간, 비용 및 노력을 절약할 수 있다.

원활한 부동산 검색 및 보기 기능이다. 직관적인 모바일 인터페이스로 모바일 앱은 사용자 친화적인 인터페이스를 제공하여 속성 검색, 목록 찾아보기, 사진 및 비디오 보기를 쉽게 한다. 또한, 가상 투어 및 3D 스캔으로 가상 투어 및 3D 스캔을 통해 사용자는 가상으로 속성을 탐색하고 레이아웃과 공간을 파악하며 잠재적인 관심 영역을 식별할 수 있다.

안전하고 효율적인 온라인 계약이다. 디지털 서명 및 보안 결제로 모바일 앱은 보안 디지털 서명과 결제 게이트웨이를 통합하여 사용자가 전자적으로 계약을 체결하고 결제할 수 있도록 한다. 또한, 자동화된 문서처리로 자동화된 문서처리 툴을 사용하면 계약의 검토와 승인을 간소화하여 지연과 오류를 줄일 수 있다.

투명성 및 커뮤니케이션 강화이다. 대리점 및 브로커와의 실시간 커뮤니케이션으로 모바일 앱은 대리점 및 브로커와의 실시간 키뮤니케이션을 용이하게 하여 사용자가 질문, 시청 일정, 조건 협상 등을 할 수 있도록 해준다. 또한, 거래 현황 및 업데이트 접근으로 사용자는 모바일 앱을 통해 거래 진행 상황을 추적하고 업데이트를 받을 수 있으며 중요 문서에 접근할 수 있다.

모바일 앱 기반의 온라인 거래는 프로세스를 보다 편리하고 효율적이며 투명하게 만들어 부동산 산업에 혁명을 일으키고 있다. 프롭테크 2.0과 그 너머에서 이 분야에 대한 혁신을 계속함에 따라 우리는 모바일 기기를 통해 부동산을 사고 팔고 투자할 수 있는 방법을 더욱 원활하게 확보할 수 있을 것으로 기대할 수 있다. 즉, 모바일 앱을 통한 온라인 형태로 프롭테크 2.0에서는 모바일 앱을 통해 부동산 거래를 완전히 온라인으로 처리할 수 있다. 사용자는 앱을 통해 매물을 검색하고 가상 투어를 진행한 뒤에 디지털 계약을 체결할 수 있다.

셋째, 금융 서비스 통합

금융 서비스 통합이 프롭테크 2.0의 중요한 요소이며, 사용자에게 부동산 거래 및 관련 금융 수요를 관리할 수 있는 포괄적이고 편리한 플랫폼을 제공한다.

효율적인 담보 및 자금 조달이다. 앱 내 모기지 애플리케이션으로 모바일 프롭테크 앱을 통해 사용자가 앱 내에서 직접 모기지 및 기타 부동산 금융을 원활하게 신청힐 수 있어 여러 개의 신청과 서류 작업이 필요하지 않다. 또한, 사전승인 및 대출 견적으로 사용자는 사전승인 및 대출 견적을 빠르고 쉽게 얻을 수 있어 구매력 및 예산에 대한 정보에 입각한 의사결정을 할 수 있다. 그리고 모기지 리파이낸싱 및 주택 지분 대출로 모바일 앱은 모기지 리파이낸싱 및 주택 지분 대출 신청을 용이하게 하여 사용자가 부동산의 지분을 활용할 수 있다.

금융상품 비교 및 안내이다. 개인 맞춤형 금융권고로 프롭테크 앱은 사용자 프로필과 부동산 내역을 바탕으로 적합한 모기지 상품이나 투자 옵션을 제안하는 등 개인 맞춤형 금융권고를 제공할 수 있다. 또한, 실시간 이자율 비교로 사용자는 실시간으로 다양한 대출 기관의 이자율을 비교할 수 있어 자금 조달 요구에 가장 적합한 조건을 얻을 수 있다. 그리고 재무 계산기 및 도구로 모바일 앱은 사용자가 모기지 지급액을 추정하고 대출 옵션을 비교하며 미래 비용을 계획하는 데 도움이 되는 재무 계산기 및 도구를 통합하는 경우가 많다.

통합 재무관리 기능이다. 실시간 계좌 잔액 및 거래로 사용자는 프롭테크 앱 내에서 직접 자신의 은행 계좌 잔액, 거래 내역 및 향후 결제 내역을 볼 수 있어 자신의 재무 상황을 총체적으로 파악할 수 있다. 또한, 어음 자동결제 및 이체로 모바일 앱은 어음 자동결제 및 이체를 용이하게 하여 사용자가 편리하게 자금을 관리하고 연체료를 피할 수 있도록 도와준다. 그리고 금융 건전성 통찰력 및 예산 편성 도구로 프롭테크 앱은 사용자가 지출을 추적하고, 저축 목표를 설정하고, 정보에 입각한 재무 결정을 내리는 데 도움이 되는 개인화된 금융 건전성 통찰력 및 예산 편성 도구를 제공할 수 있다.

통합 금융 서비스를 제공하는 모바일 프롭테크 앱을 보면, Rocket Mortgage 사용사가 스마트폰에서 모기지 신청, 금리 비교 및 사전 승인을 받을 수 있는 모바일 앱이다. LendingTree 프롭테크 앱과 통합된 금융 비교 플랫폼으로, 사용자는 여러 대출 기관의 모기지 제안을 비교할 수 있다. Quicken 프롭테크 앱과 연동이 가능한 개인 재무관리 앱으로, 금융과 부동산 투자에 대한 통합된 뷰를 제공한다.

프롭테크 2.0에 금융 서비스가 통합됨으로써 부동산 경험을 더욱 원활하고 편리하며 금융 정보를 제공함으로써 변화시키고 있다. 이처럼 금융 서비스 통합으로 프롭테크 2.0에서는 부동산 거래와 관련된 금융 서비스도 모바일 앱을 통해 통합하여 제공된다. 사용자는 앱을 통해 대출 신청, 금융 상품 비교, 이자율 확인 등을 간편하게 처리할 수 있다. 또한, 앱 내에서 실시간으로 금융 상태를 모니터링할 수 있다.

넷째, 개인화된 서비스 제공

프롭테크 2.0은 개인화된 서비스 제공을 기반으로 데이터 분석, 머신러닝 및 사용자 피드백을 활용하여 개인의 요구와 선호에 맞는 맞춤형 부동산 추천 및 서비스를 제공한다.

데이터 기반 사용자 프로파일링 및 통찰력이다. 사용자 데이터 수집 및 분석으로 프롭테크 플랫폼은 검색 이력, 부동산 선호도, 금융 정보, 라이프스타일 습관 등 방대한 사용자 데이터를 수집하고 분석한다. 또한, 사용자 프로파일 및 패턴 파악으로 프롭테크 시스템은 이 데이터를 분석하여 상세한 사용자 프로파일을 생성하고 사용자 행동 및 선호도의 패턴을 파악할 수 있다.

개인별 맞춤형 부동산 추천이다. 맞춤형 목록 및 제안으로 사용자 프로필과 선호도를 기반으로 프롭테크 플랫폼은 선호하는 동네, 원하는 편의시설, 예산 제약 내에서 집을 제안하는 등 개인의 요구에 맞는 속성을 추천할 수 있다. 또한, 예측 분석 및 미래 동향으로 예측 분석을 사용하여 미래의 부동산 수요를 예측하고, 변화하는 선호도와 라이프스타일 변화에 따라 사용자가 관심을 가질 만한 속성을 제안할 수 있다.

맞춤형 부동산 서비스 제공이다. 타깃팅 마케팅 및 광고로 프롭테크 기업은 개인화된 데이터를 사용하여 타겟팅된 마케팅 캠페인과 광고를 제공하여 사용자가 관련되고 가치 있는 정보를 제공받을 수 있도록 한다. 또한, 사용자 정의 가능한 검색 필터 및 알림으로 모바일 앱은 사용자 정의 가능한 검색 필터 및 알림을 제공하여 사용자가 검색을 개선하고 기준과 일치하는 새로운 속성을 사용할 수 있게 되면 알림을 받을 수 있다.

사용자 피드백 및 지속적인 개선이다. 피드백 메커니즘 및 설문조사로 프롭테크 플랫폼은 설문조사, 리뷰 및 앱 내 피드백 메커니즘을 통해 사용자 피드백을 수집하여 사용자 요구 및 만족도를 파악할 수 있다. 또한, 반복적 서비스 개발로 프롭테크 기업은 사용자 피드백을 바탕으로 지속적으로 서비스를 개선하고 알고리즘을 정교화하며 개인화 기능을 강화할 수 있다.

개인 맞춤형 프롭테크 서비스 사례로는 Compass 사용자 프로필 및 선호도를 기반으로 개인화된 부동산 추천을 생성하기 위해 기계 학습을 사용하는 부동산 플랫폼이다. Redfin 맞춤형 목록, 동네 인사이트, 에이전트 추천 등 개인화된 홈 검색 경험을 제공하는 부동산 중개업체이다. 질로우 프리미어 에이전트 사용자와 특정 요구 및 선호도를 전문으로 하는 최고 등급의 에이전트를 연결하는 서비스이다.

개인화된 서비스 제공은 부동산 경험을 사용자에게 보다 관련성이 높고 효율적이며 만족스럽게 만들어 프롭테크 환경에 혁명을 일으키고 있다. 즉, 이런 개인화된 서비스 제공으로 프롭테크 2.0에서는 사용자의 선호도와 행동 패턴을 분석하여 개인화된 부동산 추천 및 서비스를 제공할 수 있다. 모바일 앱을 통해 사용자들은 자신에게 맞는 매물 및 부동산 서비스를 더욱 쉽게 찾을 수 있다. 또한, 사용자들의 피드백을 수집하여 서비스를 지속적으로 개선한다.

다섯째, 실시간 알림 및 상담 서비스

실시간 알림 및 상담 서비스는 실제로 프롭테크 2.0의 귀중한 기능으로, 사용자가 시장 동향에 대한 정보를 지속적으로 제공하고, 적시에 부동산 알림을 받을 수 있으며, 이동 중에도 부동산 전문가와 연결할 수 있다.

실시간 시장 업데이트 및 부동산 알림이다. 즉시 시장 통찰력으로 프롭테크 2.0 플랫폼은 실시간 데이터 피드를 활용하여 사용자에게 가격 변동, 신규 상장 및 주변 동향을 포함한 최신 시장 업데이트를 제공한다. 또한, 개인화된 속성 알림으로 사용자 선호도 및 검색 기준에 따라 프롭테크 앱은 개인화된 속성 알림을 보낼 수 있으며, 새로운 목록이 사용자의 특정 관심사와 일치할 때 이를 알려준다. 그리고 맞춤형 경보 설정으로 사용자는 특정 가격대, 동네, 부동산 유형 및 기타 기준에 대한 알림을 받도록 경보 설정을 맞춤화할 수 있다.

주문형 부동산 전문 지식제공이다. 라이브 채팅·영상 상담으로 모바일 앱은 라이브 채팅·영상 상담 기능을 통해 부동산 중개업자, 중개업자, 주택담보대출 전문가 등과 실시간 소통이 가능하다. 또한, 즉시 답변 및 안내로 사용자는 질문에 대한 즉각적인 답변을 얻을 수 있고, 부동산 목록에 대한 안내를 받을 수 있으며, 부동산 수요에 대한 맞춤형 조언을 받을 수 있다. 그리고, 약속 및 직접 미팅 일정으로 모바일 앱을 통해 부동산 전문가와의 약속 및 직접 미팅 일정을 잡을 수 있어 전문가 자문을 구하는 과정을 간소화할 수 있다.

향상된 사용자 참여 및 의사결정이다. 정보에 입각한 의사결정 권한 부여로 실시간 경보 및 상담 서비스를 통해 사용자는 부동산 투자, 구매 및 판매에 관해 정보에 입각한 의사결정을 내릴 수 있다. 또한, 시장에서 앞서가기로 사용자는 시장 동향에서 앞서나갈 수 있고, 잠재적인 기회를 파악할 수 있으며, 실시간 정보를 기반으로 시의적절한 결정을 내릴 수 있다. 그리고, 시간 및 노력 절감으로 온디맨드 전문가 상담을 통해 전문적인 안내를 즉시 받을 수 있어 사용자의 시간과 노력을 절약할 수 있다.

실시간 경보 및 상담 서비스는 사용자가 정보에 입각한 결정을 내리고 부동산 환경의 복잡성을 탐색하는 데 필요한 정보, 지침 및 지원을 제공함으로써 부동산 시장과 상호 작용하는 방식을 변화시키고 있다. 프롭테크 2.0에서는 모바일 앱을 통해 실시간으로 부동산 시장의 최신 정보와 매물 알림을 제공한다. 또한, 사용자들은 앱을 통해 부동산 전문가와 실시간으로 상담 및 질문을 할 수 있다.

여섯째, 가상 투어 및 3D 속성 시각화

가상 투어 및 3D 속성 시각화는 PropTech 2.0의 중요한 기능이며, 사용자에게 원격으로 속성을 탐색할 수 있는 몰입형 및 상호 작용 방식을 제공하여 부동산 검색 및 검색 경험을 향상시킨다.

향상된 속성 탐색 및 시각화이다. 원격 및 편리한 부동산 보기로 가상 투어 및 3D 시각화를 통해 물리적 방문 없이 언제 어디서나 부동산을 탐색할 수 있다. 또한, 몰입감 있고 현실적인 경험으로 고품질 가상 투어와 3D 모델은 몰입감 있고 현실적인 경험을 제공하여 사용자가 실제로 숙소를 걷는 것처럼 느낄 수 있다. 그리고, 360도 뷰 및 인터랙티브 요소로 360도 뷰 및 인터랙티브 요소를 통해 사용자는 부동산 구석구석을 탐색하고 세부 정보를 확대하며 레이아웃과 공간을 파악할 수 있다.

의사결정 및 효율성 향상이다. 정보에 입각한 속성 선택으로 가상 투어 및 3D 시각화를 통해 사용자가 직접 방문하기 위해 최종 후보에 오를 속성에 대해 정보에 입각한 결정을 내릴 수 있으므로 시간과 노력을 절약할 수 있다. 또한, 물리적 방문 및 비용 절감으로 가상 탐사를 통해 부동산 선택의 폭을 좁힘으로써 사용자는 물리적 방문 횟수 및 관련 비용을 절감할 수 있다. 그리고 사용자 참여도 및 만족도 증가로 몰입형 부동산 경험은 사용자 참여도, 만족도 및 전반적인 부동산 경험을 향상시킨다.

가상 투어 및 3D 시각화 기능이 있는 모바일 프롭테크 앱으로는 Matterport 고품질의 3D 모델과 부동산의 가상 투어를 만드는 플랫폼이다. Redfin은 또한 많은 목록에 대한 가상 투어를 제공하며, 사용자가 부동산을 가상으로 이동할 수 있는 3D 워크스루도 제공한다.

가상 투어 및 3D 속성 시각화는 사용자가 부동산을 탐험하고 경험하는 방식에 혁명을 일으키고 있으며, 부동산 검색 및 발견에 대한 보다 몰입적이고 편리하며 매력적인 접근 방식을 제공한다.

일곱째, 디지털 계약과 지불

프롭테크 2.0의 혁신적인 특징은 디지털 계약과 지불이며, 부동산 거래 프로세스를 간소화하고, 서류 작업을 줄이고, 보안을 강화한 것이다.

간소화되고 안전한 트랜잭션이다. 종이 없는 효율적인 프로세스로 디지털 계약은 물리적인 서류 작업의 필요성을 제거하고, 어수선함, 스토리지 요구 사항 및 환경에 미치는 영향을 줄인다. 또한, 전자서명 및 안전결제로 사용자는 안전한 디지털 서명 및 결제 게이트웨이를 이용하여 전자적으로 계약 및 결제를 할 수 있어 사기 및 오류의 위험을 줄일 수 있다. 그리고, Real-Time Document Tracking and Audit Trails로 모든 문서 및 트랜잭션은 전자적으로 저장되므로 명확한 감사 추적이 가능하며 향후 참조할 수 있도록 쉽게 접근할 수 있다.

편의성 및 접근성 향상이다. 언제 어디서나 접근 가능으로 사용자는 인터넷 연결만 되면 어디서나 접속, 검토, 계약할 수 있어 물리적인 회의와 직접 서명이 필요 없다. 또한, 시간 및 비용 절감으로 디지털 계약 및 지불은 기존 종이 기반 거래와 관련된 시간 및 비용을 크게 절감할 수 있다. 그리고 향상된 사용자 경험 및 만족도로 디지털 트랜잭션의 편의성과 보안은 전반적인 사용자 경험 및 만족도를 향상시킨다.

잠재적 응용 및 향후 동향으로 블록체인 기술과의 통합으로 블록체인 기술을 디지털 계약에 통합하여 보안, 투명성, 불변성을 강화할 수 있다. 또한, 스마트 계약 및 자동화 실행으로 스마트 계약은 특정 마일스톤 완료 시 결제를 트리거하는 등 부동산 거래의 특정 측면을 자동화할 수 있다. 그리고 디지털 명의 등록 및 재산 기록으로 디지털 명의 등록 및 재산 기록은 재산 소유권 이전을 효율화하고 투명성을 향상시킬 수 있다.

디지털 계약 및 결제는 모든 관련 당사자에게 거래를 보다 효율적이고 안전하며 편리하게 만들어 부동산 산업에 혁명을 일으키고 있다. 프롭테크 2.0과 그 이상의 영역에서 혁신을 거듭함에 따라 부동산 거래의 방식을 변화시키는 더욱 원활하고 안전한 디지털 솔루션을 기대할 수 있다. 즉, 모바일 앱을 통해 사용자는 부동산 거래에 필요한 계약 작성, 서명, 결제 등을 모두 온라인 상에서 간편하게 처리할 수 있다. 이를 통해 거래 과정이 더욱 효율적으로 진행된다

즉, 프롭테크 2.0에서는 모바일 앱을 통해 부동산 거래의 모든 과정을 완전히 온라인으로 처리할 수 있다. 사용자는 앱을 통해 매물을 검색하고 가상 투어를 진행한 뒤에 디지털 계약을 체결하고 결제할 수 있다. 이로써 오프라인 방문 없이도 전체 거래 과정을 간편하게 처리할 수 있다.

이러한 모바일 기술의 활용은 프롭테크 2.0을 통해 부동산 산업을 보다 혁신적으로 변화시키고 사용자들에게 더 나은 서비스를 제공하는 데 기여하고 있다.

2) 빅데이터 활용

부동산 거래 데이터, 공공데이터, 개인 소비 데이터 등을 종합적으로 분석하여 맞춤형 서비스를 제공한다. 프롭테크 2.0은 빅데이터를 활용하여 부동산 산업을 혁신하고 맞춤형 서비스를 제공하는 데 주력한다.

첫째, 부동산 거래 데이터 분석이다.

빅데이터 기술을 활용하여 부동산 시장의 거래 데이터를 종합적으로 분석한다. 이를 통해 특정 지역의 부동산 시장 동향을 파악하고 가격 변동을 예측할 수 있다. 또한, 유망한 투자 지역이나 매물을 추천할 수 있다. 또한, 프롭테크 2.0에서는 과거의 부동산 거래 데이터를 분석하여 지역별, 시장별로 가격 동향을 예측하고 시장의 트렌드를 파악할 수 있다. 이를 통해 사용자들은 실제 거래가 이루어진 가격을 참고하여 매물의 가치를 정확히 판단할 수 있다.

둘째, 공공데이터와의 통합 분석이다.

부동산 시장에 영향을 미치는 다양한 요인들을 종합적으로 분석하기 위해 공공데이터를 활용한다. 예를 들어 인프라 개발 계획, 교통량, 교육 시설, 경제 지표 등의 데이터를 분석하여 부동산 투자에 대한 의사결정을 지원한다. 또한, 프롭테크 2.0에서는 공공데이터를 활용하여 교통, 교육, 문화시설 등의 공공시설과의 거리, 주변 환경, 범죄 발생률 등을 고려하여 매물의 위치를 평가하고 사용자에게 정보를 제공한다.

셋째, 개인 소비 데이터 분석이다.

개인의 소비 패턴과 생활 스타일 데이터를 수집하여 부동산 선택에 반영한다. 이를 통해 사용자들에게 맞춤형 매물 추천 및 부동산 투자 전략을 제공한다. 예를

들어, 가까운 상가나 레저 시설이 많은 지역을 선호하는 사용자에게 해당하는 매물을 추천할 수 있다. 또한, 프롭테크 2.0에서는 개인의 소비 패턴을 분석하여 사용자의 생활 스타일, 취향, 소비 성향 등을 고려하여 부동산 매물을 추천하거나 해당 지역의 생활 편의 시설과의 거리를 고려한 추천을 제공할 수 있다.

넷째, 머신러닝 및 예측 분석이다.

빅데이터 기술을 활용하여 머신러닝 알고리즘을 구현하여 부동산 시장의 트렌드를 예측한다. 이를 통해 가격 변동 예측, 투자 리스크 평가, 매물 가치 평가 등에 활용된다.

다섯째, 고객 서비스 개선이다.

빅데이터 분석을 통해 고객들의 요구사항과 행동 패턴을 파악하여 서비스를 개선한다. 사용자들의 피드백을 실시간으로 분석하여 서비스의 개선점을 찾고, 개인화된 서비스를 제공한다. 또한, 프롭테크 2.0에서는 사용자의 투자 목표와 성향을 분석하여 맞춤형 부동산 투자 추천을 제공한다. 예를 들어, 수익 목표, 투자 기간, 위험 선호도 등을 고려하여 사용자에게 적합한 투자 기회를 추천한다. 그리고 빅데이터 분석을 통해 사용자의 행동 패턴을 파악하고, 이를 기반으로 개인화된 마케팅 및 서비스를 제공한다. 사용자들은 자신에게 필요한 정보와 서비스를 보다 효율적으로 받을 수 있다.

여섯째, 위치 기반 서비스이다.

사용자의 위치 정보를 활용하여 주변 매물 정보를 제공하고, 해당 지역의 시장 동향을 분석하여 사용자에게 실시간으로 정보를 제공한다.

일곱째, 리스크 관리 및 예방이다.

PropTech 2.0은 빅 데이터 분석 및 머신 러닝을 활용하여 부동산 거래와 관련된 잠재적 위험을 파악, 평가 및 완화하는 데 있어 위험 관리 및 예방이 중요한 요소이다.

사기 탐지 및 예방이다. 의심스러운 패턴 식별로 빅데이터 분석을 통해 가짜 상장, 부동산 가치 부풀리기, 의심스러운 금융 거래 등 부정 행위를 나타낼 수 있는 패턴과 이상 징후를 탐지할 수 있다. 또한, 실시간 위험 평가로 기계 학습 알고리즘은 실시간으로 개별 거래의 위험을 평가할 수 있어 추가 조사를 위한 잠재적인 사기 시도를 예고한다. 그리고, 사용자 보호 및 손실 감소로 사기 탐지 시스템은 사기 거래로부터 사용자를 보호하여 재정적 손실을 줄이고 프롭테크 생태계에 대한 신뢰를 높이는 데 도움이 된다.

재무위험평가 및 완화이다. 재무 데이터 및 신용도 분석으로 프롭테크 플랫폼은 신용 점수, 소득 정보, 소득 대비 부채 비율 등 방대한 재무 데이터를 분석하여 구매자와 판매자의 재무 건전성을 평가할 수 있다. 또한, 고위험 거래 식별로 기계 학습 모델은 채무 불이행 또는 압류 위험이 높은 거래를 식별할 수 있어 대출 기관과 투자자가 정보에 입각한 의사 결정을 내릴 수 있다. 그리고, 금융리스크 완화로 프롭테크는 금융리스크를 파악하고 완화함으로써 보다 안정적이고 안전한 부동산 시장에 기여하고 있다.

리스크 관리 기능을 갖춘 PropTech 솔루션의 예로는 RealtyTrac[7] 부동산 데이터 및 분석 회사로 프롭테크 기업을 위한 사기 탐지 및 위험 평가 도구를 제공한다. LexisNexisRisk Solutions 부동산 산업을 위한 솔루션을 포함한 사기 방지를 위한 데이터 및 분석 솔루션 제공업체이다. CoreLogic[8] 위험 평가 및 가치 평가를 위한 솔루션을 포함한 부동산 데이터 및 분석 제공업체이다.

리스크 관리 및 예방은 프롭테크 2.0의 필수 구성 요소로서 보다 안전하고 투명하며 신뢰할 수 있는 부동산 생태계를 조성한다. 빅데이터를 활용하여 부동산 거래의 리스크를 분석하고 예방하는 데 사용된다. 사기 거래 탐지, 금융 위험 평가 등

---

7) RealtyTrac 은 부동산 정보 회사이자 미국의 압류 및 채무 불이행 부동산에 대한 온라인 마켓플레이스이다. 1993년에 설립되었으며 캘리포니아주 산타바바라에 본사를 두고 있다. 월간 미국 차압 시장 보고서를 발행한다. 2011년 11월 사모펀드 인 Renovo Capital LLC는 회사의 대다수 지분을 매입하고 Renwood RealtyTrac LLC라는 새로운 회사를 설립했다. James Saccacio는 이전에 One Technologies의 고위 간부였던 Brandon Moore가 CEO 로 교체되었으며 Saccacio는 대변인 및 이사회 구성원으로 남았다. 2012년 8월 Brandon Moore CEO는 사장 대행 겸 COO인 James Moyle로 교체되었다. James Moyle은 2012년 4월 Homefacts를 인수하면서 RealtyTrac에 합류하여 CEO로 재직했다. 2022년에 RealtyTrac은 Nations Info Corp에 인수되었다.

8) CoreLogic, Inc. 는 캘리포니아 주 어바인에 소재한 금융, 부동산, 소비자 정보, 분석 및 비즈니스 인텔리전스 분야의 선도적인 정보 서비스 제공업체이다. 정보자산과 데이터를 분석하여 고객에게 분석 및 맞춤형 데이터 서비스를 제공하는 회사이다. 또한 회사는 독점적인 연구를 개발하고 소비자 신용, 자본 시장, 부동산, 사기, 규제 준수, 자연 재해 및 재난 예측을 포함한 다양한 범주에서 현재 및 과거 추세를 추적한다. 회사는 2020년 전체 수익이 16억 달러라고 보고했다. 2021년 현재 CoreLogic은 Fortune 1000대 기업이다. 기업 연혁을 보면, CoreLogic의 역사는 TRW 부동산 정보 서비스(TRW Real Estate Information Services)가 현재 Reed Elsevier 로 알려진 네덜란드 출판사인 Elsevier의 부동산 정보 서비스 단위 3개와 파트너십을 체결 한 1991년 9월로 거슬러 올라간다. 1996년 9월, 당시 TRW Information Systems & Services로 알려진 그룹은 모회사에서 분리되어 Experian으로 이름이 변경되었다. 1997년 9월 Experian의 부동산 정보 사업의 대부분 소유권은 Experian과의 파트너십을 통해 The First American Corporation 에 인수되었다. 파트너십은 FARES LLC라고 불렸으며 새로운 법인은 First American Real Estate Solutions(RES)이라는 이름으로 운영되기 시작했다.

의 기능을 제공하여 사용자들에게 안전한 거래 환경을 제공한다.

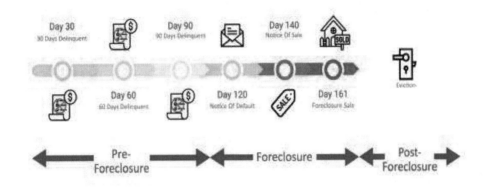

[그림 11] 경매절차
출처 : https://www.dallasbesthomebuyers.com/stop-foreclosure/[9]

여덟째, 고급 데이터 시각화 및 분석 도구 제공이다.

프롭테크 2.0에서는 사용자들이 부동산 데이터를 직관적으로 이해하고 활용할 수 있도록 고급 데이터 시각화 및 분석 도구를 제공한다. 예를 들어, 지도상에 부동산 시장 동향을 시각화하여 사용자들이 실시간으로 시장 상황을 파악할 수 있다.

아홉째, 예측 분석을 통한 투자 가이드를 제공한다.

빅데이터 분석을 통해 부동산 시장의 향후 추세를 예측하고, 사용자에게 투자 가이드를 제공한다. 이를 통해 사용자들은 미래의 시장 상황을 고려하여 투자 결정

---

9) 대부분의 대출 기관이 첫 번째 지불금을 지불하지 못한 후 최소 120일 까지 텍사스에서 압류 절차를 시작할 수 없다. 그 기간 동안 일반적으로 대출 기관과 협력하여 압류가 시작되기 전에 압류를 중지할 수 있는 다양한 "손실 완화" 옵션을 신청할 수 있다. 압류 절차가 시작되면 텍사스의 압류 절차가 다소 빠르게 진행된다는 것이다. 텍사스의 압류 절차는 수탁자에 의해 수행되기 때문에 법원에 제출할 서류가 필요하지 않으며 이는 절차가 신속하게 진행된다는 것을 의미한다. 그렇기 때문에 자신이 선택할 수 있는 옵션을 알고 빠른 결정을 내릴 수 있는 능력을 갖추는 것이 중요하다. 선제 압류 설차는 첫 번째 통지가 발송된 날로부터 41일 정도 소요될 수 있지만 일반적으로 필요한 통지가 발송된 시기와 실제 압류 날짜에 따라 조금 더 오래 걸린다. 따라서 120일의 연체 기간과 41일의 압류 기간을 포함하면 텍사스 압류 절차는 첫 지불금이 누락된 날부터 주택이 경매에 나올 때까지 약 161일이 소요된다. 위의 타임라인은 텍사스 압류 절차에 일반적으로 포함되는 단계를 요약한 것이다.

- 58 -

을 내릴 수 있다.

이러한 빅데이터 기술의 활용은 프롭테크 2.0을 통해 부동산 시장을 보다 정확하게 이해하고, 사용자들에게 최적화된 서비스를 제공하는데 기여한다.

3) 인공지능 활용

부동산 시세 예측, 투자 분석, 부동산 관리 등을 자동화하고 효율화한다. 프롭테크 2.0은 인공지능(AI)을 활용하여 부동산 산업을 혁신하고 효율화하는 데 주력하고 있다.

첫째, 부동산 시세 예측이다.

인공지능 알고리즘을 활용하여 부동산 시장의 동향을 예측한다. 과거 거래 데이터, 지리적 정보, 경제 지표 등을 분석하여 부동산 시세의 변동을 예측하고 사용자에게 신속하고 정확한 정보를 제공한다.

둘째, 투자 분석 및 부동산 매물 추천이다.

인공지능은 사용자의 투자 성향과 목표를 고려하여 최적의 부동산 투자 기회를 찾아준다. 개인의 금융 상황, 성향, 위험 선호도 등을 고려하여 맞춤형 투자 포트폴리오를 제시하고 효율적인 투자를 도와준다. 사용자의 취향과 요구사항을 학습한 AI 시스템이 부동산 매물을 추천한다. 사용자의 검색 기록, 선호 지역, 가격대, 크기 등을 고려하여 맞춤형 매물을 선별하여 제안한다. 뿐만 아니라 사용자의 투자 목표와 위험 선호도를 고려하여 인공지능 알고리즘이 최적의 부동산 투자 포트폴리오를 구성한다. 다양한 부동산 종류와 지역을 고려하여 투자 수익을 극대화하고 리스크를 최소화하는 포트폴리오를 제시한다.

셋째, 부동산 관리 자동화이다.

재산 관리 자동화는 프롭테크 2.0의 혁신적인 측면으로, 인공 지능, 기계 학습 및 사물 인터넷(IoT) 기술을 활용하여 재산 관리 작업을 간소화하고 비용을 절감하며 세입자 만족도를 높인다.

유지 및 보수 자동화 스케줄링이다. 예측 유지보수로 AI 기반 시스템은 센서 데이터와 과거 유지보수 기록을 분석하여 잠재적인 장비 고장을 예측할 수 있어 예방적 유지보수를 사전에 예약할 수 있다. 또한, 자동 작업지시서 작성 및 할당으로 시스템은 유지보수 요구사항을 파악하면 자동으로 작업지시서를 작성하여 해당 기술자에게 할당할 수 있다. 그리고, 실시간 유지보수 추적 및 소통으로 임차인은 온라인 포털이나 모바일 앱을 통해 유지보수 요청서를 제출할 수 있으며, 관리자는 작업발주 상황을 실시간으로 추적할 수 있다.

효율적인 임차인 커뮤니케이션 및 임대료 징수이다. 임대료 자동징수 및 알림으로 임대료 자동징수는 전자납부시스템을 통해 자동징수가 가능하여 연체료 및 수동징수 노력을 줄일 수 있다. 또한, 온라인 커뮤니케이션 및 포털로 임차인은 온라인 포털 또는 모바일 앱을 통해 임대 정보에 접속하여 유지보수 요청서를 제출하고 관리자와 소통할 수 있다. 그리고, 개인화된 입주자 참여로 AI는 입주자 커뮤니케이션 패턴을 분석하여 잠재적인 문제를 파악하고 개인화된 참여 또는 지원을 제공할 수 있다.

스마트 홈 통합 및 에너지 최적화이다. IoT 지원 모니터링 및 제어로 스마트 홈 시스템은 에너지 사용량, 조명, 온도 및 부동산의 기타 측면을 모니터링하여 관리자에게 실시간 데이터를 제공할 수 있다. 또한, 자동화된 에너지 최적화로 AI는 점유율과 실시간 데이터를 기반으로 조명, 온도, 기기 설정 등을 조정해 에너지 사용량을 최적화할 수 있다. 그리고 스마트 시스템 예방정비로 시스템은 스마트 홈 기기의 상태를 모니터링하고 유지보수 일정을 잡아 중단을 방지할 수 있다.

속성 관리 자동화 기능을 갖춘 PropTech 솔루션 예로는 빌디움 자동화된 임대료 징수, 유지관리 및 세입자 커뮤니케이션 기능을 제공하는 클라우드 기반 부동산 관리 플랫폼이다. RentCafe 임대료 징수, 온라인 포털 및 스마트 홈 통합을 위한 자동화 기능을 갖춘 또 다른 인기 부동산 관리 플랫폼이다. AppFolio 자동화, 회계 및 보고 기능을 포함하는 종합적인 자산 관리 솔루션이다.

부동산 관리에 필요한 작업들을 인공지능을 통해 자동화한다. 예를 들어, 유지보수 일정의 관리, 임차인과의 소통, 임대료 수금 등을 자동화하여 부동산 관리자의 업무를 효율적으로 처리한다. 또는 스마트 홈 시스템을 통해 건물의 에너지 사용량을 모니터링하고 최적화하거나 유지보수 일정을 관리하는 등의 작업을 자동화할 수 있다.

넷째, 고객 상담 및 서비스이다.

AI 챗봇을 활용하여 부동산 상담 및 서비스를 제공한다. 사용자들은 채팅 상에 시 질문을 하고 상담을 받을 수 있으며, AI는 학습을 통해 사용자의 질문에 대한 정확한 답변을 제공한다. 예를 들면, 자연어 처리 기술을 이용하여 고객의 질문에 빠르게 대응하고, 개인화된 서비스를 제공한다. 또한, 고객의 행동 패턴을 분석하여 보다 나은 서비스를 제공하는 방안을 모색한다.

다섯째, 부동산 마케팅 및 광고이다.

인공지능은 사용자의 행동 패턴과 선호도를 분석하여 개인화된 마케팅 및 광고를 제공한다. 이를 통해 광고 효율을 높이고 타겟 고객에게 보다 효과적으로 서비스를 홍보할 수 있다. 또한, 사용자의 선호도와 요구사항을 학습하여 인공지능 알고리즘이 부동산을 검색하고 추천한다. 사용자의 검색 히스토리, 클릭 패턴, 선호지역 등을 고려하여 맞춤형 매물을 추천한다.

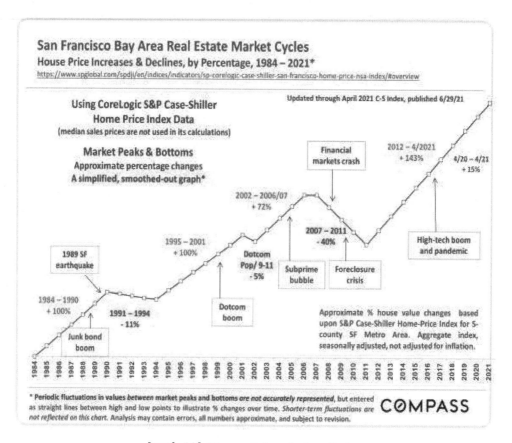

[그림 12] Home Price Index Data
출처 : https://www.bayareamarketreports.com/trend

여섯째, 부동산 법률 및 합법성 검토이다.

인공지능은 부동산 거래와 관련된 법률 및 합법성 검토를 자동화하여 신속하고 정확한 결과를 제공한다. 이를 통해 사용자는 부동산 거래 과정에서의 법적 문제를 사전에 예방할 수 있다.

이러한 방식으로, 프롭테크 2.0은 인공지능 기술을 활용하여 부동산 산업을 혁신하고 효율화하며, 사용자들에게 더욱 편리하고 정확한 서비스를 제공하는 데 주력하고 있다.

II. 한국 프롭테크

1. 한국 프롭테크 특징과 과제

1) 한국 프롭테크 특징

프롭테크의 특징은 부동산 산업에 대한 혁신적인 영향력을 입증하여 다양한 부문과 프로세스에 걸쳐 효율성, 투명성 및 혁신을 주도한다. 첫째, 다양한 프롭테크 트렌드로 다이어그램은 인공지능, 빅데이터, 클라우드 기반 도구, 블록체인, 사물인터넷, 공유 임대 및 공동 거주 마켓플레이스, 분산 소유, 인구 통계 등 10가지 프롭테크 트렌드를 보여준다. 둘째, 트렌드 간 연결성으로 다이어그램은 화살표를 사용하여 트렌드 간 연결성을 보여준다.

[그림 13] 한국 영역별 주요 프롭테크 기업
출처: https://biz.heraldcorp.com/

예를 들면, 인공지능은 부동산 거래 자동화, 가격 예측, 투자 분석 등에 사용되고 있다. 빅데이터는 부동산 시장 동향 분석, 투자 기회 발굴 등에 사용되고 있다. 클라우드 기반 도구는 부동산 관리, 거래, 마케팅 등을 용이하게 한다. 블록체인은 부동산 거래 투명화, 사기 방지 등에 사용되고 있다. 사물 인터넷은 부동산 관리, 에너지 효율 개선 등에 사용되고 있다. 공유 임대 및 공동 거주 마켓플레이스는 부동산 이용 효율성을 높인다. 분산 소유는 부동산 투자 기회를 확대한다. 인구 통계 변화는 부동산 수요와 공급에 영향을 미친다.

이사할 지역을 선택할 때 요즘 '네이버 부동산', '아실' 앱을 통해 실시간으로 등록되는 매물을 확인한다. '다윈중개', '우대빵 부동산' 등을 통해서도 매물 확인과 중개사 선택 등이 가능하다. 중개사무소에 직접 가지 않고도 할 수 있다. '호갱노노' 앱에서 관심 있는 아파트의 입체 평면도를 보고, 시간대별 일조량도 체크할 수 있다. '직방'의 VR홈투어를 통해 아파트 내부 구조가 촬영된 영상을 보면서 발품 파는 시간을 줄일 수 있다. 그 외에도 지역의 매물 증감, 향후 공급 물량, 인구, 학군, 주변 시설, 교통망 정보 등을 한눈에 볼 수 있다. 입주민들의 생생한 후기와 전문가 뉴스 등을 보면서 최근 부동산 이슈도 꼼꼼하게 체크 가능하다.

최근 집값 급등으로 이와 연동된 중개수수료도 큰 폭으로 올랐다. 10억원짜리 집의 중개수수료는 최대 900만원(세전, 최고요율 0.9% 적용 시)에 달한다. 소비자 불만을 고려해 중개수수료를 대폭 낮추었다. 이런 가운데 반값 수수료를 내건 '다윈중개', '우대빵부동산' 등 중개 플랫폼도 대거 등장했다. 부동산 매수 시 온라인 플랫폼을 통해 매물 관련 정보에 손쉽게 접근할 수 있어 불필요한 시간을 단축하고, 중개사무소 설치 등에 따른 비용을 줄여 수수료 절감이 가능하다.

아파트 계약의 경우 '부동산거래 전자계약시스템'을 통해 아파트 매수 계약을 체결할 수 있다. 주택담보대출은 금리 비교 사이트를 통해 저렴한 금융회사를 선택했고 취득세 등은 '호갱노노'의 세금 시뮬레이션을 확인해 미리 준비했고, 등기 업무를 대리하는 법무사는 '법무통' 앱에서 수수료를 비교한 뒤 선택할 수 있다.

국토교통부는 2016년 8월 176억원을 들여 전자계약시스템을 도입했다. 전자계약시스템은 복잡한 서류를 발급받는 번거로움을 덜고, 온라인 인증을 통해 거래 사고의 위험도 줄이는 역할을 한다. 다만 이 서비스의 이용률은 2022년 기준 전체 거래의 2.1%에 불과한 상황이다. 이런 가운데 프롭테크 업체들도 전자계약시스템 구축에 나서고 있다. '집토스'는 전자문서 보관에 유리한 대면형 전자계약 서비스를 직접 개발해 2017년부터 사용하고 있다. 프롭테크 스타트업 '탱커'가 지난달 부동산 중개서류 사무자동화 프로그램 '닥집'도 서비스 중이다. 부동산 임대차 거래 중개 플랫폼 '다방'은 비대면 전자계약 서비스 '다방싸인'을 추후에 출시할 계획임을 밝혔다.

인테리어에서 '집닥' '렛츠홈' 등을 보면서 인테리어 업체의 공사 견적을 비교하고 있다. 3D 공간데이터 플랫폼 '어반베이스'를 통해서는 원하는 인테리어를 3D로 시뮬레이션해보기도 한다. '오늘의 집' '집꾸미기' 등을 보면서 다른 집의 인테리어 사례와 소품 정보 등도 알아볼 수 있다.

2) 한국 프롭테크 영역

프롭테크의 영역은 아파트 등 주택 시장에 국한되지 않는다. 토지, 상업용 부동산 등 시장에도 프롭테크가 가세했다. '밸류맵' '디스코' '빅밸류' 등이 대표적이다. 거래 이력 및 시세 확인이 어렵고, 지목, 용도지역 등 법적 기준이 복잡한 토지, 빌라, 상업용 부동산 등의 정보를 손쉽게 얻을 수 있게 해준다. '빅밸류'는 빅데이터와 AI 기술을 활용해 빌라 등의 적정 시세를 평가하는 서비스를 제공 중이다. 투자·핀테크, 부동산 관리 등의 분야에도 프롭테크의 진입이 활발하다.

프롭테크에 눈을 돌리는 건설사도 많다. 사이버 모델하우스는 코로나19 시대와 맞물려 분양 시장의 필수 항목이 됐다. 최근에는 메타버스 기술로 모델하우스 자체를 온라인 공간으로 옮긴 곳도 있다. 오프라인 모델하우스 설치로 인한 비용을 절감하는 효과도 있다. 아파트 설계와 시공에 VR 등을 활용하고, 빅데이터로 분양 입지 선정, 손익 분석을 하는 건설사도 늘고 있다. 아파트 고급화 추세로 로봇·드론 등 기술을 접목한 생활 편의 서비스를 준비 중인 건설사도 있다. 메타버스 홍보관을 운영 중인 롯데건설 관계자는 "메타버스와 같이 시공간적 제약을 극복할 수 있는 첨단 기술이 업계의 하나의 문화로 자리매김 할 것으로 예상한다"고 설명했다.

프롭테크 성장 장애물로는 정부의 제도적 뒷받침이 미흡해 프롭테크의 성장을 가로막고 있다는 지적도 있다. 핀테크 분야의 경우 금융감독원에 별도 지원 조직이 있지만, 국토부에는 1~2명의 담당자가 프롭테크 지원 및 정책 수립을 맡고 있어서 공공 데이터 개방 수준도 미국, 영국 등 선진국보다 떨어진다. 이런 프롭테크가 급성장하면서 기존 산업과의 마찰도 곳곳에서 일어나고 있다.

중개플랫폼(직방, 다윈중개 등)과 공인중개사, 자동 시세 산정 서비스(빅밸류)와 감정평가사 등의 마찰이 대표적인 직종이다. 전문가들은 이들의 갈등의 골이 더 깊어지기 전에 역할 분담을 명확하게 해야 한다고 지적한다. 프롭테크 기업과 일반 소상공인들이 상호 공존할 수 있도록 정부가 나서 제도적 장치를 마련하는 것이

시급하다.

3) 한국 프롭테크 과제

부동산 분야에서 혁신적인 솔루션과 효율성을 제공하면서 프롭테크의 등장은 잠재적인 일자리 이동과 재숙련의 필요성이라는 측면에서 실제로 도전을 제기한다. 이 갈등을 해결할 수 있는 방법으로 다음 몇 가지 사항은 필수적인 부분이다.

첫째, 업스킬링 및 리스킬링 프로그램으로 부동산 산업의 기술 발전에 적응하는 데 필요한 기술을 근로자들에게 갖추기 위한 훈련 프로그램을 시행하는 것은 일자리 이동을 완화하는 데 도움이 될 수 있다. 이 프로그램들은 공공 부문과 민간 부문에서 모두 자금을 지원받을 수 있으며, 데이터 분석, 디지털 마케팅, 기술 구현과 같은 분야에 중점을 두어야 한다. 또한, 노동자들이 부동산 산업의 기술 발전에 적응할 수 있도록 돕는 효과적인 전략은 훈련 프로그램을 시행하는 것이다. 이를 위해서 인공지능과 자동화로 부동산 산업은 점점 더 부동산 가치 평가, 시장 분석 및 고객 관계 관리와 같은 작업에 인공지능과 자동화 기술을 채택하고 있다. 업스킬링 프로그램은 부동산 전문가가 이러한 도구를 효과적으로 사용하고 데이터를 해석하며 더 나은 의사 결정을 위해 통찰력을 활용하도록 훈련시킬 수 있다.

가상 및 증강 현실로 가상 현실과 증강 현실 기술은 부동산이 판매되고 전시되는 방식을 변화시키고 있다. 리스킬링 프로그램은 부동산 중개인에게 몰입형 가상 투어를 만드는 방법, 디지털 정보를 물리적인 공간에 오버레이하는 방법, 그리고 향상된 구매자 경험을 제공하는 방법을 가르칠 수 있다.

온라인 플랫폼과 디지털 마케팅으로 온라인 부동산 플랫폼의 등장과 디지털 마케팅의 중요성이 높아짐에 따라 에이전트와 브로커는 이러한 채널을 효과적으로 활용하는 데 능숙해야 한다. 교육 프로그램은 검색 엔진 최적화(SEO), 소셜 미디어 마케팅 및 온라인 리드 생성 전략과 같은 주제를 다룰 수 있다.

데이터 분석으로 부동산 산업은 시장 동향, 구매자 선호도, 부동산 가치 평가와 관련된 방대한 데이터를 생성한다. 업스킬링 프로그램은 부동산 전문가에게 정보에 입각한 의사 결정을 내리고 고객에게 더 나은 통찰력을 제공하기 위해 이 데이터를 분석하고 해석하는 방법을 가르칠 수 있다.

사이버 보안과 데이터 개인 정보 보호에서 부동산 산업이 디지털화됨에 따라 사이버 보안과 데이터 개인 정보 보호에 우선순위를 두는 것이 중요하다. 리스킬링 프로그램은 전문가들에게 민감한 고객 정보를 처리하고 보안 조치를 시행하며 데이터 보호 규정을 준수하는 모범 사례를 교육할 수 있다.

성공적인 교육 프로그램의 예를 보면, 미국 전미부동산협회(NAR)는 부동산 전문가들이 업계 동향과 기술을 최신 상태로 유지할 수 있도록 다양한 온라인 강좌와 자격증, 평생교육 프로그램을 제공하고 있다. 캐나다 부동산 연구소(REIC)는 디지털 마케팅, 데이터 분석, 부동산의 신흥 기술 등의 주제를 포함한 다양한 전문 개발 과정을 제공한다. 질루우와 오픈두어와 같은 프롭테크 회사들은 부동산 중개업자들에게 독점 플랫폼, 도구 및 기술을 효과적으로 사용할 수 있는 기술을 갖추기 위한 교육 프로그램을 시작했다. 이와 같이 부동산 기업은 업스킬링 및 리스킬링 이니셔티브에 투자함으로써 급격한 기술 변화에도 불구하고 인력이 경쟁력을 유지하고 적응할 수 있도록 보장함으로써 궁극적으로 산업의 전반적인 효율성과 고객 서비스를 향상시킬 수 있다.

둘째, 프롭테크 기업과 전통 부동산 기업의 협업으로 프롭테크 스타트업과 전통 부동산 기업은 서로를 경쟁자로 보는 대신 기존 관행에 기술 솔루션을 통합하기 위해 협업할 수 있다. 이 협업은 전통적인 직무 기능을 유지하면서 업계 내에서 새로운 역할과 기회를 창출할 수 있다.

셋째, 정부 정책 및 지원으로 프롭테크 기업들이 직무교육 및 재통합 프로그램에 투자할 수 있도록 인센티브를 제공함으로써 정부는 원활한 전환을 촉진하는 데 중요한 역할을 할 수 있다. 또한 정책 입안자들은 혁신을 촉진하는 동시에 일자리 안정성과 공정한 노동 관행을 보장하는 규정을 제정할 수 있다.

넷째, 기업가 정신 및 혁신 장려로 프롭테크 분야 내에서 기업가 정신을 장려하면 새로운 비즈니스와 일자리 창출로 이어질 수 있다. 정부와 조직은 프롭테크 분야의 스타트업과 중소기업을 육성하기 위한 인큐베이터, 액셀러레이터, 자금 지원 이니셔티브의 형태로 지원할 수 있다.

다섯째, 인간 중심 설계에 초점을 맞춤으로 기술도 중요하지만 인간 노동자를 완전히 대체하기보다는 인간의 경험을 향상시키는 데 초점을 두고 설계되고 구현되어야 한다. 프롭테크 솔루션은 노동자의 역할을 제거하기보다는 프로세스를 간소화하고 노동자에게 권한을 부여하는 데 목표를 두어야 한다.

여섯째, 지속적인 대화와 적응으로 프롭테크 환경이 변화함에 따라 노동자, 기업, 정책 입안자, 기술자 등 이해관계자 간의 대화는 지속적으로 이루어져야 하며, 이를 해결하고 전략을 조정할 수 있다. 이러한 전환기를 헤쳐 나가려면 피드백에 대한 유연성과 개방성이 중요할 것이다.

프롭테크 시대는 이러한 점을 해결하고 협력적이고 포용적인 접근법을 육성함으로써 부동산 산업의 혁신과 성장을 견인하면서 잠재적으로 기존 일자리와의 갈등을 해소할 수 있다.

2. 한국 프롭테크 트랜드

1) 빅데이터와 인공지능

빅데이터와 인공지능을 활용하여 부동산 시장 동향을 분석하고 예측할 수 있다. 빅데이터와 인공지능 기술을 활용하여 부동산 시장에서의 거래 데이터, 가격 동향, 인구 통계 데이터 등을 수집하고 분석할 수 있다.

첫째, 빅데이터 기술을 활용하여 부동산 거래 데이터를 수집하고 분석한다. 이 데이터에는 거래일자, 거래가격, 거래 위치, 거래 유형 등이 포함될 수 있다. 인공지능 알고리즘을 사용하여 이러한 거래 데이터를 분석하고 패턴을 찾는다. 예를 들어, 특정 지역에서의 거래 가격의 변동 패턴을 식별하거나, 인기 있는 거래 유형을 파악할 수 있다.

둘째, 가격 동향 예측에서 수집된 거래 데이터를 기반으로 인공지능 모델을 학습시킨다. 이를 통해 부동산 가격 동향을 예측하는 모델을 구축할 수 있다. 인공지능 알고리즘이 거래 데이터의 다양한 요인들을 고려하여 미래의 부동산 가격을 예측한다. 예를 들어, 인구 통계 데이터, 경제 지표, 주변 시설 정보 등을 활용하여 가격 예측 모델을 개발할 수 있다.

셋째, 투자 및 거래 결정 지원으로 예측된 부동산 가격 동향을 기반으로 투자 또는 거래에 대한 결정을 지원한다. 예를 들어, 인공지능 모델이 특정 지역의 부동산 가격이 상승할 것으로 예측하면 해당 지역에 투자하는 것을 권장할 수 있다. 또한, 인공지능 모델은 부동산 시장에서의 트렌드와 패턴을 식별하여 투자자에게 전략적인 조언을 제공할 수 있다. 이를 통해 투자자는 더욱 높은 수익을 얻을 수 있다.

이와 같이 빅데이터와 인공지능 기술을 활용하여 데이터 분석을 통해 부동산 시장의 동향을 예측하고 예측하는 것은 투자자들에게 가치 있는 정보를 제공하고, 더 나은 투자 및 거래 결정을 돕는 중요한 역할을 합니다.

2) 클라우드 컴퓨팅

클라우드 컴퓨팅을 통해 부동산 데이터를 보다 효율적으로 저장, 처리 및 공유할 수 있다. 대용량의 부동산 데이터를 효율적으로 저장, 처리 및 관리하기 위해 클라우드 컴퓨팅을 활용할 수 있다. 클라우드 기반의 플랫폼을 활용하여 부동산 관련자들 간에 데이터를 쉽게 공유하고 협업할 수 있다. 클라우드 컴퓨팅을 통해 부동산 데이터를 효율적으로 저장, 처리 및 공유하는 예를 보면, 다음과 같다.

첫째, 부동산 데이터 저장 및 처리로 클라우드 컴퓨팅을 활용하여 대용량의 부동산 데이터를 저장하고 관리한다. 이를 위해 클라우드 기반의 데이터 저장소를 사용하여 데이터를 안전하게 보관할 수 있다. 클라우드 기반의 컴퓨팅 리소스를 사용하여 부동산 데이터를 처리하고 분석할 수 있다. 클라우드 서비스 제공업체가 제공하는 다양한 컴퓨팅 리소스를 활용하여 데이터 분석 및 처리 작업을 효율적으로 수행할 수 있다.

둘째, 부동산 데이터 공유 및 협업으로 클라우드 기반의 플랫폼을 활용하여 부동산 관련자들 간에 데이터를 쉽게 공유하고 협업할 수 있다. 예를 들어, 클라우드 기반의 협업 도구를 사용하여 다수의 사용자가 동시에 부동산 데이터에 접근하고 작업할 수 있다. 부동산 중개사, 투자자, 건설업자 등 다양한 관련자들이 클라우드 플랫폼을 통해 데이터를 공유하고 협업하여 부동산 거래 및 프로젝트를 관리할 수 있다.

셋째, 실시간 데이터 업데이트 및 접근에서 클라우드 기반의 시스템을 사용하여 실시간으로 부동산 데이터를 업데이트하고 접근할 수 있다. 이를 통해 부동산 시장의 변화에 신속하게 대응할 수 있다. 부동산 중개사나 투자자들은 언제 어디서나 클라우드를 통해 최신의 부동산 데이터에 접근할 수 있으며, 이를 통해 더 빠르고 정확한 결정을 내릴 수 있다.

이와 같이 클라우드 컴퓨팅을 활용하여 부동산 데이터를 효율적으로 저장, 처리 및 공유하는 것은 부동산 업계의 다양한 관련자들에게 많은 이점을 제공한다. 클라우드를 통한 데이터 관리는 더욱 효율적이고 유연한 업무 환경을 조성하여 부동산 거래 및 관리 프로세스를 개선할 수 있다.

3) 사물 인터넷 기술

사물 인터넷 기술을 활용하여 건물의 스마트 홈 기능을 구현하거나 건물 운영을 최적화할 수 있다. 사물 인터넷 기기를 활용하여 건물 내부의 다양한 시설 및 장치들을 연결하고 제어할 수 있다. 스마트 홈 기능을 통해 거주자들은 건물 내부의 조명, 난방, 보안 시스템 등을 스마트폰 앱을 통해 원격으로 제어할 수 있다.

첫째, 원격 제어로 거주자들은 스마트폰 앱을 통해 건물 내부의 다양한 시설 및 장치를 원격으로 제어할 수 있다. 예를 들어, 스마트폰 앱을 사용하여 조명을 켜고 끌 수 있으며, 난방 및 냉방 시스템을 조절할 수 있다.

둘째, 보안 시스템으로 사물 인터넷 기기를 사용하여 건물의 보안 시스템을 구현할 수 있다. 스마트폰 앱을 통해 CCTV 카메라를 모니터링하고, 문 잠금 장치를 제어하여 건물의 안전을 유지할 수 있다.

셋째, 건물 운영 최적화로 에너지 모니터링에 사물 인터넷 센서를 사용하여 건물 내의 에너지 소비를 모니터링하고 관리할 수 있다. 예를 들어, 전력 및 가스 미터링 센서를 통해 에너지 소비를 실시간으로 추적하고 이를 시각화하여 건물 소유자나 운영자에게 제공할 수 있다.

넷째, 자동화 및 최적화에서 스마트 홈 기능을 활용하여 건물 운영을 자동화하고 최적화할 수 있다. 예를 들어, 인텔리전트 조명 시스템은 건물 내부의 조명을 주변 환경에 따라 자동으로 조절하여 에너지를 절약하고 사용자의 편의성을 높일 수 있다.

또한, 건물 운영을 최적화하기 위해 에너지 소비를 모니터링하고 관리할 수 있다. 예를 들면, 건물 주인이 출장 중이지만, 스마트폰 앱을 통해 거주 중인 집의 보안 시스템을 모니터링하고 문 잠금 장치를 제어하여 안전을 유지할 수 있다. 건물 소유자는 스마트 홈 앱을 사용하여 에너지 소비 데이터를 확인하고, 건물 내의 난방 및 냉방 시스템을 원격으로 제어하여 에너지를 효율적으로 사용할 수 있다. 이러한 예시를 통해 사물 인터넷 기술을 활용하여 건물의 스마트 홈 기능을 구현하고 건물 운영을 최적화하는 방법을 이해할 수 있다.

4) 블록체인 기술

블록체인 기술을 활용하여 부동산 거래의 신뢰성과 투명성을 높일 수 있다. 블록체인 기술을 활용하여 부동산 거래의 기록을 블록체인에 안전하게 저장하고 관리할 수 있다. 이를 통해 거래의 신뢰성과 투명성을 높일 수 있으며, 부동산 거래 과정에서 발생할 수 있는 중개인의 비용을 줄일 수 있다. 블록체인을 활용하여 부동산 소유권을 증명하고 전송하는 등의 다양한 부동산 거래가 가능하다.

첫째, 거래 기록의 안전한 저장 및 관리에서 블록체인 기술을 활용하여 부동산 거래의 모든 기록을 블록체인에 안전하게 저장하고 관리할 수 있다. 이를 통해 거래의 신뢰성과 무결성을 보장할 수 있습니다. 각 거래는 블록체인 네트워크에 분산되어 저장되며, 변경이나 조작이 불가능하다.

둘째, 거래의 신뢰성과 투명성 확보에서 블록체인을 통해 모든 거래 기록은 공개적으로 열람 가능하며, 변경이나 조작이 불가능하다. 이를 통해 거래의 신뢰성과 투명성을 높일 수 있다. 거래의 모든 당사자는 거래 내역을 신뢰할 수 있으며, 블록체인을 통해 거래 과정이 투명하게 공개된다.

셋째, 중개인 비용의 감소로 블록체인 기술을 활용하면 중개인이나 중간 단계의 수수료를 줄일 수 있다. 거래 과정에서 발생하는 중개인의 비용을 최소화하여 부동산 거래의 비용을 절감할 수 있다. 이는 거래 당사자 간의 직접적인 연결을 가능하게 하고, 거래 프로세스를 더욱 효율적으로 만든다.

넷째, 부동산 소유권의 증명 및 전송으로 블록체인을 활용하여 부동산 소유권을 증명하고 전송할 수 있다. 스마트 계약을 사용하여 부동산 거래가 발생하면 블록체인에 새로운 소유권 기록이 생성된다. 이를 통해 부동산 소유권의 이전이 효율적이고 안전하게 이루어질 수 있다.

예를 들면, 블록체인 기술을 사용하여 부동산 거래가 발생하면 해당 거래의 모든 세부 사항이 블록체인에 기록된다. 거래 당사자는 거래 기록을 신뢰할 수 있으며, 중개인의 개입 없이 거래가 이루어진다. 이를 통해 부동산 거래 과정이 더욱 투명하고 효율적으로 진행될 수 있다. 이와 같이 블록체인 기술은 부동산 거래의 신뢰성과 투명성을 높일 뿐만 아니라 거래 비용을 절감하고 소유권 전송을 보다 안전하고 효율적으로 수행할 수 있는 잠재력을 가지고 있다.

이러한 기술들의 활용은 부동산 업계에 혁신적인 변화를 가져다주며, 효율성을 향상시키고 사용자들에게 더 나은 경험을 제공할 수 있다. 또한, 이러한 프롭테크의 발전은 부동산 시장에 혁신적인 변화를 가져다 주고, 사용자들에게 더 나은 경험과 가치를 제공할 수 있다. 따라서 프롭테크는 부동산 업계에서 중요한 역할을 하고 있으며, 앞으로 더 많은 발전이 예상된다. 프롭테크의 발전은 부동산 시장에 혁신적인 변화를 가져다주고, 이는 사용자들에게 더 나은 경험과 가치를 제공할 수 있다. 여러 가지 기술을 활용하여 부동산 업계의 다양한 측면을 개선하고 변화시킴으로써, 사용자들은 보다 효율적이고 투명한 거래를 할 수 있게 되며, 부동산 관리와 투자에 대한 접근성과 편의성도 향상된다.

또한, 프롭테크는 부동산 업계에서 중요한 역할을 하고 있으며, 이는 기존의 방식과 전통적인 접근법을 변화시키고 새로운 비즈니스 모델을 창출함으로써 이루어진다. 부동산 시장에서의 디지털 혁신은 많은 기회와 잠재력을 제공하며, 업계의 주요 플레이어들은 이러한 혁신에 적극적으로 대응하고 있다. 또한, 앞으로 더 많은 발전이 예상된다는 점도 중요하다. 기술의 발전은 지속적으로 진행되고 있으며, 프롭테크 분야에서도 새로운 기술과 솔루션들이 계속해서 등장하고 발전할 것으로 예상된다. 이러한 발전은 부동산 시장의 미래에 대한 새로운 가능성을 열어줄 뿐만 아니라, 사용자들에게 더 나은 서비스와 경험을 제공할 것이다. 따라서 프롭테크는 부동산 업계에서 더욱 중요한 역할을 할 것으로 기대된다.

III. 프롭테크 글로벌 트랜드

1. 프롭테크(Proptech) 트랜드

Proptech는 부동산(Property)과 기술(Technology)을 합친 용어로, 부동산 거래, 관리, 투자 등의 과정에 인공지능, 빅데이터, 클라우드 컴퓨팅, 사물 인터넷(IoT), 블록체인 등의 첨단 기술을 접목하여 효율성을 높이고 새로운 서비스를 창출하는 것을 의미한다. 즉, Proptech는 부동산과 기술을 결합한 용어로, 부동산 거래, 관리, 투자 등의 다양한 과정에 혁신적인 기술을 적용하여 효율성을 높이고 새로운 서비스 및 비즈니스 모델을 창출하는 것을 목표로 한다. 이를 위해 프롭테크는 다양한 첨단 기술을 활용한다. 여기에는 인공지능, 빅데이터 분석, 클라우드 컴퓨팅, 사물 인터넷(IoT), 블록체인 등이 포함한다. 이러한 기술들은 부동산 업계의 다양한 과정을 자동화하고 최적화하여 보다 효율적이고 투명한 거래를 가능하게 한다.

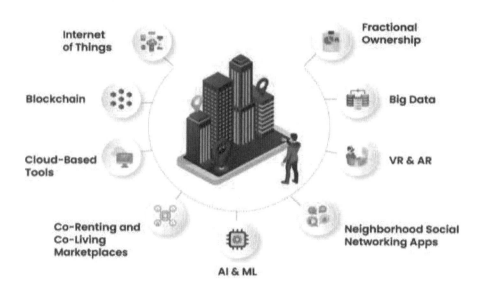

[그림 14] 프롭테크 트랜드
출처: https://www.narolainfotech.com/

위의 그림은 프롭테크 트랜드를 보여주는 다이어그램이다. 즉, 이미지는 부동산 시장을 변화시키는 10가지 주요 프롭테크 트렌드를 보여준다. 트렌드에는 인공지능, 빅데이터, 클라우드 기반 도구, 블록체인, 사물 인터넷, 공유 임대 및 공동 거주 마켓플레이스, 분산 소유, 인구 통계 등이 포함된다. 다이어그램은 화살표를 사용하여 트렌드 간 연결성을 보여준다. 예를 들어, 인공지능은 빅데이터 및 클라우드 기반 도구와 연결된다. 텍스트 레이블은 각 트렌드를 설명한다. 예를 들어, "인공지능" 트렌드 레이블은 "인공지능은 부동산 거래 자동화, 가격 예측, 투자 분석 등에 사용된다."라고 설명한다.

2. 미래 프롭테크 특징

프롭테크 기술은 부동산 산업의 다양한 측면을 변화시키는 것을 목표로 하는 광범위한 혁신과 기술을 포함한다. 프롭테크의 몇 가지 주요 특징은 다음과 같다.

1) 재산관리 플랫폼

이러한 플랫폼은 임차인 커뮤니케이션, 임대료 징수, 유지보수 요청, 임대관리 등 재산관리 업무를 효율화한다. 이들은 종종 클라우드 기반 솔루션, 모바일 앱 및 자동화를 활용하여 부동산 소유자, 관리자 및 세입자를 위한 효율성과 투명성을 향상시킨다.

첫째, 클라우드 기반 솔루션으로 많은 재산 관리 플랫폼은 클라우드 기반 소프트웨어에서 작동하여 인터넷 연결이 가능한 어디에서나 액세스할 수 있다. 이를 통해 재산 관리자와 소유자는 원격으로 자신의 재산을 모니터링하고 관리할 수 있다. 또한, 모바일 앱 연결이다. 이러한 플랫폼은 종종 부동산 관리자와 세입자 모두를 위한 동반 모바일 앱을 가지고 있다.

세입자는 앱을 사용하여 임대료를 지불하고, 유지 관리 요청을 제출하고, 부동산 관리자와 의사 소통할 수 있는 반면, 관리자는 이동 중에도 업무를 처리할 수 있다[10].

---

10) 클라우드 컴퓨팅의 유형 클라우드 컴퓨팅은 배포 모델이나 서비스 유형에 따라 분류될 수 있다. 특정 구축 모델에 따라 클라우드를 퍼블릭, 프라이빗, 하이브리드 클라우드로 분류할 수 있다. 동시에 클라우드 모델의 서비스에 따라 IaaS(Infrastructure-as-a-Service), PaaS(Platform-as-a-Service), SaaS(Software-as-a-Service)로 분류할 수 있다.
기업의 주요 이점과 과제 클라우드 컴퓨팅이 빠르게 성장하는 가장 중요한 이유는 클라

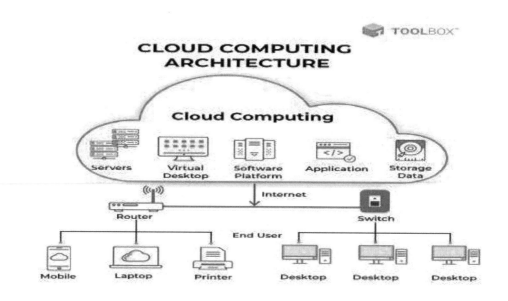

[그림 15] 클라우드 컴퓨팅
출처 : https://www.spiceworks.com/tech/cloud/articles/

둘째, 테넌트 커뮤니케이션으로 효과적인 커뮤니케이션은 부동산 관리에서 핵심
이다. 이러한 플랫폼은 세입자와 관리자 간의 메시지, 알림 및 문서 공유를 위한
중앙 집중식 채널을 제공해 준다. 그리고 임대료 징수 등 통합 온라인 임대료 지

<hr />

우드 컴퓨팅이 제공하는 다양한 이점이 있다. 이는 기업이 완전한 물리적 IT 인프라를
구축하는 데 필요한 시간과 리소스를 절약해 준다. 클라우드가 제공하는 모든 이점을 살
펴보면, 먼저, 비용 절감으로 IT 시스템을 유지하려면 막대한 자본 지출이 필요하며, 클
라우드를 사용하면 이를 줄이는 데 도움이 된다. 클라우드 제공업체 가 제공하는 리소스
를 사용하면 기업은 값비싼 인프라를 구매할 필요가 없어 비용을 대폭 절감할 수 있다.
클라우드 제공업체는 사용한 만큼만 지불하는 모델을 사용한다. 즉, 기업은 사용한 서비
스에 대해서만 비용을 지불하여 비용을 더욱 절감할 수 있다. 둘째, 확장성으로 클라우드
를 사용하면 조직은 매우 짧은 시간에 사용자를 몇 명에서 수천 명으로 늘릴 수 있다.
필요에 따라 기업은 스토리지 요구 사항을 확장하거나 축소하여 조직의 유연성을 높일
수 있다. 셋째, 유연성 및 협업으로 클라우드의 데이터는 인터넷을 통해 직접 액세스할
수 있으므로 직원은 언제 어디서나 작업할 수 있다. 클라우드를 사용하면 어디에서나 가
상 사무실을 자유롭게 설정할 수 있다. 또한 팀이 타사 공급업체와 동일한 파일에 액세
스할 수 있도록 하여 여러 위치에서 프로젝트 작업을 수행할 수 있다. 넷째, 비즈니스 연
속성으로 클라우드는 가동 중단이나 위기 발생 시 데이터를 안전하게 저장하고 보호한
다. 이렇게 하면 시스템이 다시 가동되면 작업을 재개하기가 더 쉬워진다. 다섯째, 경쟁
우위로 클라우드는 IT 인프라 유지 관리, 소프트웨어 라이선싱, 데이터 관리를 위한 인력
교육 등 다양한 비즈니스 측면을 관리한다. 따라서 투자하는 시간과 자원이 최소화되므
로 경쟁사보다 우위를 점할 수 있다. 출처 : https://www.spiceworks.com/tech

불 시스템을 통해 임차인은 임대료를 전자적으로 지불하고 관리자는 지불 내역을 추적하고 기록할 수 있다.

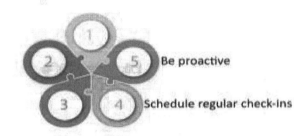

[그림 16] 테넌트 커뮤니케이션
출처 : https://fastercapital.com/topics[11)]

---

11) 임차인과의 소통 꿀팁으로 임대인으로서 임차인과의 효과적인 의사소통은 임대 부동산에서 긍정적인 임차인 관계를 구축하는 데 핵심이다. 처음부터 명확한 의사소통 라인을 설정하고 임대 기간 동안 열린 의사소통 채널을 유지하는 것이 중요하다. 원활한 의사소통은 오해를 피하고, 갈등을 예방하며, 세입자가 자신의 생활 상황에 행복하고 만족하도록 하는 데 도움이 된다.
다음은 임차인과의 효과적인 의사소통을 위한 몇 가지 팁이다. 먼저, 다양한 의사소통 채널 사용으로 세입자마다 선호하는 의사소통 방법이 다르므로 여러 채널을 사용하여 연락하는 것이 중요하다. 여기에는 이메일, 전화 통화, 문자 메시지, 심지어 소셜 미디어도 포함될 수 있다. 여러 채널을 사용하면 메시지가 수신되고 테넌트가 편리한 방식으로 응답할 기회를 갖도록 할 수 있다. 둘째, 명확하고 간결하게 작성하기로 임차인과 의사소통할 때 명확하고 간결하게 작성하는 것이 중요하다. 세입자가 이해하기 어려울 수 있는 기술 전문 용어나 복잡한 언어를 사용해서는 안된다. 대신 메시지를 명확하게 전달하는 간단하고 직접적인 언어를 사용해야 한다. 셋째, 적극적으로 듣기로 의사소통은 양방향이므로 세입자의 말을 적극적으로 듣는 것이 중요하다. 우려사항이나 문제가 있을 때 시간을 내어 그들의 관점을 듣고 그들의 관점을 이해하려고 노력하자. 이는 양측 모두에게 적합한 솔루션을 찾는 데 도움이 될 수 있다. 넷째, 신속하게 응답하기로 세입자가 질문이나 우려 사항으로 귀하에게 연락할 경우 즉시 응답하는 것이 중요하다. 이는 귀하가 그들의 시간을 소중히 여기며 그들의 요구 사항을 해결하기 위해 최선을 다하고 있음을 보여준다. 즉각적인 해결책이 없더라도 문제를 해결하기 위해 노력하고 있으며 최대한 빨리 연락을 드릴 것임을 알려주어야 한다. 다섯째, 정기적인 업데이트 제공하기로 임차인에게 영향을 미칠 수 있는 모든 업데이트나 변경 사항에 대해 임차인에게 알리는 것은 긍정적인 임차인 관계를 유지하는 데 중요하다. 여기에는 유지 관리 작업, 임대 조건 변경 또는 기타 관련 정보에 대한 업데이트가 포함될 수 있다. 임차인에게 지속적인 정보를 제공함으로써 오해를 방지하고 임차인이 정보를 얻고 소중하게 여겨진다는 느낌을 받

셋째, 유지보수 관리에서 세입자는 플랫폼을 통해 유지보수 요청을 제출할 수 있으며, 이 요청은 부동산 관리자가 할당하고 추적하여 문제를 적시에 해결할 수 있다. 임대 관리에서 디지털 임대 생성, 전자 서명 및 저장을 통해 임대 프로세스를 간소화하고 조직적인 기록 보관을 보장한다.

넷째, 회계 및 재무 보고에서 많은 플랫폼이 부동산 포트폴리오를 더 잘 감독하기 위해 수입, 비용 추적 및 재무 보고서 생성과 같은 회계 기능을 제공한다. 자동화로 규칙과 트리거는 임대료 알림, 연체료 계산, 빈 단위 나열과 같은 일상적인 작업을 자동화하여 부동산 관리자의 시간을 절약할 수 있다.

전반적으로, 부동산 관리 플랫폼은 기술을 활용하여 주거용 또는 상업용 부동산을 관리함에 있어 협업, 조직 및 효율성을 강화한다. 이들은 모든 이해관계자에게 중앙 집중식 디지털 허브를 제공하여 세입자 만족도 향상과 소유자의 자산 관리 개선으로 이어진다.

[그림 16]는 테넌트 커뮤니케이션을 보여준다. 임대인과 임차인의 긍정적인 관계를 유지하고 원활한 운영을 위해서는 임차인과의 효과적인 의사소통이 중요하다.

먼저, 반응하라(Be responsive). 즉, 응답성으로 임차인 문의, 우려 사항 또는 유지 보수 요청에 24-48시간 이내에 신속하게 응답할 수 있어야 한다. 세입자에게 전화, 이메일 또는 온라인 포털과 같은 다양한 방법으로 연락할 수 있다. 문제를 즉시 해결할 수 없는 경우 세입자의 요청을 확인하고 해결을 위한 예상 일정을 제공해야 한다.

둘째, 명확하고 간결하게 하라(Be clear and concise). 즉, 내용과 언어는 명확하고 간결해야 한다. 세입자와 대화할 때는 오해를 피하기 위해 간단하고 간단한 언어를 사용한다. 정책, 절차 또는 유지 관리 지침에 대한 자세한 정보를 예를 들면, 임대 계약, 통지 또는 이메일 등을 서면으로 제공한다. 복잡한 문제를 다루면 더 나은 이해를 위해 명확하고 간결한 지점으로 나누어야 한다.

셋째, 여러 채널 사용하라(Use multiple channels). 즉, 이메일, 문자 메시지, 온라인 포털 또는 소셜 미디어와 같은 다양한 커뮤니케이션 채널을 사용하여 임차

을 수 있다.
그러므로 임대 부동산에서 긍정적인 임차인 관계를 구축하려면 임차인과의 효과적인 의사소통이 필수적이다 . 여러 의사소통 채널을 사용하고, 명확하고 간결하며, 적극적으로 경청하고, 신속하게 응답하고, 정기적인 업데이트를 제공함으로써 임차인과 신뢰를 쌓고 긍정적인 관계를 조성할 수 있다. 출처 : https://fastercapital.com/topics/tips-for-communication-with-tenants.html

인에게 효과적으로 연락할 수 있다. 중요한 공지나 업데이트의 경우 메시지가 수신되고 이해되었는지 확인하기 위해 여러 채널을 사용하는 것을 고려한다. 다양한 세입자 인구 통계의 선호도에 따라 커뮤니케이션 방법을 조정한다. 예를 들면, 젊은 세입자는 문자 메시지 또는 소셜 미디어를 선호할 수 있지만, 나이 든 세입자는 이메일 또는 인쇄된 공지를 선호할 수 있다.

넷째, 적극적으로 행동하라(Be proactive). 즉, 사전 예방 조치로 세입자가 문의할 필요가 있기 전에 향후 이벤트, 정책 변경 또는 유지 관리 일정에 대해 사전 예방적으로 소통해야 한다. 진행 중인 프로젝트나 개보수 또는 건설 작업과 같이 세입자에게 영향을 미칠 수 있는 문제에 대한 정기적인 업데이트를 제공한다. 주요 문제가 되기 전에 정기적인 검사를 수행하고 잠재적인 문제를 해결하여 프로세스 전반에 걸쳐 투명한 의사소통을 보장한다.

다섯째, 정기 체크인 예약(Schedule regular check-ins)하기로 문제나 업데이트에 대해 직접 또는 가상으로 세입자와 정기적인 회의 또는 체크인을 주선한다. 이러한 체크인을 하는 동안 세입자의 피드백을 적극적으로 듣고 질문을 해결하며 개선을 위한 제안을 수집한다. 이 기회를 통해 임대 갱신 날짜, 임대료 지불 기한 또는 지역 사회 규칙 및 규정과 같은 중요한 정보를 강화할 수 있다. 이러한 전략을 실행함으로써 임차인과의 개방적이고 투명한 의사소통을 촉진할 수 있다. 효과적인 의사소통은 문제를 신속하게 해결하는 데 도움이 될 뿐만 아니라 신뢰와 긍정적인 관계를 형성하여 임차인의 만족도와 유지율이 높아진다.

2) 온라인 상장 및 임대 플랫폼

프롭테크는 부동산을 상장하고, 검색하고, 임대하거나 판매하는 방식에 혁신을 일으켰다. 온라인 상장 플랫폼은 구매자, 판매자, 임대인, 세입자가 연결하여 거래할 수 있는 중앙 집중식 마켓 플레이스를 제공한다. 가상 부동산 투어, 디지털 문서 서명, 통합 결제 처리 등의 기능을 포함할 수 있다.

먼저, 집중형 마켓플레이스로, 이 플랫폼은 부동산 소유자가 임대 또는 판매를 위해 자신의 부동산을 나열할 수 있고, 잠재적인 세입자나 구매자가 사용가능한 목록을 검색하고 탐색할 수 있는 온라인 마켓플레이스 역할을 한다. 그 예로는 질로우(Zillow), 트룰리아(Trulia), 스트릿이지(StreetEasy), 핫패즈(HotPads), 네이키드 아파트먼츠(Naked Apartments), 리얼에스테이트닷컴(RealEstate.com)과

Apartments.com 등이 있다.

[그림 17] MarketPlace
출처 : https://www.forbes.com/sites/garydrenik/2021/02/23/

둘째, 가상 부동산 투어로 많은 상장 플랫폼이 이제 360도 사진, 3D 모델 또는 심지어 가상 현실 (VR) 기술을 사용하여 몰입형 가상 투어를 제공한다. 이것은 물리적으로 그곳에 있지 않고도 원격으로 부동산을 볼 수 있게 한다.

셋째, 디지털 리스팅으로 부동산 정보, 사진, 동영상, 평면도, 주변 정보 등을 디지털 방식으로 업로드하여 온라인에서 효과적으로 리스팅을 마케팅할 수 있다. 또한, 검색 필터 기능으로 위치, 가격대, 편의 시설, 속성 유형 등에 대한 필터를 사용한 강력한 검색 기능은 구매자/세입자가 선호도에 맞는 옵션을 좁힐 수 있도록 도와준다.

넷째, 디지털 애플리케이션으로 입주예정자는 디지털 방식으로 임대신청서를 작성해 필요한 서류와 함께 플랫폼 자체를 통해 제출하면 된다. 또한, 백그라운드 스크리닝으로 일부 플랫폼은 타사 서비스와 통합되어 임차인 스크리닝, 신용 검사 및 백그라운드 검증을 수행한다.

다섯째, 디지털 서명[12]으로 안전한 전자 서명 솔루션을 통해 임대 계약, 임대 또

---

12) 디지털 서명은 디지털 문서나 메시지의 신뢰성을 확인하는 일종의 전자 서명(e-서명)이다. 디지털 서명 이전에는 문서에 서명할 수 있었고 서명한 후에 문서 소유자가 문서를 수정하거나 변경할 수 있었다. 그러나 디지털 서명을 사용하면 서명에 타임스탬프가 찍

는 구매 계약을 전자적으로 체결할 수 있는 기능을 통해 거래를 간소화한다. 또한, 결제 처리로 통합 온라인 결제 게이트웨이를 통해 원활한 임대료 결제 처리 또는 주택 구매를 위한 성실한 자금 보증금 처리가 가능하다.

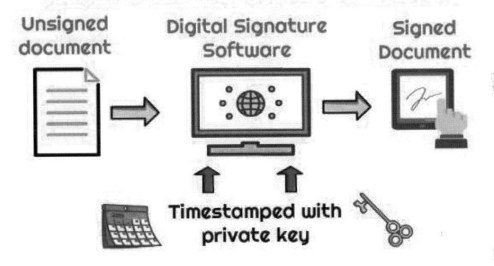

[그림 18] Digital Signature
출처 : https://www.universalcpareview.com/

여섯째, 커뮤니케이션 도구로 내장된 메시징, 캘린더 스케줄링 및 알림 도구를 통해 집주인/판매자와 입주 예정자/구매자 간의 커뮤니케이션이 용이하다. 또한, 데이터 및 분석에서 이러한 플랫폼은 가격 동향, 시장 역동성 등에 대한 통찰력을 제공하기 위해 분석할 수 있는 방대한 양의 상장 데이터를 수집한다.

전반적으로, 온라인 상장 플랫폼은 모든 관련 당사자들의 부동산 검색 및 거래 과정에서 효율성, 투명성 및 편이성을 높이기 위해 기술을 활용한다. 이들은 전통적인 부동산 광고 및 검색 방법에 비해 데이터 기반의 보다 능률적인 접근을 가능

히고 개인 키가 특정 문서에 삽입된다. 따라서 문서가 변경되면 서명이 더 이상 유효하지 않으며 문서에 다시 서명해야 한다.

하게 한다.

3) 스마트 홈 테크놀로지

프롭테크는 스마트 기기와 사물인터넷(IoT) 기술을 주거용과 상업용 부동산에 통합해 편리성, 보안, 에너지 효율성을 강화한다. 스마트 홈 기능에는 스마트 온도 조절 장치, 조명 시스템, 보안 카메라, 도어 잠금 장치, 음성으로 작동되는 보조 장치 등이 포함될 수 있다.

프롭테크는 가정과 건물에서 스마트 온도 조절 장치, 조명, 보안 카메라, 도어락, 음성 비서와 같은 연결된 장치와 시스템을 활용한다. 이를 통해 냉난방, 조명, 보안 시스템 등의 지능적인 관리를 통해 자동화된 제어, 원격 모니터링/접속, 최적화된 에너지 사용을 할 수 있다. 이점에는 거주자/거주자의 편의성 증대, 연결된 모니터링 시스템을 통한 보안 향상, 효율적인 제어로 인한 잠재적인 에너지/유틸리티 절감 등이 포함된다. 보다 스마트하고 자동화된 생활 및 작업 환경을 만들기 위한 부동산과 기술의 융합을 나타낸다.

먼저, 편의성에서 네스트(Nest, Nest Labs(now owned by Google/Alphabet))[13]와 같은 스마트 온도 조절기는 스마트폰 앱을 통해 원격 온도 제어가 가능해 점유율과 사용자 선호도에 따라 자동으로 냉난방을 조절한다.

스마트 조명 시스템은 앱 또는 음성 명령을 통해 제어 가능한 스케줄 또는 존재 감지에 기초하여 온/오프되도록 프로그래밍될 수 있다.

알렉사나 구글 홈과 같은 음성 비서는 기기를 핸즈프리로 제어하고 달력을 확인하며 음성을 통해 알림을 추가할 수 있다.

---

13) 네스트라는 회사는 네스트 랩스(현재 구글/알파벳 소유)가 만든 인기 스마트 온도 조절기 제품인 네스트러닝 온도 조절기를 말한다. 네스트 서모스탯에 관한 몇 가지 주요 사항을 보면, 먼저, 시장에서 선구적이고 가장 잘 알려진 스마트/커넥티드 온도 조절기 제품 중 하나이다. 둘째, 스마트폰 앱을 통한 제어는 물론 온도 조절기 자체를 통한 프로그래밍 및 조정이 가능한 Wi-Fi 연결 기능이 있다. 셋째, 센서와 머신러닝 알고리즘을 활용해 가구의 온도 선호도와 입주 패턴을 자동으로 학습한다. 넷째, 이렇게 학습된 동작을 기반으로 자동으로 냉난방을 조절해 수동 프로그래밍 없이도 효율성과 편안함을 극대화할 수 있다. 다섯째, 지오펜싱과 같은 기능은 거주자가 집을 비울 때 감지하고 그에 따라 온도를 조절하여 에너지를 절약할 수 있다. 여섯째, 에너지 사용량 보고서를 제공하고, 가계 데이터를 기반으로 효율성 개선을 제안할 수 있다. 따라서 네스트를 스마트 온도 조절 장치의 예로 활용하면 원격 앱 제어, 자동 점유 기반 조정 및 사용자 선호 학습 능력을 강조할 수 있다. 이는 프롭테크 스마트 홈 시스템의 일부로 연결된 온도 조절 장치를 통합할 때 얻을 수 있는 주요 편의성과 효율성 이점에 해당한다.

스마트 잠금은 스마트폰을 통한 원격 잠금/잠금 해제를 가능하게 하며 편리함을 위해 코드 또는 생체 인식을 통한 키리스 엔트리를 제공합니다.

둘째, 보안에서 스마트 보안 카메라는 전화/태블릿에서 액세스할 수 있는 라이브 비디오 피드를 통해 속성을 원격으로 모니터링할 수 있다. 모션 센서는 조명, 카메라를 트리거하고 잠재적인 침입에 대한 스마트폰 경고를 보낼 수 있다. 스마트 잠금은 서비스 직원 및 잠금 활동 모니터링을 위한 임시 게스트 액세스 코드를 가능하게 한다. 통합 보안 시스템은 모션, 글라스 브레이크, 도어/윈도우 센서를 연결하여 종합적인 모니터링을 수행한다.

셋째, 에너지 효율에서 스마트 온도 조절기는 점유 패턴을 학습하고 자동 조정을 하여 냉난방을 최적화한다. 스마트 조명은 움직임 감지를 기반으로 비어 있는 방의 조명을 자동으로 어둡게 하거나 끈다. 스마트 플러그 및 전원 스트립을 사용하면 자동화된 스케줄 또는 원격 제어를 통해 사용하지 않는 장치/어플라이언스의 전원을 차단할 수 있다. 연결된 장치의 분석은 에너지 사용량에 대한 통찰력을 제공하여 비효율성을 식별한다.

상업적인 예를 보면, 스마트 출입 통제 및 방문자 관리 시스템은 사무실 건물의 보안을 강화하고 있고, 자동화된 온도 제어 및 점유 기반 조명은 소매 공간의 에너지 비용을 절감하고 있고, 스마트 센서와 분석을 통해 호텔의 HVAC(Heating, Ventilation, and Air Conditioning)[14] 성능을 최적화하여 낭비를 줄이고 있다.

---

14) 스마트 센서와 분석이 호텔의 HVAC(난방, 환기 및 공조) 성능을 최적화하여 에너지 낭비를 줄이고 있다. 호텔 환경에서, HVAC 시스템은 전체 에너지 소비 및 운영 비용의 상당 부분을 차지한다. 그러나, 전통적인 HVAC 시스템은 지능형 제어가 부족하고 종종 비어있는 방 또는 공간의 낭비적인 가열/냉각을 초래한다. 호텔은 스마트 센서와 분석을 HVAC 시스템에 통합함으로써 보다 효율적이고 최적화된 성능을 달성할 수 있는 곳이다. 먼저, 점유 센서로 이러한 센서는 개별 호텔 객실 내의 존재 또는 움직임을 감지할 수 있다. 객실이 비어 있을 때 HVAC 시스템은 자동으로 에너지 절약 후퇴 수준으로 온도를 조정하여 빈 공간을 가열하거나 냉각할 필요를 줄일 수 있다. 둘째, 도어/윈도우 센서로 이러한 센서는 방의 도어 또는 윈도우가 열려 있는지 여부를 감지할 수 있다. 그렇다면, HVAC 시스템은 개방된 공간을 가열/냉각하는 데 낭비되는 에너지를 방지하기 위해 그 방의 출력을 끄거나 줄이도록 지시될 수 있다. 셋째, 환경 센서로 스마트 센서는 호텔의 여러 지역에서 온도, 습도, 공기의 질과 같은 요소들을 감시할 수 있다. 이 데이터는 HVAC 시스템이 에너지 사용을 최소화하면서 최적의 조건을 유지하도록 정확하게 조정하는 데 도움이 된다. 넷째, 분석 및 기계 학습 알고리즘과 기계 학습 모델을 사용하여 이러한 모든 센서로부터 수집된 데이터를 분석한다. 이러한 분석은 피크 점유 시간 또는 게스트의 온도 선호도와 같은 패턴을 식별하고 그에 따라 HVAC 설정을 자동으로 최적화할 수 있다. 다섯째, 예측 유지보수로 센서 데이터는 또한 HVAC 장비 고장을 예측하고 예방하여 효율적인 작동을 보장하고 다운타임이나 긴급 수리를 줄이는 데 도움이 될 수 있다. 호텔은 이 스마트 센서 데이터와 분석을 활용함으로써 다음과 같은 몇 가지 주

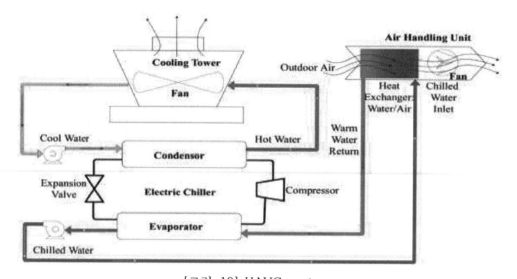

[그림 19] HAVC system
출처 : Hohne, Percy & Kusakana, Kanzumba & Numbi, Bubele. 2020.[15]

IoT로 구동되는 이러한 스마트 기기들의 통합과 연결성은 자동화된 제어, 원격 액세스, 실시간 모니터링 및 데이터 기반 최적화를 가능하게 하여 생활 및 작업 환경의 모든 측면을 향상시키고 있다.

< 아마존의 Alexa와 미국 아이 >

다음은 CNN.COM 기사의 일부에 해당한다. 기사의 제목은 알렉사와 함께 성장하기: 아마존의 음성 비서와 어린이의 관계라는 https://edition.cnn.com/2018/10/16/tech/alexa-child-development/index.html의 내용이다. 충분한 연구와 고민이 수반되어야

요 방법으로 HVAC 시스템으로부터의 에너지 낭비를 크게 줄일 수 있다. 비어있는 방의 냉난방을 피할 수 있고, 개방/환기 공간의 컨디셔닝 방지, 실제 입주 상황에 따른 설정 최적화와 장비 성능 및 수명 향상 등을 도모할 수 있다. 많은 호텔들이 IoT 센서와 분석을 통해 구동되는 이러한 스마트 HVAC 시스템을 구현함으로써 20~40%의 에너지 절감 효과를 보고했다. 이는 호스피탈리티 산업의 상당한 비용 절감과 환경 영향 감소로 이어진다.

15) Hohne, Percy & Kusakana, Kanzumba & Numbi, Bubele. (2020). Improving Energy Efficiency of Thermal Processes in Healthcare Institutions: A Review on the Latest Sustainable Energy Management Strategies. Energies. 13. 569. 10.3390/en13030569.

할 문제인 것 같다. 또한, 우리의 지니와 비교해 볼 수 있는 연구자료가 될 것이다.

[그림 20] Amazon Alexa

출처 : https://www.yext.com/integrations/amazon-alexa

아마존의 Alexa와 같은 인공지능 기반의 기기가 유아와의 상호작용에서 역할을 하는 것은 확실히 흥미로운 주제다. Kathy Hirsh-Pasek(국제 유아 연구 협회 회장)이 말한 것처럼, 어린이들은 주변에서 자주 듣는 말들을 초기 언어로 습득한다. 그래서 'Alexa'나 'mama'와 같은 말들이 아이들에게 익숙한 말이 되는 것은 자연스러운 일이다. 이러한 상호작용은 어린이들의 언어 발달에 영향을 미칠 수 있으며, 적절한 지도와 관리 아래에서 이러한 기술을 활용하는 것이 중요하다. Hirsh-Pasek이 말한 것처럼, 이는 어린이들에게 유용한 상호작용이 될 수 있다. 현재로 "당신이 많이 말하는 모든 단어는 어린 아이들에게 초기 단어가 된다." 또한, "아마도 'Alexa'라고 자주 말한다. 왜냐하면 노래를 연주하기 위해 문장을 시작하기 때문이다, 반응을 불러일으키는 것은 무엇이든 초기 단어의 후보가 될 가능성이 높다."

시장조사업체 ABI에 따르면 올해 말까지 전 세계 5천만 개 이상의 가정에 구글 홈, 아마존 에코 등 스마트 홈 기기가 보급될 것으로 예상된다. Google

Assistant, Apple Siri 및 스마트폰에 내장된 기타 기능과 같은 음성 제어 플랫폼의 보급률은 훨씬 더 높다. 두 가지 모두의 채택은 증가할 것으로 예상된다.

ABI의 연구 책임자인 조나단 콜린스(Jonathan Collins)는 "새롭고 성공적인 기술이 없이는 살아본 적이 없는 각 세대가 모든 새롭고 성공적인 기술을 당연하게 여기는 것처럼, 기술의 존재는 해당 세대의 구조와 기반의 일부가 될 것이다."라고 말했다. "그들은 자신들이 물려받은 기술을 개발하고 개선하거나 거부할 것이다."

그러나 Alexa에 대한 아기의 관심은 자연스러운 호기심과 연결되어 있다. Hirsh-Pasek은 전체적인 컨셉을 고전적인 어린 시절 장난감인 Jack in the Box에 비유했다. 상호작용을 시작한 후에는 강화제 역할을 하는 흥분이 있다. 어린이와 AI 및 지능형 기술의 상호 작용에 대한 연구를 발표한 몬태나 대학교 아동 심리학자 Rachel Severson은 어린이들이 의인화된 기술을 생명체와 무생물 사이의 어떤 것으로 생각한다고 말한다.

아마도 미국은 아마존의 세상일 것이고, 미국사람들은 단지 그 안에 살고 있다라고 지나친 표현을 조만간 사용할 수 있을 것이다. Severson은 "어린 아이들이 장치 안에 작은 사람이 있거나 교환기 반대편에 사람이 있다고 생각하는 일화가 많이 있다."라고 말했다. "이것은 아이들이 이러한 장치를 개념화하는 방법, 즉 살아 있는지 아니면 살아 있지 않은지 알아내려고 적극적으로 노력하고 있음을 보여준다. 거기 진짜 사람이에요?"

이 문제는 아직 철저하게 연구되지 않았지만 일부 연구에 따르면 어린이들은 Echo 또는 Google Home과 같은 장치를 기술의 일부로 이해하지만 이러한 장치를 감정을 갖고, 생각하고, 우정을 나눌 수 있는 심리학적 용어로도 본다. 그리고 Severson은 도덕적인 대우를 받을 자격이 있다고 덧붙였다. 그녀는 인공 지능이 점점 더 복잡해지고 "실제"화 됨에 따라 이러한 감정이 더욱 뚜렷해질 것이라고 믿는다.

Amazon은 취침 시간 이야기를 재생하는 팟캐스트와 어린이가 Lightning McQueen에게 경주에서 차례대로 방향을 안내할 수 있는 Disney의 Cars Adventure 앱과 같은 오디오 기반 게임을 포함하여 Echo 장치용으로 어린이에게 친숙한 수많은 콘텐츠를 제공한다. 올해 초 Amazon은 젊은 사용자를 위해 특별히 다채로운 Echo Dot을 출시했다.

일부 부모들은 너무 많은 화면 시간이 어린이의 체중, 수면 패턴 및 두뇌 발달에 영향을 미칠 수 있다는 경고 속에서 Echo를 화면 시간의 대안으로 간주한다.

그것이 사실인지에 대해서는 약간의 논쟁이 있다.

Severson은 "권장 연령에 맞는 제한에 따라 화면 시간을 줄이는 것에 대한 부모의 우려를 인식하고 있으며 많은 부모는 홈 AI 장치를 화면을 사용하지 않고 아이들의 참여를 유도하는 한 가지 방법으로 보고 있다."라고 말했다. "그러나 긍정적이든 부정적이든 어린이에게 미치는 영향에 대해서는 아직 합의가 이루어지지 않았다고 생각한다."

Severson은 스마트 스피커의 장점과 단점을 살펴본다. 예를 들어, 그들은 아이들에게 음악이나 이야기를 선택할 때 어느 정도 자율성을 부여하지만, 과도한 상호작용은 인간의 사회적 상호작용의 양과 질을 제한할 수 있다. 현재로서는 어린이와 Alexa에 관해 부모에게 지침을 제공할 만큼 연구가 충분하지 않다고 그녀는 말했다.

"이러한 장치는 너무 새롭고 쉽게 채택되어 일종의 자연스러운 실험을 하고 있다"라고 그녀는 말했다. "이러한 장치에서 더 많은 어린이용 디자인과 프로그램을 볼 수 있다고 해도 놀라지 않을 것이다. 왜냐하면 어린이는 최종 사용자 개발자가 원래 상상했던 것이 아니기 때문이다. … 어떤 목적이 제공되고 있는지, 그리고 그것이 귀하와 자녀의 삶에 가치를 더하는 것으로 보이는지 질문하는 것이 합리적이라고 생각한다."

Temple University의 Hirsh-Pasek은 Alexa와 같은 시스템은 어린이를 이해할 만큼 정교하지 않으며 인간 상호 작용을 대체하는 데 사용되어서는 안 된다고 경고한다.

"작은 사람들과 함께 기억해야 할 가장 큰 점은 인간의 대화 사이에 어떤 것도 끼어들 수 없다는 것이다."라고 그녀는 말했다. "아이들에게 실제 책을 읽어주는 부모를 보면, 페이지를 넘기다가 한때 동물원에서 원숭이를 본 이야기에 대한 이야기를 하다가 중단된다. 연구에 따르면 그들과 주고받는 대화가 그들이 배울 수 있는 가장 좋은 방법이라는 것이 밝혀졌다."

워싱턴 대학의 인간 컴퓨터 상호 작용 조교수인 알렉시스 히니커(Alexis Hiniker)도 이에 동의한다. 그녀는 Amazon Echo와 기타 스마트 스피커가 "대화 에이전트"로 칭구되지만 이러한 장치와의 상호 작용은 실제로 대화기 아니라고 주장한다.

"심지어 성인과 스마트 스피커의 상호 작용도 피상적이고 빈약하며 개인 간 대화의 특징이 대부분 부족하다."라고 Hiniker는 말했다. "보통 발달 중인 어린이는 생후 첫 몇 년 동안 언어를 빠르게 습득한다. 그러나 이것은 아이들이 이 기술을 잘 배우기 때문에 일어나는 것이 아니다. 어른들이 가르치는 데 아주 능숙하기 때문에 일어나는 일이기도 하다."

그리고 성인과 달리 스마트 스피커는 현재 어린이의 말하기 능력을 실시간으로 따라갈 수 없다.

Hiniker는 "아이들이 TV에서 말하는 법을 배울 수 없는 것처럼 Alexa는 아이에게 말하는 법을 가르칠 수 없을 것이다."라고 말했다. "스마트 스피커는 TV와 달리 대화형이지만 인간의 정교함, 더 구체적으로 말하면 아이가 모국어를 익히도록 본능적으로 지도할 수 있는 어른의 정교함에는 전혀 미치지 못한다."

연구에 따르면 아기는 태어나기 전부터 주변 사람들의 목소리를 가장 잘 알게 된다. 그러면 Alexa가 아이가 식물 뒤에 숨어 있는 것을 발견했을 때보다 아이의 삶에 훨씬 더 오래 머물렀다는 뜻인가요? Hirsh-Pasek은 "저는 그렇게까지 가지 않을 것이다."라고 말했다. "태내에서 아기가 듣는 것은 수영장 밑에서 언어를 듣는 것과 같다. 명확하게 여러분을 사로잡지는 못할 것이다. 그러나 그들은 흐름을 알아차릴 것이다."

Alexa는 어린이의 인생에서 가장 풍부한 관계가 아닐 수도 있지만 오래 지속될 가능성이 있는 존재이다.16)

< 알렉사 vs. Google Home >

1. 알렉사

알렉사는 아마존의 가상 비서 AI 기술이다. 알렉사에 접근하는 주요 장치는 아마존 에코 스마트 스피커이지만 알렉사는 스마트 디스플레이, TV, 전화기, 심지어 일부 가전 제품과 같은 다양한 다른 장치에도 통합되어 있다.

Alexa의 주요 특징으로, 먼저, 음성 제어로 사용자는 알렉사에 음성 명령을 내려 음악 재생, 타이머/경보 설정, 쇼핑 목록에 항목 추가, 날씨/교통 확인, 스마트 홈 기기 제어 등 다양한 작업을 수행할 수 있다.

둘째, 스마트 홈 통합으로 알렉사는 브랜드 전반에 걸쳐 수천 개의 스마트 홈 제품과 협력하여 필립스 휴, 네스트, 링 등과 같은 회사의 조명, 온도 조절 장치, 보안 시스템, 잠금 장치 및 가전 제품을 음성으로 제어할 수 있다.

---

16) https://edition.cnn.com/2018/10/16/tech/alexa-child-development/index.html

셋째, 스킬로 타사 스킬은 게임, 생산성 도구, 뉴스 브리핑, 특정 기기의 스마트 홈 컨트롤 등 알렉사에 새로운 기능을 추가하는 앱과 같다.

넷째, 루틴으로 사용자는 음성 명령 하나로 일련의 동작을 연결하는 루틴을 설정할 수 있다. 예를 들면, "알렉사, 좋은 아침"은 조명을 켜고, 날씨/뉴스를 보고하고, 온도 조절 장치를 조정할 수 있다.

2. Google Home

구글 홈은 구글 어시스턴트가 내장된 구글의 스마트 스피커 라인이다. 이 가상 비서 기술은 아마존의 알렉사와 직접적으로 경쟁한다.

Google Home/Assistant의 주요 기능은 첫째, 음성 명령으로 알렉사처럼 사용자는 구글 어시스턴트를 음성으로 제어하여 쿼리를 처리하고, 일정/리마인더를 관리하고, 스마트 홈 기기를 제어하고, 음악/비디오를 재생하는 등의 작업을 수행할 수 있다.

둘째, 스마트 홈 생태계로 구글 어시스턴트는 파트너십과 오픈 프로토콜을 통해 다양한 브랜드에 걸쳐 수천 개의 스마트 홈 디바이스와 통합된다.

셋째, 대화 이어가기로 구글 대화형 AI는 후속 질의마다 "헤이 구글"을 반복하지 않고 보다 자연스러운 대화가 가능하다.

넷째, 통역 모드로 번역 AI를 활용하여 두 언어 간의 대화를 실시간으로 통역할 수 있다.

다섯째, 앰비언트 컴퓨팅으로 검색 및 AI와 같은 분야에서 구글의 우월성과 함께 어시스턴트는 기기 전반에 걸쳐 보편적이고 주변 지능적인 어시스턴트가 되는 것을 목표로 한다.

알렉사와 구글 홈은 모두 주요 스마트 기기 브랜드 전반에 걸쳐 깊은 통합을 이루며 스마트 홈에서 음성 제어를 위한 선도적인 플랫폼이다. 알렉사가 초기 선두를 달리고 있는 반면, 구글은 AI 기술력을 활용하여 어시스턴트의 역량을 빠르게 확장하고 있다. 둘의 경쟁은 음성 AI와 커넥티드 홈 경험의 혁신을 주도하고 있다.

4) 데이터 분석 및 예측 모델링

프롭테크는 빅데이터와 분석을 활용하여 시장 동향, 부동산 가치 평가, 투자 기회 및 위험 평가에 대한 통찰력을 제공한다. 예측 모델링 도구는 부동산 전문가가 정보에 입각한 의사 결정을 내리고 포트폴리오 성과를 최적화하는 데 도움이 된다.

첫째, 시장 동향 분석이다. 프롭테크 플랫폼은 부동산 목록, 거래 기록, 인구 통계 데이터, 경제 지표 등 다양한 소스에서 방대한 양의 데이터를 수집하고 분석한다. 이들 플랫폼은 이 빅데이터에 첨단 분석 및 머신러닝 알고리즘을 적용해 수요 변화, 가격 변동, 구매자 선호 변화 등 신흥 시장 트렌드를 파악할 수 있다. 예를 들어, PropTech 도구는 과거의 판매 데이터, 건설 활동 및 인구 증가를 분석하여 어떤 지역 또는 도시가 부동산 가치이 급속한 상승을 경험할 가능성이 있는지 예측할 수 있다.

[그림 21] 부동산 시장 동향 분석
출처 : https://www.linkedin.com/pulse

둘째, 부동산 평가다. 정확한 부동산 가치 평가는 구매자, 판매자, 대출 기관 및 투자자에게 매우 중요하다. 프롭테크 솔루션은 과거 거래, 속성 특성 및 위치별 요인의 대규모 데이터 세트에 대해 학습된 기계 학습 모델을 사용하여 보다 정확하고 객관적인 속성 평가를 제공한다. 이러한 모델은 부동산의 공정한 시장 가치를 결정하기 위해 평방 피트, 편의 시설, 학군, 범죄율 및 교통 접근성과 같은 광범위한 변수를 설명할 수 있다.

셋째, 투자 기회 식별이다. 투자자와 부동산 회사는 프롭테크 플랫폼을 활용하여 데이터 기반 통찰력을 기반으로 수익성 있는 투자 기회를 파악할 수 있다. 예를 들어, 프롭테크 도구는 임대 부동산 투자 가능성이 높은 지역을 정확하게 파악하기 위해 임대 시장 데이터, 공실률 및 인구 통계학적 추세를 분석할 수 있다. 마찬가지로 상업용 부동산 투자자는 이러한 도구를 사용하여 일자리 증가, 인프라 프로젝트 및 소매 활동과 같은 요소를 기반으로 개발 가능성이 높은 과소 평가된 부동산이나 지역을 식별할 수 있다.

넷째, 리스크 평가 및 포트폴리오 최적화다. 프롭테크 솔루션은 부동산 투자자와 포트폴리오 관리자가 보유 자산과 관련된 위험을 평가하고 완화하는 데 도움이 될 수 있다. 이 도구들은 자연재해, 범죄율, 환경요인, 규제변화 등에 대한 데이터를 분석함으로써 특정 속성이나 포트폴리오에 대한 잠재적 위험과 취약점을 파악할 수 있다. 예측 모델은 또한 다양화 전략을 제안하거나, 매각을 위한 속성을 식별하거나, 예상 수익률 및 위험 프로파일을 기반으로 전략적 인수를 추천함으로써 부동산 포트폴리오를 최적화하는 데 사용될 수 있다.

다섯째, 예측 유지 보수이다. 부동산 관리자와 시설 운영자의 경우, 프롭테크는 IoT 센서 데이터와 예측 분석을 활용하여 유지 보수 일정을 최적화하고 다운타임을 줄일 수 있다. 이러한 도구는 장비 성능, 에너지 소비 및 기타 운영 데이터를 모니터링하여 유지 보수 또는 교체가 필요한 시기를 예측할 수 있으므로 사전 예방적이고 비용 효율적인 유지 보수가 가능하다.

전반적으로 PropTech의 다양한 소스에서 방대한 양의 데이터를 수집, 처리 및 분석할 수 있는 기능은 고급 분석 및 예측 모델링과 결합되어 부동산 전문가와 투자자에게 중요한 결정을 알리고 기회를 식별하며 위험을 완화하고 더 나은 수익을 위해 포트폴리오를 최적화할 수 있는 데이터 기반 통찰력을 제공한다.

< 2032년 부동산 시장 규모 6조 2,198억 8천만 달러 >

부동산 시장의 성장 인자로는 부동산 사업에 대한 인터넷의 영향으로 인해 소비자들은 이제 온라인 부동산 서비스에 대해 더 잘 알고 있다. 시장 점유율을 높이기 위해 주요 업체들은 라이브 스트리밍 룸을 포함한 다양한 서비스를 제공하고 있다. 예를 들어, Alibaba에 따르면 중국 내 5,000개 이상의 부동산 중개인이 실시간 스트리밍 기술을 채택하여 주택 구매자가 집에서 편안하게 부동산을 검색하고 구매를 성사시킬 수 있게 되었다.

또한 다양한 국가의 다양한 정부 프로그램이 시장 확장에 도움이 될 것이다. 인도 정부는 여러 주 정부와 함께 부문 개발을 장려하기 위해 다양한 계획을 시작했다. 스마트시티 건설을 표방하는 스마트시티 프로젝트는 부동산에 기회를 제시한다.

부동산 시장의 동력요인으로 먼저, 사회적 요인에서 부동산 시장에서는 라이프스타일 선택의 변화 등 사회적 요인이 큰 영향을 미친다. 다양한 유형의 부동산에 대한 수요는 사회 태도와 행동의 변화로 인해 바뀔 수 있다. 예를 들어, 유연한 업무 공간과 홈 오피스에 대한 관심이 높아지는 것은 원격 근무와 디지털 경제가 확대된 결과이다. 결과적으로 지정된 사무실 공간이나 공동 작업 편의 시설을 갖춘 건물에 대한 수요가 높아지고 있다. 이와 유사하게, 여가와 엔터테인먼트에 대한 관심의 변화는 공원, 휴양지, 문화 명소와 가까운 주택에 대한 수요를 증가시킬 수 있다. 부동산 시장은 가구 구성 및 결혼율 추세에도 영향을 받는다.

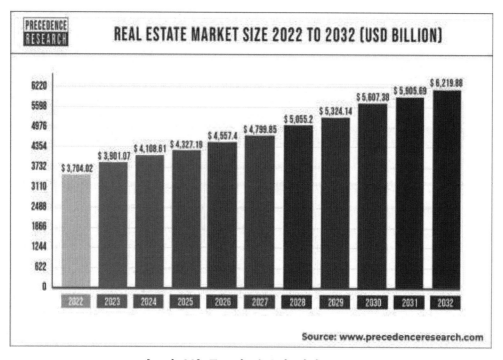

[그림 22] 글로벌 부동산 시장 규모
출처 : https://www.precedenceresearch.com/

결혼식 연기와 1인가구 증가로 인해 원룸이나 원룸 아파트 등 더 작고 저렴한 주택에 대한 욕구가 높아지고 있다. 반면, 커플이나 가족으로 구성된 가구는 침실과 생활 공간이 더 많은 더 큰 집을 선호하는 경향이 있다. 이러한 추세는 다양한 종류의 주거용 부동산에 대한 수요를 결정하고 개발자가 건설하는 유닛의 유형과 크기에 영향을 미친다. 문화적 다양성이 부동산 시장에 영향을 미칠 수 있는 방법에는 여러 가지가 있다. 다양한 문화적 취향과 수요를 충족하는 주택 대안은 인구가 다양한 도시외 지역에서 지주 요구된다. 이는 특정 건축 요소, 편의 시설을 갖추고 있거나 문화 또는 종교 기관과 근접하게 지어진 주택에 적용될 수 있다. 특정 문화 공동체에 서비스를 제공하는 민족 식품 시장, 식당 또는 쇼핑 센터를 포함하는 상업용 부동산에 대한 수요도 문화적 다양성의 영향을 받을 수 있다.

둘째, 규제로는 정부 규제가 가장 강력하다. 다양한 정부 규제가 부동산 산업에 큰 영향을 미친다. 이러한 규칙은 대중의 이익을 보호하고 지속 가능한 성장을 촉진하며 안정적인 주택 시장을 보존하기 위해 제정되었다. 그러나 구매자, 판매자 및 투자자에게는 제한과 어려움이 있을 수도 있다. 부동산에 영향을 미치는 정부 제한에는 지역법이 포함된다. 이 규정은 주거 지역, 상업 지역, 산업 지역 등 특정 지역에서 허용되는 토지 사용을 규정한다. 구역 제한은 양립할 수 없는 토지 이용을 피함으로써 균형 잡힌 지역 사회의 보존을 지원한다. 그러나 그들은 토지 소유자와 개발자의 자유를 제한하여 그들이 적절하다고 생각하는 대로 소유지를 사용하거나 개발하는 것을 방해할 수 있다.

부동산에 영향을 미치는 또 다른 규칙은 건축법이다. 이러한 지침은 건물이 엄격한 안전 및 품질 요구 사항을 준수하는지 확인한다. 이는 공공 안전을 유지하는 데 필수적이지만, 특히 새 주택을 리모델링하거나 건축할 때 건설 비용을 증가시키고 부동산 소유자에게 어려움을 줄 수 있다. 건축법 준수는 시간과 비용이 많이 들고 프로젝트 기간과 비용에 영향을 미칠 수 있다. 부동산 시장은 세법의 영향도 크게 받는다. 재산세, 양도소득세, 양도세는 투자 선택과 부동산 가격에 영향을 미칠 수 있다. 주택 소유의 경제성, 투자로서의 부동산의 매력, 주택에 대한 일반적인 수요는 모두 조세 규정 변경에 의해 영향을 받을 수 있다.

부동산 시장은 세입자를 보호하기 위해 일부 정부가 부과하는 임대료 통제법의 영향을 받을 수 있다. 이러한 규정은 집주인이 임대료를 인상할 수 있는 금액을 제한하며, 이는 임대 소득을 낮추고 부동산 소유자가 임대 부동산 투자를 방해할 수 있다. 부동산 소유자가 자신의 유닛을 유지하거나 개선하려는 인센티브가 감소하기 때문에 임대료 통제 규정으로 인해 때때로 주택 부족과 부동산 상태 악화가 발생할 수 있다.

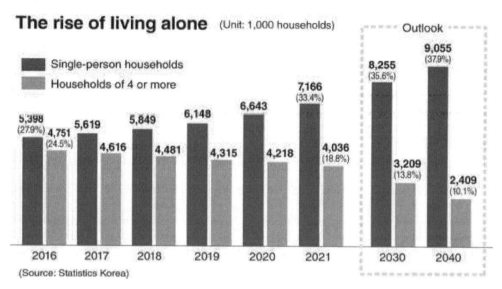

[그림 23] 한국의 1인가구 추이

출처 : https://www.koreaherald.com/view.php?ud=20221003000130[17]

---

17) 2040년에는 10가구 중 4가구가 1인 가구로 예상한다. 2040년에는 우리나라 10가구 중 4가구가 1인가구로, 한때 가장 흔한 가족 형태였던 4인 이상 가족 비율이 10%로 줄어들 것으로 월요일 발표됐다. KB금융그룹이 발표한 자료에 따르면 지난해 1인 가구는 710만 가구로 전체의 33.4%를 차지했다. 2040년에는 이 수치가 약 900만 가구에 달해 전체 가 구의 37.9%를 차지할 것으로 예상된다. 반면 4인 이상 가구는 지속적인 감소세에 빠져 있다. 지난해 18.8%인 400만가구를 차지했으나 2040년에는 그 비중이 거의 절반 수준인 10.1%로 줄어들 전망이다. 처음으로 700만 가구를 넘어섰고, 같은 해 400만 가구였던 한국 전통 4인 가구 규모의 두 배 가까이 됐다"고 보고서는 밝혔다. 전국 1인 가구 2000명을 대상으로 조사한 결과, 이들은 평균 7억7000만원의 퇴직 저축 목표를 설정했고, 그 목표를 달성하기 위해 여러 일을 병행할 의향이 있는 것으로 나타났다. 지난해 예 상 퇴직 연령은 2020년 62세에서 63세로 늘어났다. 응답자의 약 42%는 여러 가지 일을 하고 있다고 답했고 절반은 여가 시간에 추가 돈을 벌고 싶다고 답했다. 생활비를 벌기 위해 추가 일자리를 얻었다는 응답자는 14.1%에 불과했다. 응답자들은 평균적으로 소득 의 44.1%를 저축하고 44.2%를 지출했습니다. 나머지 11.7%는 부채 상환에 사용됐다. 2 년 전 평균 지출 비중은 57.6%에 달했다. 금융투자에서는 1인 가구가 2년 전보다 유동 자산, 주식, 상장지수펀드, 선물, 옵션 등에 대한 투자에 더 관심을 보였다. 주식, ETF, 선물, 옵션 투자는 응답자 포트폴리오의 평균 19.1%를 차지해 2020년 12.3%에서 크게 늘었다. 1인 가구 중 가장 인기 있는 주거 유형은 아파트였으며, 응답자의 36.2%가 아파 트에 거주했다. 단독주택이나 빌라(4층 이하 건물, 소형 저가 아파트)에 거주하는 비율은 2020년 39.6%에서 35.3%로 감소했다. 1인 가구는 '한 번 산다'는 사고방식으로 저축하 는 것보다 쓰는 것이 더 많다는 통념에 따라 저축을 늘려 돈 관리에 더 똑똑해졌다"고

셋째, 상업용 부동산 측면에서 기회가 존재한다. 사무실 건물, 소매점, 산업용 창고, 다세대 아파트 단지 등 상업 활동에 주로 사용되는 부동산을 취득하는 것은 상업용 부동산에 대한 투자로 간주한다. 주거용 주택에 비해 상업용 부동산은 임대 수익 가능성이 더 크다. 장기 임대 계약은 기업이 자주 서명하여 투자자에게 일관된 현금 흐름을 제공한다. 상업용 부동산은 포트폴리오 다각화에 도움이 될 수 있다. 주거용 건물에 비해 임차인 교체로 인한 시장 변화에 덜 취약하다. 위치가 좋고 관리기 잘되는 상업용 부동산은 시간이 지남에 따라 가치가 상승하여 판매 시점에 잠재적인 자산 가치 상승을 제공할 수 있다.

삼중 순 임대 계약(triple net leases)[18]에 따라 세입자는 세금, 보험, 유지비 등 모든 부동산 비용을 부담할 수도 있다. 이를 통해 집주인의 지속적인 비용을 절감할 수 있고 순임대 소득을 높일 수 있다.

< 임대료 통제법 >

임대료 통제법은 임대인이 주거용 부동산에 부과할 수 있는 임대료의 금액을 제한하는 것을 목적으로 하는 법규를 의미한다. 구체적인 내용과 시행은 미국의 여러 주와 지방자치단체, 유럽연합(EU) 내 국가 간에 차이가 있지만, 임대료 통제 조치가 어떻게 작동하는지에 대한 몇 가지 구체적인 예를 들 수 있다.

먼저, 미국의 경우를 보면, 주에 따라 차이가 발생한다.

지적했다.

18) 트리플 넷 리스(triple net lease) 또는 NNN 리스(triple net lease)는 상업용 부동산에서 일반적으로 사용되는 리스 계약의 일종으로, 임차인이 기준 임대료 외에 부동산과 관련된 모든 비용을 부담한다. 세 개의 "넷"은 임차인이 부담하는 세 가지 주요 비용을 의미한다. 먼저, 재산세로 세입자는 지방 당국에 의해 재산에 부과되는 모든 재산세를 납부할 책임이 있다. 둘째, 보험으로 임차인은 재산 보험료, 책임 보험 및 기타 필수 보험을 포함하여 재산 보험 비용을 부담해야 한다. 셋째, 유지 관리로 건물의 구조, 시스템(HVAC, 배관, 전기), 공용 구역 및 모든 세입자 개선을 포함하여 재산의 유지 및 수리와 관련된 모든 비용을 세입자가 부담한다. 삼중 순임대차(triple net lease) 하에서는 임대인의 책임은 본질적으로 재산 자체를 제공하고 임차인으로부터 기준 임대료 지급액을 징수하는 것으로 제한된다. 재산과 관련된 기타 모든 운영비와 의무는 임차인에게 귀속된다. 독립적인 소매점, 식당, 사무실 건물 또는 산업 시설과 같은 1인 임차 부동산에는 트리플 넷 리스가 일반적으로 사용된다. 이들은 부동산과 관련된 재정적 부담과 위험의 대부분을 임차인에게 전가하기 때문에 임대인에게 매력적이다. 반면에 임차인은 임대인으로부터 더 낮은 기준 임대료나 기타 양보를 받는 대신 이러한 의무를 기꺼이 받아들일 수 있다. 다만, 삼중 순임대차는 복잡할 수 있고 책임과 비용이 집주인과 임차인 사이에 명확하게 정의되고 적절하게 배분되도록 신중한 협상이 필요하다. 삼중 순임대차 계약 체결 시 철저한 실사와 법적 검토가 필수적이다.

뉴욕시(NYC)는 미국에서 가장 엄격한 임대료 통제법을 가지고 있다. 임대료 통제를 받는 임대주택의 경우 임대인은 임대료 가이드라인 위원회가 매년 정한 비율만큼만 임대료를 인상할 수 있다. 임대료 통제를 받는 건물은 일반적으로 오래된 건물이며, 1971년 7월 1일 이전부터 임차인이 지속적으로 거주하고 있었을 것이다.

샌프란시스코는 1979년 6월 이전에 건설된 대부분의 주거용 유닛에 적용되는 임대료 통제 조례가 샌프란시스코에 있다. 임대인은 소비자 물가지수 연간 인상액의 최대 60%까지만 임대료를 인상할 수 있다. 또한 임대료 인상 이유와 퇴거와 관련하여 엄격한 규정이 있다.

로스엔젤레스는 로스엔젤레스 시에는 1978년 10월 이전에 건설된 다가구 임대 아파트의 연간 임대료 인상을 제한하는 임대료 안정화 조례(RSO)가 있다. 임대인은 로스엔젤레스 주택 부서에서 정한 비율만큼 임대료를 인상할 수 있으며, 이 비율은 보통 연간 3-8% 사이이다.

둘째, 유럽 연합의 경우를 보면, 소속 국가에 따라 차이가 발생한다.

독일로 2015년 독일은 주택 부족 지역의 신규 임차인들을 위해 임대료 인상 폭을 지역 임대료 수준보다 10% 높게 제한하는 '임대료 브레이크'(Mietpreisbreme)를 도입했다. 기존 임차인들도 불합리한 임대료 인상으로부터 보호받는다.

스웨덴으로 임차인 조합과 임대인 조합 사이에 임대료 협상이 이루어지는 독특한 임대료 통제 시스템이 스웨덴에 있다. 협상에 실패하면 임대료 재판소가 개입할 수 있으며, 임대료는 위치, 규모, 편의시설 등의 요소에 따라 '효용가치'로 책정해야 한다.

프랑스에서 파리를 비롯한 주요 도시에서 임대료 인상은 지역 임대료 기준 시수(IRL)[19]를 초과하는 일정 비율로 상한선이 설정된다. 임대인은 이 기준치를 초과하

---

19) 지역 임대료 기준 지수(IRL, Indice de Référence des Loyers)는 프랑스에서 주거용 부동산의 임대료 인상을 규제하기 위해 사용되는 임대료 통제 메커니즘이다. IRL이 어떻게 작동하는지에 대한 몇 가지 자세한 예는 다음과 같다. 먼저, 계산에서 IRL은 프랑스의 각 지역 및 도시 지역별로 국립 통계 경제 연구소(INSEE)에서 분기별로 계산하여 발표한다. 민간 임대 시장 전반에 걸쳐 갱신 임대로 인한 임대료 가격 분석을 기반으로 한다. 둘째, 임대료 인상 한도에서 IRL은 기본적으로 임대인이 임대료를 얼마나 인상할 수 있는지를 제한한다. 임대인이 부동산을 크게 개선하거나 개조하지 않는 한 대부분의 경우 임대료 인상은 해당 도시 지역의 IRL 비율을 초과할 수 없다. 셋째, 파리의 예를 보면, 파리의 임대 부동산의 경우 2022년 4분기 현재 IRL은 147.63(2008년 기준 100)이다. 이는 임대 갱신의 경우 정당한 사유가 없는 한 임대인이 임대료를 이전 임대료 금액에 비해 47.63% 이상 인상할 수 없음을 의미한다. 넷째, 더 높은 인상의 정당성으로 IRL 제한에도 불구하고, 임대인들이 평방 피트, 조건, 편의 시설 등과 같은 특정 기준에

는 임대료 인상에 대해서도 상세한 근거를 제시해야 한다.

스페인에서 2022년에 스페인은 연간 임대료 인상을 소비자 물가 지수 (CPI) 비율로 제한하는 새로운 임대료 통제법을 도입했다. 그것은 또한 지정된 "스트레스를 받는" 주택 시장에서 새로운 계약에 대한 임대료 가격을 제한한다.

이와 같은 임대료 통제는 저렴한 주택을 제공하는 것을 목표로 하지만, 비평가들은 신규 건설을 억제하고 장기적으로 주택 부족을 초래할 수 있다고 주장한다. 시행과 영향은 다양하지만 임대료 통제는 여전히 많은 지역에 걸쳐 널리 논의되는 정책 수단으로 남아 있다.

< 부동산 가치 평가 방법 >

부동산 가치 평가는 구매자, 판매자, 대출자, 투자자, 감정평가사 등 다양한 이해관계자들에게 매우 중요하다. 부동산 가치 평가가 얼마나 정확하게 이루어지는지를 보여주는 몇 가지 구체적인 예는 다음과 같다.

먼저, 비교 가능한 매출 분석으로, 이것은 주거용 부동산의 가치를 평가하는 데 가장 일반적으로 사용되는 방법이다. 감정평가사와 부동산 전문가는 규모, 나이, 상태, 편의시설, 입지 등의 요소를 고려하여 동일한 지리적 지역에서 유사한 부동산(비교 대상)의 최근 매물을 분석한다. 추정된 시장가치에 도달하기 위해 대상부동산과 비교대상부동산 간의 차이를 고려하여 조정한다.

둘째, 소득 자본 접근 방식으로 이 방법은 주로 아파트, 사무실 단지, 소매점 등 소득을 창출하는 부동산에 사용된다. 감정인은 시장 임대료와 점유율을 기반으로 부동산의 잠재적 총 수입을 추정합니다. 재산세, 보험료, 유지관리비 등의 운영비를 차감하여 순운영수익을 결정한다. 그런 다음 적절한 자본화율을 사용하여 순영업수익을 자본화하여 부동산 가치에 도달한다.

서 해당 지역의 유사한 속성과 일치한다는 것을 증명할 수 있다면 지수를 초과하여 임대료를 인상할 수 있을 것이다. 이는 임대 위원회의 승인을 받아야 한다. 다섯째, 임대료 통제 구역에서 파리와 같이 주택 수요가 높은 "임대료 통제 구역"으로 간주되는 구역에서, 신규 임차인을 위한 초기 임대료를 설정하는 임대인은 또한 유사한 부동산의 IRL 중위수보다 20% 높은 임대료 상한선을 초과할 수 없다. 여섯째, 제외규정에 따라, 공공주택청 소유 부동산, 학생주택, 고급 고급주택, 최근 1년 이내 신축 등 일부 임대 상황은 IRL 규정에서 제외된다.

IRL의 목표는 임대료 예측 가능성을 제공하고 특히 더운 부동산 시장에서 기존 세입자들을 가격에서 끌어내릴 수 있는 과도한 임대료 인상을 억제하는 것이다. 그러나 집주인들은 지나치게 엄격한 임대료 상한선이 새로운 임대 주택 투자를 의욕을 꺾는다고 비판한다.

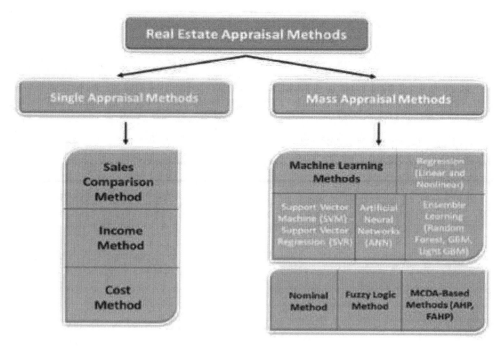

[그림 24] 부동산 가치 평가
출처 : https://www.researchgate.net/figure/

　셋째, 비용 접근 방식으로 이 접근법은 비교 가능한 판매 데이터가 제한된 신축 또는 고유 속성에 사용되는 경우가 많다. 감정사는 자재, 인건비 및 기타 건설 비용을 포함하여 부동산을 처음부터 다시 짓는 비용을 추정한다. 그런 다음 부동산의 나이와 상태를 고려하기 위해 감가상각액을 대체 비용에서 뺀다. 토지의 가치는 감가상각비에 가산되어 재산의 추정 가치에 도달한다.

　넷째, 자동 평가 모델(AVM)로 AVM은 통계 기법과 대규모 데이터 세트를 사용하여 속성 값을 추정하는 컴퓨터 기반 모델이다. 이들 모델은 최근 매출, 재산 특성, 입지 요인, 시장 동향 등 다양한 데이터 포인트를 분석한다. AVM은 대출 기관 및 부동산 웹사이트에서 신속하고 비용 효율적인 평가를 제공하기 위해 일반적으로 사용되지만 경우에 따라 전통적인 평가만큼 정확하지 않을 수 있다.

　다섯째, 화해와 전문적 판단으로 숙련된 감정사는 종종 여러 평가 방법을 사용한 다음 최종 가치 의견에 도달하기 위해 결과를 조정한다. 전문적 판단은 부동산 고유 특성, 시장 상황, 지역 부동산 동향 등 복합적인 요인을 분석하는 데 중요한 역할을 한다. 감정인은 또한 부동산의 매력, 동네 특성 및 향후 개발 또는 감상 가능성과 같은 질적 요소를 고려할 수 있다.

부동산 산업에서 정보에 입각한 의사결정, 공정한 가격결정, 위험관리를 위해서
는 정확한 부동산 가치평가가 필수적이다.

5) 블록체인과 부동산 거래

프롭테크에서 블록체인 기술은 부동산 거래를 효율화하고 투명성을 개선하며 사
기를 줄일 수 있는 잠재력으로 탐구되고 있다. 블록체인을 기반으로 하는 스마트
계약은 명의 변경 및 에스크로 프로세스를 포함한 다양한 단계의 부동산 거래를
자동화하고 안전하게 보호할 수 있다. 또한, 부동산 산업에서 블록체인 기술은 다
양한 도전과 비효율성을 해결할 수 있는 혁신적인 솔루션을 제공한다. 유망한 응용
분야 중 하나는 블록체인 상에서 직접 코드로 작성된 계약 조건을 자체 실행하는
스마트 계약의 활용이다.

[그림 25] 재산 목록
출처 : https://dribbble.com/shots/6820378-Ylopo-Desktop

블록체인 기술과 스마트 계약이 부동산 상장, 매각, 에스크로, 소유권 이전 과정을 포함한 부동산 거래를 효율화하고 확보할 수 있는 방법에 대한 구체적인 사례를 살펴보면, 다음과 같은 것들이 있다.

첫째, 재산 목록(Property Listing)으로 판매자는 자신의 재산을 블록체인 기반 부동산 플랫폼에 나열하여 재산 설명, 법률 문서(예: 소유권 증서(title deeds)), 소유 이력 및 임의의 수반물 또는 유치권(encumbrances or liens)과 같은 상세한 정보를 제공한다. 즉, 판매자는 소유 기록, 소유권 증서 및 기타 관련 문서를 포함하여 부동산에 대한 자세한 정보를 제공하는 블록체인 기반 부동산 플랫폼에 자신의 부동산을 나열할 수 있다. 이 정보는 블록체인에 기록되어 투명성과 불변성을 보장한다.

<미국 부동산의 Encumbrances and Liens>

[그림 26] 부동산에 대한 권원과 부담
출처 : https://fastercapital.com/content/

위의 그림 이미지는 부동산에 대한 권원과 부담(Encumbrances and Liens)에 대한 소개하고 있다. 부동산에 부과될 수 있는 권원과 부담의 종류, 우선순위 및 영향을 설명한 것이다.

엔컴버런스와 리엔의 개념을 설명하면, 엔컴버런스(Encumbrance)는 부동산의 가치를 감소시키는 모든 법적 또는 물리적 제한 조건을 의미한다. 이는 부동산의 소유권 또는 사용에 부담을 주는 권리 또는 제한으로, 부동산의 매매, 담보, 개발 등에 영향을 미칠 수 있다.

[표 2] 엔컴버런스와 리엔의 차이점

구분	엔컴버런스	리엔
정의	부동산의 가치를 감소시키는 모든 법적 또는 물리적 제한 조건	특정 부동산에 대한 채권자의 권리, 채무 불이행 시 부동산 강제 매각 가능
발생 원인	법률, 계약, 사고 등	부동산 관련 채무 불이행
영향	부동산의 소유권, 사용, 가치에 영향	부동산의 매매, 담보, 개발에 영향
대표적인 예시	지상권, 저당권, 지출권, 공동 소유권	건설 비용, 세금, 법정 의무

리엔(Lien)은 특정 부동산에 대한 채권자의 권리를 의미하며, 채무가 지불되지 않을 경우 부동산을 강제 매각하여 채권을 만회할 수 있는 권리를 부여한다. 리엔은 일반적으로 부동산에 대한 건설 비용, 세금, 법정 의무 등을 이행하지 않은 경우 발생한다.

부동산 거래를 진행하기 전에 해당 부동산에 존재하는 엔컴버런스와 리엔을 확인하는 것은 매우 중요하다. 엔컴버런스와 리엔은 부동산의 가치를 감소시키고 소유권 또는 사용에 제약을 가할 수 있기 때문이다. 따라서 부동산 매매 계약을 체결하기 전에 부동산 등기부 등을 통해 엔컴버런스와 리엔의 존부를 확인하고, 필요한 경우 해제 절차를 진행해야 한다. 또한, 부동산 담보 대출을 받는 경우에도 엔컴버런스와 리엔의 존부를 확인하여 담보 가치에 영향을 미치는 요소가 없는지 확인해야 한다.

엔컴버런스와 리엔 관련 주의 사항으로 엔컴버런스와 리엔은 부동산 등기부에 등재되어 있으므로, 부동산 거래 전에 등기부 등을 통해 확인해야 한다. 엔컴버런스와 리엔의 해제는 법적 절차가 필요하며, 해제 비용이 발생할 수 있다. 부동산 담보 대출을 받는 경우, 담보 가치에 영향을 미치는 엔컴버런스와 리엔이 없는지 확인해야 한다. 엔컴버런스와 리엔 관련하여 궁금한 사항은 변호사 또는 부동산 전문가와 상담하는 것이 좋다.

엔컴버런스와 리엔 관련 용어로는 지상권으로 이는 특정 부동산을 이용하여 건축물을 설치하거나 사용할 권리이다. 저당권으로 이는 부동산을 담보로 하여 대출을 받는 경우, 채권자에게 부여되는 권리이다. 지출권으로 이는 특정 부동산의 수익을 우선적으로 받을 권리이다. 공동 소유권으로 이는 여러 사람이 공동으로 부동산을 소유하는 경우이다.

권원(Lien)은 부동산에 대한 권리를 의미하며, 권원 소유자는 부동산에 대한 청구권을 가지고 있으며, 부동산이 매각되더라도 권원은 유지한다. 권원은 자발적이거나 비자발적일 수 있다. 자발적인 권원은 부동산 소유자가 동의하여 부과되는 반면, 비자발적인 권원은 법원 판결이나 세금 부과와 같은 사건에 의해 부과한다.

이미지에는 저당권은 자발적이거나 비자발적일 수 있음(Encumbrances can be voluntary or involuntary), 저당권은 일반적이거나 구체적일 수 있음(Liens can be general or specific), 저당권은 우선적인 또는 종속적인 일수 있음(Liens can be superior or subordinate), 저당권은 방출되거나 충족될 수 있음(Liens can be released or satisfied), 저당권은 소유권 검색 과정에서 발견될 수 있음(Liens can be discovered during a title search), 저당권은 재산 매각에 영향을 줄 수 있음(Liens can affect the sale of a property)이라는 6가지 항목이 포함되어 있다. 그러므로 부동산 저당권에 대한 기본적인 개념을 설명한 것이다. 저당권은 부동산에 대한 권리를 제한하는 법적 권원이며, 일반적으로 부채를 확보하는 데 사용된다. 저당권은 자발적이거나 비자발적일 수 있다. 자발적인 저당권은 부동산 소유자가 부채를 확보하기 위해 설정하는 반면, 비자발적인 저당권은 법원이나 정부 기관에 의해 부과된다.

지당권은 일빈적이거나 구체직일 수 있다. 일반적인 저당권은 부동산 전체에 내한 권리를 제한하는 반면, 구체적인 저당권은 부동산의 특정 부분에 대한 권리를 제한한다. 저당권은 또한 우선적이거나 종속적일 수 있다. 우선적인 저당권은 다른 저당권보다 우선권을 가지며, 종속적인 저당권은 우선적인 저당권이 충족된 후에만 지급된다.

저당권은 방출되거나 충족될 수 있다. 저당권이 방출되면 부동산에 대한 권리가 해제된다. 저당권이 충족되면 부채가 완전히 지급되었음을 의미한다. 저당권은 소유권 검색 과정에서 발견될 수 있으며, 이는 재산 매각에 영향을 줄 수 있다.

잠재적 구매자는 블록체인에서 직접 부동산 내역에 접근하고 확인할 수 있어 중개인이 필요하지 않고 사기 위험을 줄일 수 있다. 즉, 관심 있는 구매자는 이 정보에 투명하게 액세스하여 부동산 세부 정보가 정확하고 확인 가능한지 확인할 수 있다. 매수인이 발견되면 양 당사자가 합의한 약관을 규정하여 매매 절차를 용이하게 하는 스마트 계약을 만들 수 있다.

둘째, 스마트 계약 작성으로 일단 구매자가 부동산 구매에 관심이 있으면, 합의된 판매 조건을 포함하는 스마트 계약이 블록체인에서 생성된다. 스마트 계약은 자체 실행 에스크로 에이전트 역할을 하여 거래가 완료될 때까지 구매자의 자금을 안전히게 보관한다. 구매지는 약정한 금액을 스마트 계약 주소로 이체하고, 정해진 조건이 충족될 때까지 자금이 잠긴다.

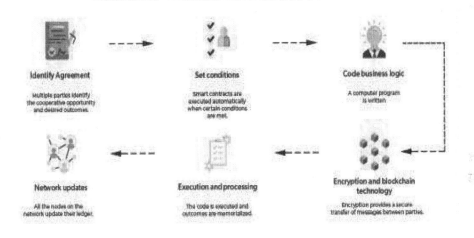

[그림 27] 스마트 계약

출처 : https://devtechnosys.com/insights/

스마트 계약은 블록체인 내에서 작동하는 애플리케이션으로, 둘 이상의 당사자가 스마트 계약에 저장된 규칙 세트에 동의한다. 이는 일부 비즈니스 규칙을 통합하는 약간 복잡한 애플리케이션으로, 스마트 계약 개발이 어떻게 작동하고 비즈니스에 이점을 주는지에 대한 전체 프로세스이다. 먼저, 계약 확인으로 스마트 계약의 참가자는 공유된 기회와 원하는 결과를 선택한다. 비즈니스 거래와 권리 이전부터 자산 교환까지 다양한 잠재적 계약이 있다. 둘째, 요구 사항 설정으로 스마트 계약을 시작하기로 한 결정은 당사자 스스로 결정하거나 금융 시장의 특정 사건이나 변화에 대응하여 결정된다. 따라서 스마트 계약을 생성하기 위해 블록체인 개발자를 고용하기 전에 먼저 명확한 요구 사항을 설정한다. 셋째, 코드 비즈니스 로직으로 다른 컴퓨터 코딩 및 프로그램과 마찬가지로 스마트 계약 기반 애플리케이션은 모든 조건부 매개변수에 도달하면 실행되도록 설계되었다. 하지만 이 모든 것은 블록체인 기술을 계획하면서 비즈니스 로직을 올바르게 코딩해야만 가능하다. 넷째, 암호화 및 블록체인 기술에 집중으로 블록체인 기술은 표준 보안 프로토콜을 통합하므로 암호화 없이는 불완전하다. 강력한 암호화는 여러 당사자 간에 교환되는 메시지를 인증하고 확인하는 데 가장 필요한 보안을 제공해야 한다. 다섯째, 스마트 계약 실행으로 블록체인 반복이 발생할 때마다 스마트 계약이 블록에 기록된다. 검증과 인증을 통해 합의에 도달했을 때 발생한다. 코드가 실행된 후 규정 준수 및 확인을 위해 결과가 기억된다. 위와 같은 과정이 스마트 계약 개발이 작동하는 방식이며 블록체인 기술의 원활한 통합과 실행을 보장한다.

셋째, 에스크로 및 지불로 스마트 계약은 부동산 소유권의 성공적인 이전, 법적 절차의 완료, 미결 유치권이나 자금의 정리 등 모든 조건이 충족될 때까지 매수인의 자금을 에스크로에 보관한다. 이 과정에서 스마트 계약은 관련 당국, 정부 기관, 금융 기관 등과 자동으로 상호 작용하여 필요한 점검, 결제(예를 들어 세금, 수수료), 문서화 등을 용이하게 할 수 있다. 모든 조건이 충족되면 스마트 계약은 에스크로에서 판매자의 지정 계좌로 자금을 자동으로 풀어줘 안전하고 투명한 결제 과정을 보장한다. 즉, 스마트 계약은 에스크로 에이전트 역할을 하여 일정 조건이 충족될 때까지 구매자의 자금을 안전하고 투명하게 보유할 수 있다. 구매자는 약정한 금액을 스마트 계약으로 이전할 수 있으며, 이는 판매가 완료될 때까지 자금을 보유하게 된다. 스마트계약은 성공적인 부동산 소유권 이전이나 필요한 법적 절차 완료 등 모든 조건이 충족되면 자동으로 매도인에게 자금을 풀 수 있다.

<에스크로 결제>

에스크로 결제는 거래 프로세스를 시작하려는 두 당사자가 있고 교환하려는 자산을 제3자가 보유하는 재정적, 법적 합의다. 에스크로 결제 방법의 자산은 담보, 현금 등이 될 수 있다. 이 합의에서 제3자는 다른 두 당사자가 계약과 모든 의무를 모든 방법으로 이행하는 경우에만 자산을 해제할 수 있다. 이 방식은 부동산 시장에서 널리 사용되지만 은행 업무, 인수합병, 지적재산권 양도와 같은 다른 경우에도 사용될 수 있다.

Escrow Payment

Financial arrangement

Party 1 ←——————→ Party 2

Party 3
(holds the asset and charges commission)

[그림 28] 에스크로 지불
출처 : https://www.wallstreetmojo.com/escrow-payment/

현재 시장에서는 보석이나 예술품과 같이 본질적으로 매우 가치 있는 자산과 관련된 온라인 거래에 에스크로가 포함되는 경우가 많다. 국제 거래에는 에스크로가 포함되는 경우가 많다. 여기서 에스크로는 판매자에게 보증인 역할을 하여 대금이 제때에 수령될 수 있도록 보장하고 구매자에게도 보증인 역할을 하여 물품을 적절한 상태로 받은 다음 지불할 것임을 보증한다. 이 경우 에스크로는 구매자로부터 지불받은 대금을 보관했다가 상품이 에스크로에 양호한 상태로 도착한 경우에만 판매자에게 이를 전달하며, 이를 구매자에게 보낸다.

에스크로 지출(escrow disbursement)이라는 용어를 자주 접한다. 이 용어는 단순히 계정에서 이루어졌거나 아직 이루어지지 않은 지불을 의미한다. 그러나 이러한 합의는 구매자와 판매자 모두의 이익을 보호하므로, 매우 유용한 것으로 간주되는 경우가 많다. 특히 부동산의 경우 주택 보험과 재산세를 제때 납부하도록 판매자가 에스크로를 지정하는 경우가 많다.

Escrow Payment

Types

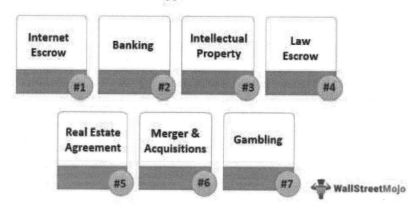

[그림 29] 에스크로의 형태
출처 : https://www.wallstreetmojo.com/escrow-payment/

위의 이미지는 다양한 산업과 거래에 걸쳐 다양한 유형의 에스크로 결제를 보여준다. 에스크로 결제는 자금이 각 당사자에게 방출되기 전에 특정 조건이 충족될 때까지 자금이나 자산을 안전하게 보유할 수 있는 방법이다. 에스크로의 종류를 보면, 다음과 같다.

먼저, 인터넷 에스크로 이런 종류의 에스크로는 전자 상거래 구매나 도메인 이름 이전과 같은 온라인 거래에서 흔히 사용된다. 인터넷 에스크로는 계약에 따라 허가를 받은 독립적인 제3자가 구매자와 판매자 모두의 이익을 보호하기 위해 돈을 보관하는 데 동의한다. 예를 들어 낯선 판매자로부터 온라인으로 상품을 구매할 때 구매자는 인터넷 에스크로 서비스를 통해 상품이 배송되고 만족스러운 것으로 확인될 때까지 결제를 보류할 수 있다. 그래야 에스크로 서비스가 판매자에게 결제를 해제할 수 있다

둘째, 은행 업무로, 이 방식에서는 ATM, 자동 판매기 등과 같이 돈을 보관하는 기계가 사용된다. 은행은 종종 복잡한 금융거래를 위한 에스크로 대리인 역할을 한다. 예를 들어, 부동산 매입에서 매수인의 자금은 명의개서가 완료되고 모든 필요한 서류가 제공될 때까지 은행에 의해 에스크로로 보유될 수 있다. 그런 다음 은행은 판매자에게 자금을 공개할 것이다.

셋째, 지적 재산권으로 이 에스크로 계약에 따라 제3자는 고객과 공급업체 모두의 이익을 보호하기 위해 소스 코드를 보유한다. 이 에스크로 서비스는 소프트웨어 라이선스 또는 기술 이전과 같은 지적 재산권 거래에서 일반적으로 사용된다. 소프트웨어 회사는 에스크로 계정에 소스 코드를 넣을 수 있으며, 회사가 폐업하거나 업데이트를 제공하지 못하는 것과 같은 특정 조건이 충족되는 경우에만 라이선스 사용자가 접근할 수 있다.

넷째, 법률 에스그로로 여기에는 환경 집행 조치 또는 집단 소송 에서 발표된 현금 합의금에서 자금을 분배하는 데 사용된다. 즉, 법무법인이나 전문 에스크로 회사는 법률 거래를 위해 에스크로 서비스를 취급하는 경우가 많다. 예를 들어 소송 합의에서 피고의 합의금은 원고가 서명된 석방을 제공하거나 다른 합의된 조건을 충족할 때까지 법률 에스크로 계좌에 보관될 수 있다.

다섯째, 부동산 계약으로 이 에스크로 지불 계약은 부동산 자산에 대한 위험 보험 비용을 지불한 것이다. 부동산 계약 에스크로 서비스는 앞서 언급한 바와 같이 부동산 거래에서 많이 활용되고 있다. 명의개서, 검사, 대출승인 등 모든 조건이 충족될 때까지 매수인의 자금은 에스크로에 보유된다. 에스크로 대리인은 자금과 서류의 안전하고 투명한 교환을 보장한다.

여섯째, 합병 및 인수에서 이 에스크로 지불 계약에 따라 판매 당사자가 보증 및 면책을 제공한다. 일반적으로 판매자의 신용위험과 제품의 품질이 좋지 않은 경우 등에 사용한다. 에스크로 계정은 일반적으로 기업의 성공적인 통합이나 미결제 부채 해결과 같은 특정 조건이 충족될 때까지 구매 가격 또는 자산의 일부를 보유하는 데 사용된다.

일곱째, 도박에서 일부 지역에서는 온라인 도박 플랫폼이 에스크로 서비스를 이용하여 베팅 결과나 인출 요청 확인 등 특정 조건이 충족될 때까지 플레이어의 자금을 안전하게 보관할 수 있다. 즉, 이러한 유형의 에스크로 계약에 따라 특정 이벤트에 도박을 한 당사자는 고정된 이용 약관에 따라 이벤트 이후에 지불하는 중립적인 제3 자에게 돈을 건네준다.

여덟째, 주식 시장에서 주식 보유와 관련하여 이 계약의 사용을 찾을 수도 있다. 이러한 세약이 진행되는 동안, 어떤 경우에는 주주가 원하는 시점에 보유하고 있는 주식을 매각할 권리가 없다. 주식이 보너스나 경영진 보상의 일부로 발행되는 경우 해당 직원은 해당 주식을 처분하기 전에 일정 기간 동안 에스크로 계좌에 주식을 보유해야 한다. 이는 좋은 임원을 유지하기 위해 많은 기업이 따르는 정책이다.

이홉째, 온라인 판매로 이 경우 제3자가 에스크로 역할을 하여 온라인으로 판매된 제품과 서비스가 양호한 상태로 구매자에게 전달되고 판매자가 적시에 대금을 받을 수 있도록 한다. 에스크로 결제 서비스는 거래가 만족스러운 방식으로 완료된 경우에만 에스크로 계좌에서 돈이 방출되도록 보장한다.

따라서 위의 경우는 이 시스템이 자주 사용되는 중요한 경우이다. 에스크로 서비스는 신뢰할 수 있는 제3자가 합의된 조건이 충족될 때까지 자산이나 자금을 보유할 수 있도록 제공하여 다양한 유형의 거래에서 당사자 간의 안전하고 투명한 교환을 보장한다.

넷째, 소유권 이전 및 이름 변경으로 거래가 성공적으로 완료되면, 스마트 계약은 매도인으로부터 매수인에게 재산 소유권을 이전하는 절차를 개시한다. 토지 등록부 및 관련 정부 기관과 상호 작용하여 새로운 소유자의 이름과 세부 정보를 반영하여 블록체인 상의 부동산 소유 기록을 업데이트한다. 즉, 스마트 계약은 관련 정부 기관 및 토지 등기부와 상호 작용하여 부동산 소유권 명의 변경 절차를 개시할 수 있다. 필요한 법적 요건이 충족되고 블록체인에 문서화되면 스마트 계약은 블록체인의 재산 소유 기록을 자동으로 업데이트할 수 있어 거래의 불변하고 투명한 기록을 보장한다. 즉, 업데이트된 소유권 정보는 블록체인에 영구적이고 투명하게 기록되어 거래에 대한 불변의 기록을 제공한다. 다음 과정으로 자동화된 컴플라이언스 및 감사 기능으로 스마트 계약은 부동산 거래와 관련된 관련 법규와 규정, 과세 요건을 자동으로 준수하도록 프로그래밍할 수 있다. 그들은 거래와 관련된 세금, 수수료 및 기타 비용에 대한 지불금을 계산하고 분배하여 투명성을 보장하고 오류 또는 사기의 위험을 줄일 수 있다. 전체 거래 내역이 블록체인에 기록돼 관련 당국이나 관련 당사자의 감사와 검증이 용이하다.

다섯째, 다자간 참여로 이 과정에서 스마트 계약은 부동산 중개인, 변호사, 대출 기관 및 정부 기관과 같은 여러 당사자의 참여를 촉진할 수 있다. 각 당사자는 스마트 계약 내에서 각자의 역할에 접근하여 수행할 수 있어 절차를 간소화하고 수동 조정 및 서류 작업을 줄일 수 있다. 예를 들어, 대부업체는 재산 내역을 확인하고 자금을 조달할 수 있고, 변호사는 법률 문서를 검토하고 승인할 수 있으며, 정부 기관은 규정 준수를 확인하고 필요한 승인을 처리할 수 있다.

여섯째, 감사 및 투명성으로 모든 특수 관계인, 문서, 결제, 소유권 이전 등 전체 거래 내역이 블록체인에 불변하고 투명하게 기록된다. 이를 통해 관련 당국의 감사 및 검증이 용이해져 사기 및 분쟁의 위험을 줄일 수 있다. 거래와 관련된 당사자는 언제든지 완전한 거래 내역에 접근하여 검토할 수 있어 투명성과 책임성을 확보할 수 있다.

그러므로 부동산 거래는 블록체인 기술과 스마트 계약을 활용하여 더욱 효율적이고 안전하며 투명해진다. 블록체인의 불변하고 분산된 특성으로 인해 관련된 모든 당사자가 정확하고 검증 가능한 정보에 접근할 수 있게 되어 사기 및 분쟁의 위험을 줄일 수 있다. 또한 스마트 계약을 통한 프로세스 자동화는 전통적인 부동산 거래와 관련된 시간과 비용을 크게 줄일 수 있으며 관련 법규를 준수할 수 있다.

6) 증강현실(AR) 및 가상현실(VR)

AR 및 VR 기술은 프롭테크에서 가상 부동산 투어, 인테리어 디자인 시각화 및 건축 계획에 점점 더 많이 사용되고 있다. 이러한 몰입형 경험은 구매자, 임대인 및 투자자가 원격으로 부동산을 탐험하고 잠재적인 개조 또는 수정 사항을 시각화할 수 있도록 한다. 즉, AR(증강현실)과 VR(가상현실) 기술은 구매자, 집주인, 투자자, 전문가 등에게 몰입감 있고 상호작용적인 경험을 제공함으로써 부동산 산업을 변화시키고 있다.

이들 기술이 프롭테크에서 어떻게 활용되고 있는지 몇 가지 구체적인 예를 제시하면 다음과 같다.

위의 이미지는 부동산 산업에서 가상현실(VR) 기술의 다양한 실제 활용 사례인 가상 투어 및 부동산 쇼케이스(Virtual Tours and Property Showcases), 아키텍처 시각화(Architectural Visualization), 가상 스테이징(Virtual Staging), 임대인과 임차인 간 의사소통 개선(Improving Communication between Landlords and Tenants), 가상 상거래(Virtual Commerce) 등을 보여준다.

먼저, 가상 투어 및 부동산 쇼케이스로 VR은 잠재적인 구매자 또는 임대인이 부동산의 몰입형 및 상호작용형 가상 투어를 경험하게 한다. 부동산 중개인은 전문 카메라 또는 3D 모델링 소프트웨어를 사용하여 고품질의 360도 가상 투어를 생성할 수 있다. 고객은 그 후 부동산을 통해 물리적으로 걷는 경험을 시뮬레이션하면서, VR 헤드셋을 사용하여 이러한 가상 투어를 탐색할 수 있다. 이것은 원격 뷰잉을 가능하게 하고 직접 방문할 필요를 제거하여, 시간과 자원을 절약한다.

둘째, 아키텍처 시각화로 건축가, 개발자 및 건설 회사는 VR을 활용하여 몰입형 환경에서 설계 개념을 시각화하고 제시할 수 있다. VR 모델은 제안된 건물, 주거 단지 또는 상업 공간을 보여주기 위해 생성될 수 있다. 고객은 다양한 관점에서 레이아웃, 공간 차원 및 전체 설계를 탐색하는 가상 워크스루를 경험할 수 있다. 이는 계획 및 설계 단계에서 더 나은 의사 소통, 협업 및 피드백을 용이하게 한다.

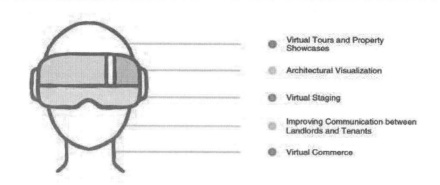

[그림 30] 가상 부동산 투어

출처 : https://litslink.com/blog/

셋째, 가상 스테이징으로 VR은 가상 무대화에 사용될 수 있으며, 부동산 중개인이나 부동산 소유지기 물리적 무대화 없이 가구가 비치되고 장식된 상태로 부동신을 선보일 수 있도록 한다. VR 무대화를 통해 잠재 구매자는 다양한 가구 배치, 장식 스타일 및 디자인 요소로 공간이 어떻게 보일지 경험할 수 있다. 이것은 그들이 부동산의 잠재력을 시각화하고 더 많은 정보에 입각한 구매 결정을 내리는 데 도움을 줄 수 있다.

넷째, 가상 상거래로 부동산 산업은 부동산 또는 부동산 자산이 가상 환경 내에서 구매, 판매 또는 거래될 수 있는 가상 상거래의 개념을 탐구하고 있다. VR 플랫폼은 사용자가 부동산의 가상 표현을 탐색하고 상호 작용할 수 있는 가상 시장을 시뮬레이션하도록 개발될 수 있다. 이는 잠재적으로 부동산 거래를 간소화하고 구매자 및 판매자에게 보다 매력적이고 몰입형 경험을 제공할 수 있다.

다섯째, 임대인과 임차인 간 의사소통 개선으로 VR은 임대인과 임차인 사이의 의사소통과 이해를 향상시킬 수 있다. 예를 들어, 임대인은 임대 부동산의 가상 투어를 만들 수 있으며, 이는 임대를 결정하기 전에 잠재적인 임차인이 원격으로 공간을 탐색할 수 있도록 한다. 또한 VR은 기존 임차인에게 제안된 개조 또는 업그레이드를 보여주기 위해 사용되어 더 나은 의사소통을 촉진하고 기대를 관리할 수 있다.

<임대인과 임차인 간 의사소통 개선으로 VR>

가상현실(VR) 기술이 어떻게 집주인과 세입자 간의 의사소통과 이해를 증진시킬 수 있는지에 대한 좋은 예를 보면, 임대인은 임대 부동산에 대한 몰입형 VR 투어를 구축할 수 있으며, 이를 통해 잠재적인 세입자는 물리적으로 존재하는 것처럼 모든 방, 편의 시설 및 기능을 탐색할 수 있다. VR 투어는 부동산의 주변 환경, 인근 편의 시설 및 인근 지역을 보여줌으로써 세입자에게 생활 환경에 대한 포괄적인 이해를 제공할 수 있다. 예를 들면, VR 기술이 특히 단기 전세와 휴일 임대 상황에서 집주인과 세입자 사이의 의사소통과 이해를 향상시킬 수 있는 방법과 이를 설명하기 위해 몇 가지 구체적인 예를 제시하면 다음과 같다.

첫째, 도착 전 속성 탐색(Pre-arrival Property Exploration)으로 집주인은 임대 부동산에 대한 몰입형 VR 투어를 만들 수 있으며, 이를 통해 잠재적인 세입자 또는 손님이 도착 전에 가상으로 모든 방, 편의 시설 및 기능을 탐색할 수 있다. 이는 기대를 관리하고 잠재적인 오해나 놀라움을 최소화하는 데 도움이 될 수 있다. 세입자는 배치, 가전제품, 가구 및 주변 지역에 익숙해질 수 있으며 체크인 시 원활한 전환을 보장한다.

둘째, 유지 및 보수를 위한 가상 워크스루(Virtual Walkthrough for Maintenance and Repairs)로 임대인은 임차인의 설명이나 사진에만 의존하는 대신 VR 기술을 사용하여 임대 부동산의 가상 산책로를 수행할 수 있다. 이는 특히 유지 관리 문제를 식별하고, 수리 요구를 평가하거나, 임차인의 체류 후 부동산 상태를 검사하는 데 유용할 수 있다. 임차인은 부동산을 통해 임대인을 가상으로 안내할 수 있으며, 이는 몰입형이고 정확한 상황 표현을 제공하여 보다 효율적이고 효과적인 해결책으로 이어질 수 있다.

셋째, 대화형 속성 설명서 및 안내서(Interactive Property Manuals and

Guides)으로 집주인은 임대 부동산에 대한 대화형 VR 매뉴얼 또는 가이드를 만들 수 있다. 이러한 가상 경험은 부동산 내에서 다양한 가전제품, 유틸리티 또는 편의 시설을 작동하는 방법을 보여줄 수 있다. 세입자는 이러한 VR 튜토리얼에 몰입할 수 있으며, 모든 것을 올바르게 사용하는 방법을 확실히 이해하고 잠재적인 오용이나 손상을 피할 수 있다. 이러한 사전 예방적 접근 방식은 자주 문의하거나 도움을 요청할 필요를 줄일 수 있다.

넷째, 가상 이웃 투어(Virtual Neighborhood Tours)으로 임대 부동산 그 자체를 보여주는 것 이외에도 집주인은 주변 이웃 또는 지역의 가상 투어를 제공할 수 있다. 이것은 위치에 익숙하지 않거나 시외에서 방문하는 세입자에게 특히 가치가 있을 수 있다. VR 경험은 근처의 명소, 식당, 대중 교통 옵션 및 기타 편의 시설을 강조하여 세입자가 체류를 더 잘 계획하고 시간을 최대한 활용할 수 있도록 도울 수 있다.

다섯째, 가상 오픈 하우스 및 부동산 쇼케이스(Virtual Open Houses and Property Showcases)으로 새로운 세입자를 유치하거나 임대 부동산을 마케팅하려는 집주인을 위해 VR 기술을 사용하여 몰입형 가상 오픈 하우스 또는 부동산 쇼케이스를 만들 수 있다. 예비 세입자는 현재 위치의 편안함에서 부동산을 자세히 탐색할 수 있으므로 잠재적으로 임대 절차를 간소화하고 나중 단계까지 직접 볼 필요가 없다.

부동산에서 편리함과 시간 절약이 VR의 중요한 이점이라는 것은 전적으로 옳습니다. 그러나 말씀하신 것처럼 VR은 임대인과 임차인 모두에게 전반적인 경험을 향상시키는 새로운 상호 작용 요소도 제공한다.

<가상 부동산 투어 기법>

부동산 산업은 VR 기술을 활용함으로써 고객에게 보다 매력적이고 몰입감 있는 경험을 제공하고, 이해관계자 간의 의사소통과 협력을 개선하며, 다양한 프로세스를 효율화할 수 있다. VR이 사람들이 부동산과 상호 작용하고 경험하는 방식을 변화시키는 몇 가지 예는 가상 투어, 건축 시각화, 가상 스테이징, 가상 상거래 등이다.

첫째, 가상 부동산 투어(Virtual Real Estate Tours)로 부동산 중개인은 360도 카메라 또는 3D 스캐닝 기술을 사용하여 부동산의 가상 투어를 만들 수 있다. 그런 다음 잠재 구매자는 VR 헤드셋 또는 스마트폰을 사용하여 이러한 가상 투어를 탐색하여 부동산에 물리적으로 존재하는 것처럼 현실적이고 몰입형 경험을 제공할 수 있다. 이를 통해 구매자는 집에서 편안하게 여러 부동산을 원격으로 볼 수 있어 시간과 노력을 절약하는 동시에 의사 결정 프로세스를 향상시킬 수 있다.

[그림 31] Photorealistic Aerial Visualization of House in the Desert
출처 : https://www.tallboxdesign.com/[20]

20) 사실적 항공 시각화(Photorealistic Aerial Visualization)는 항공 또는 조감도 관점에서 지리적 영역을 매우 상세하고 사실적으로 표현하는 것을 의미한다. 이 기술은 항공 이미지, 3D 모델링 및 고급 렌더링 기술을 결합하여 몰입형 및 시각적으로 놀라운 시각화를 생성한다. 사실적 항공 시각화가 어떻게 활용되고 있는지에 대한 몇 가지 구체적인 예는 다음과 같다. 첫째, 도시계획 및 개발에 사용된다. 건축가, 도시계획가 및 개발자는 현실적인 항공 시각화를 활용하여 제안된 건물, 인프라 프로젝트 또는 전체 도시 개발을 그들의 실제 환경의 맥락에서 보여줄 수 있다. 이러한 시각화는 제안된 구조 또는 수정이 다양한 각도와 고도에서 어떻게 보일지를 정확하게 묘사할 수 있으며, 이해관계자는 시각적 영향을 평가하고 정보에 입각한 결정을 내릴 수 있다. 둘째, 부동산 마케팅에 사용된다. 부동산 회사는 사실적인 항공 시각화를 통해 부동산이나 개발에 대한 강력한 마케팅 자료를 만들 수 있다. 이러한 시각화는 조감도에서 부동산을 보여줄 수 있으며, 그 위치, 주변 환경 및 주변 편의 시설을 강조한다. 또한 제안된 개조 또는 향후 개발 단계를 보여주는 데 사용하여 잠재 구매자 또는 투자자가 완성된 프로젝트를 구상할 수 있도록 돕는다. 셋째, 환경 영향 평가에 사용된다. 사진 현실적인 항공 시각화는 제안된 프로

둘째, 실내 디자인 시각화(Interior Design Visualizations)로 AR 및 VR 기술은 주택 소유자, 인테리어 디자이너 및 부동산 전문가가 다양한 인테리어 디자인 옵션을 시각화하고 실험할 수 있도록 하고 있다. AR 앱을 사용하면 개인이 기존 공간에 가구, 집기, 장식품을 가상으로 배치할 수 있어 구매나 개조를 하기 전에 디자인이 어떻게 다른지 볼 수 있다. VR 환경은 완벽한 인테리어 컨셉을 보여주기 위해 생성될 수 있으며, 고객은 물리적으로 구현되기 전에 가구가 완비되고 장식된 공간을 경험할 수 있다.

셋째, 건축 계획 및 시각화(Architectural Planning and Visualization)로 건축가와 개발자는 VR을 활용하여 자신의 디자인 개념과 계획을 몰입적이고 상호 작용적인 방식으로 제시할 수 있다. 고객은 다양한 관점에서 공간 차원, 레이아웃 및 전체 설계를 경험하면서 제안된 건물 또는 개발의 가상 워크스루를 탐색할 수 있다. 이를 통해 건축가, 개발자, 고객 간의 소통과 협업이 더욱 원활해져 공사가 시작되기 전 피드백과 조정이 용이하다.

넷째, 부동산 개조 및 리모델링(Property Renovation and Remodeling)으로 AR 앱은 가상 요소를 기존 공간에 오버레이하여 주택 소유자와 계약자가 잠재적인 개조 또는 리모델링 프로젝트를 시각화할 수 있다. 예를 들어, AR 앱은 새로운 주방 레이아웃이나 방 확장이 어떻게 보일지 보여줌으로써 더 많은 정보에 입각한 의사 결정과 더 나은 계획을 가능하게 할 수 있다. 마찬가지로 VR을 사용하여 제안된 개조의 가상 워크스루를 생성하여 고객에게 완성된 프로젝트에 대한 현실적인 미리보기를 제공할 수 있다.

다섯째, 상업용 부동산 마케팅(Commercial Real Estate Marketing)으로 상업

프로젝트의 환경적 영향을 평가하는 데 매우 유용할 수 있다. 자연 환경 내에서 프로젝트를 정확하게 묘사함으로써 이해 관계자는 경관, 식생, 수역 및 야생 동물 서식지에 대한 잠재적 영향을 평가할 수 있다. 이러한 시각화는 또한 기존 구조물 또는 보호 구역과의 잠재적 갈등 또는 호환성 문제를 식별하는 데 도움이 될 수 있다. 넷째, 문화재 보존에 사용된다. 문화재 보존 분야에서 사진 실감형 항공 시각화는 유적지나 기념물, 또는 도시 전체를 문서화하고 디지털로 재창조하는 데 사용될 수 있다. 이러한 시각화는 이러한 문화재의 현황을 상세히 기록할 수 있으며, 교육 목적이나 가상 투어, 심지어 피해나 자연재해 시 디지털 재건 노력에도 활용될 수 있다. 다섯째, 가상 관광 및 탐험에 사용된다. 사실적인 항공 시각화는 가상 현실(VR) 또는 증강 현실(AR) 경험에 통합되어 사용자가 독특한 항공 관점에서 지리적 영역을 탐색할 수 있다. 이러한 몰입형 경험은 가상 관광, 교육 목적 또는 심지어 가상 하이킹 또는 관광과 같은 레크리에이션 활동에 사용될 수 있다. 이러한 매우 상세하고 사실적인 시각화를 구현하기 위해 항공 촬영, LiDAR(Light Detection and Ranging) 데이터, 3D 모델링 소프트웨어 및 강력한 렌더링 엔진과 같은 첨단 기술이 사용된다.

용 부동산 회사는 잠재적인 세입자나 투자자에게 부동산을 보여주기 위해 VR 경험을 만들 수 있다. 사무실 공간, 소매점 또는 산업 시설의 가상 투어를 제공하여 고객이 원격으로 부동산을 탐색하고 적합성을 평가할 수 있다. 또한 AR을 사용하여 가상 사이니지, 브랜딩 또는 레이아웃 계획을 기존 상업 공간에 오버레이하여 클라이언트가 잠재적인 커스터마이징 또는 브랜딩 기회를 시각화할 수 있다.

프롭테크는 AR 및 VR 기술을 활용하여 관련된 모든 이해 관계자의 부동산 경험을 향상시키고 있다. 이러한 몰입형 기술은 원격 부동산 보기, 대화형 설계 시가화 및 공동 계획을 가능하게 하며, 궁극적으로 부동산 산업에서 더 많은 정보에 입각한 의사 결정, 향상된 고객 경험 및 효율성으로 이어진다.

7) 크라우드펀딩 및 부동산투자 플랫폼

프롭테크는 크라우드펀딩 플랫폼 또는 부동산투자신탁(REITs)을 통해 개인이 부동산에 투자할 수 있도록 함으로써 부동산투자를 민주화하였다. 이러한 플랫폼은 진입장벽을 낮추면서 다양한 범위의 투자기회에 접근할 수 있도록 제공한다. 또한, 프롭테크는 크라우드펀딩 플랫폼과 부동산투자신탁(REITs)을 통한 접근을 대중화하였고 진입장벽을 낮춤으로써 부동산 투자 지형에 혁명을 가져왔다. 이러한 대중화 과정이 어떻게 작동하는지 몇 가지 구체적인 예를 제시하면 다음과 같다.

(1) 부동산 크라우드 펀딩 플랫폼(Real Estate Crowdfunding Platforms)

부동산 크라우드펀딩 플랫폼은 개인에게 전통적인 부동산 투자에 필요한 막대한 자본 요구 사항 없이 부동산에 투자할 수 있는 기회를 제공함으로써 부동산 투자 환경에 혁명을 일으켰다. 이러한 온라인 플랫폼을 통해 개인은 다른 투자자와 자금을 모아서 부동산 프로젝트나 부동산에 투자할 수 있다. 투자자는 다양한 지역 또는 도시에 걸쳐 주거용 부동산에서 상업 개발에 이르기까지 다양한 투자 기회를 탐색하고 선택할 수 있다. 플랫폼은 일반적으로 기존 부동산 투자보다 훨씬 낮은 최소 투자 임계값을 가지고 있으며, 종종 수천 달러 이하에서 시작할 수 있다. 이를 통해 자본이 제한된 개인은 전체 부동산을 매입할 필요 없이 포트폴리오를 다양화하고 부동산 시장에 노출될 수 있다. 플랫폼은 실사, 재산 관리 및 투자자 보고를 처리하여 개인 투자자가 프로세스에 더 쉽게 접근하고 편리하게 사용할 수 있다.

다음은 인기 있는 플랫폼이다.

Fundrise[21] : Fundrise는 eREIT(부동산 투자 신탁) 및 eFund를 포함한 다양한 투자 옵션을 제공하고, 투자자는 위험 허용 범위와 투자 목표에 따라 다양한 투자 계획 중에서 선택할 수 있다.

RealtyMogul[22] : RealtyMogul을 통해 투자자는 사무실 건물, 소매 센터, 다가구 아파트 등 상업용 부동산에 투자할 수 있다. 이들은 부채 투자와 지분 투자를 모두 제공하여 투자자에게 유연성을 제공한다.

CrowdStreet : CrowdStreet는 상업용 부동산 투자를 전문으로 하며 사무실, 소매, 산업 및 다세대 부동산과 같은 다양한 자산 등급에 대한 기회를 제공한다. 투자자는 개별 부동산에 직접 투자하거나 다양한 펀드에 참여할 수 있다.

PeerStreet : PeerStreet는 주로 부동산을 담보로 하는 단기 브릿지론을 통해 부동산 부채 투자에 중점을 두고 있다. 투자자는 PeerStreet의 전문 부동산 대출 기관 네트워크가 제공하는 대출에 참여할 수 있다.

Groundfloor : Groundfloor는 부동산 부채 투자, 특히 주택 수리 및 전환 프로젝트를 전문으로 한다. 투자자는 개조 또는 개발 중인 부동산을 담보로 대출에

---

21) Fundrise는 2010 년에 설립된 워싱턴 DC 소재 금융 기술 회사로 온라인 투자 플랫폼을 운영하고 있다. Fundrise는 부동산 시장에 대한 투자를 성공적으로 크라우드펀딩 한 최초의 회사로 분류되었다. 2019년 12월 31일 기준으로 Fundrise는 약 49억 달러의 부동산 자산에 걸쳐 주식 및 부채 투자에서 약 11억 달러를 창출했다. Fundrise는 Ben Miller와 Dan Miller 형제가 2010년에 설립했으며 미국에서 주식 크라우드 펀딩 프로세스를 간소화하기 위해 증권 규정을 제정한 JOBS Act 가 통과되기 전인 2012년에 시작되었다. 그들의 아버지인 Western Development Corp.의 Herb Miller는 워싱턴 DC에 본사를 둔 2천만 평방피트의 부동산을 개발했다. Ben Miller는 Fundrise 이전에 Western Development Corp.의 사장이자 WestMill Capital Partners의 관리 파트너로 근무했다. Fundrise 이전에 Dan Miller는 Western Development Corp.에서 근무했으며 WestMill Capital Partners의 관리 파트너로도 근무했다. 형제들은 DC 지역 주민들이 자신들이 건설 중인 부동산 개발 프로젝트에 투자할 수 있도록 한다는 생각으로 회사를 설립했다. 워싱턴 DC의 H Street NE Corridor에 있는 Fundrise의 첫 번째 프로젝트인 Maketto는 175명의 투자자로부터 325,000달러를 모금했으며, DC나 버지니아의 거주자라면 누구나 단돈 100달러에 투자할 수 있어 미국 최초의 크라우드 펀딩 부동산 프로젝트가 되었다.

22) RealtyMogul 플랫폼은 2013년에 설립되었으며 공인 및 비공인 투자자 모두를 위한 것으로, Realty Mogul은 아파트 건물, 소매 센터 및 클래스 A 사무실 건물에 투자하는 경향이 있다. 최소 투자 금액은 $1,000이며 수수료는 0.30%~0.50%이다. 이들은 부채 투자와 지분 투자를 모두 제공하며 증권 거래소에서 판매되는 REIT와 유사한 "비공개 REIT"를 보유하고 있다. 현재까지 130,000명 이상의 투자자, 차용자 및 후원자를 보유하고 있다. Realty Mogul은 135개 이상의 부동산에 자금을 지원하고 2억 8천만 달러에 달하는 대출을 제공했다.

참여할 수 있다.

Real Estate Crowfunding

[그림 32] 부동산 크라우드 펀딩

출처 : https://www.mindk.com/blog[23)]

이러한 플랫폼은 일반적으로 사용자 친화적인 인터페이스를 제공하므로 투자자

---

23) 부동산 크라우드펀딩은 사람들이 부동산 프로젝트에 투자할 수 있는 방법으로 전통적으로 부동산 투자는 높은 진입 비용 때문에 순자산이 높은 개인과 기관에 국한되어 왔다. 크라우드펀딩 플랫폼은 개인들이 더 큰 프로젝트에 투자하기 위해 돈을 모을 수 있게 해준다. 이는 투자자들이 포트폴리오를 다양화하고 잠재적으로 주식이나 채권과 같은 전통적인 투자에서 얻을 수 있는 것보다 더 높은 투자 수익을 얻을 수 있는 좋은 방법이 될수 있다. 이미지는 부동산 크라우드 펀딩이 어떻게 작동하는지 단순화된 다이어그램을 보여준다. 관련된 플레이어는 크게 네 가지이다. 프로젝트를 위한 자금을 찾고 있는 개발자, 부동산 프로젝트(아파트 건물부터 사무실 건물, 창고까지 모든 것을 포함할 수 있다.), 개발자와 투자자를 연결하는 온라인 플랫폼, 부동산 프로젝트에 투자하려는 투자자등이다. 프로세스는 다음과 같이 작동한다. 개발자는 온라인 크라우드 펀딩 플랫폼에 프로젝트를 제출한다. 플랫폼은 프로젝트를 검토하고 투자자에게 관심이 있을 것으로 판단되는 프로젝트를 선택한다. 플랫폼은 프로젝트에 대한 정보, 투자 기회 및 관련된 위험을 포함하는 각 프로젝트에 대한 프로파일을 생성한다. 투자자는 플랫폼을 탐색하고 관심있는 프로젝트에 투자한다. 프로젝트가 충분한 자금을 모으면 개발자는 공사를 시작할수 있다. 프로젝트가 완료되면 개발자는 부동산에서 수익을 창출하기 시작합니다. 이 수익은 투자자에게 투자 수익을 지불하는 데 사용된다. 부동산 크라우드 펀딩은 비교적 새로운 투자 옵션이며 성공의 보장이 없다는 것을 기억해야 한다. 투자자들은 어떤 부동산 크라우드 펀딩 프로젝트에도 투자하기 전에 관련된 모든 위험을 신중하게 고려해야 한다.

는 사용 가능한 투자 기회를 탐색하고 실사를 수행하며 투자 성과를 추적할 수 있다. 또한 자산 관리 업무를 처리하고 투자자에게 정기적인 업데이트 및 보고를 제공하여 투자 프로세스를 단순화하였다. 전반적으로 부동산 크라우드펀딩 플랫폼은 부동산 투자를 대중화하여 개인이 포트폴리오를 다양화하고 상대적으로 낮은 자본 요건으로 부동산 소유의 잠재적 이점에 접근할 수 있도록 했다.

(2) 비거래 리츠(Non-Traded REITs)

비거래 리츠는 투자자들에게 주식 공개 거래소의 변동성을 우회하면서 부동산 자산에 접근할 수 있는 대안적 경로를 제공한다. 리츠(REITs, Real Estate Investment Trust)는 오피스 빌딩, 상가, 아파트 단지 등 소득이 발생하는 부동산 자산을 소유·운영하는 기업이다. 비거래 리츠는 공개 증권거래소에 상장되지 않고 브로커-딜러 또는 온라인 플랫폼을 통해 투자자에게 직접 주식을 제공한다. 이러한 리츠는 일반적으로 전통적인 리츠에 비해 최소 투자 요건이 낮아 개인 투자자들의 접근성이 용이하다. 비거래 리츠에 투자함으로써 개인은 부동산을 직접 관리할 필요 없이 다양한 부동산 자산 포트폴리오에 노출될 수 있다. 리츠는 과세대상 소득의 90% 이상을 주주들에게 분배하도록 요구되어 잠재적인 소극적 소득의 원천을 제공하고 있다.

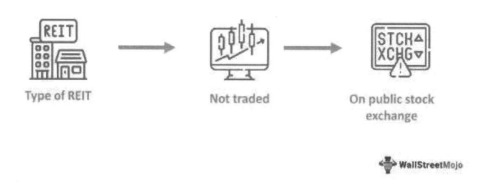

[그림 33] 비거래 리츠
출처 : https://www.wallstreetmojo.com/non-traded-reit/

첫째, 부동산자산 직접투자(Direct Investment in Real Estate Assets)로 무거래 리츠는 투자자의 자본을 모아 소득을 창출하는 부동산자산 포트폴리오를 취득하고 관리한다. 이러한 자산은 사무실 건물, 쇼핑센터, 호텔, 아파트 단지 등 광범위한 부동산을 포함할 수 있다.

둘째, 접근성(Accessibility)으로 증권거래소에서 사고파는 상장리츠와 달리 비상장리츠는 증권사나 온라인 플랫폼을 통해 투자자에게 직접 제공된다. 이들은 일반적으로 최소 투지 요건이 낮이 전통적인 부동산에 직접 투자할 자본이 없을 수 있는 개인 투자자들이 보다 쉽게 접근할 수 있다.

셋째, 다변화 가능성(Potential for Diversification)으로 비거래 리츠에 투자하면 개인이 다양한 부문과 지리적 위치에 걸쳐 다양한 부동산 자산 포트폴리오에 노출될 수 있다. 이러한 다각화는 단일 부동산 또는 소수의 부동산에 투자하는 것에 비해 위험을 줄이는 데 도움이 될 수 있다.

넷째, 패시브 인컴(Passive Income)으로 비거래 리츠는 법적으로 과세대상 소득의 90% 이상을 주주들에게 배당해야 한다. 이는 투자자들에게 잠재적인 패시브 인컴의 원천을 제공하며, 이는 투자로부터 정기적인 현금흐름을 추구하는 사람들에게 특히 매력적일 수 있다.

다섯째, 유동성 부족(Lack of Liquidity)으로 비거래 리츠의 주요 단점 중 하나는 유동성 부족이다. 증권거래소에서 언제든지 사고팔 수 있는 상장 리츠와는 달리 비거래 리츠는 일반적으로 환매 옵션이 제한적이다. 투자자들은 주식을 팔 수 있기까지 몇 년 동안 보유해야 할 수도 있고, 그 때에도 환매 절차가 복잡하여 주가에 상당한 수수료나 할인 혜택을 줄 수도 있다.

여섯째, 잠재적 위험(Potential Risks)으로 다른 투자와 마찬가지로 비거래 리츠도 자체적으로 일련의 위험을 동반한다. 여기에는 부동산 가치, 점유율 및 임대 수익의 변동과 같은 기초 부동산 자산과 관련된 위험이 포함될 수 있다. 또한 높은 수수료, 이해 상충 및 잠재적 투명성 부족과 같은 리츠 자체의 구조에 고유한 위험이 있을 수 있다.

전반적으로 비거래 리츠는 소득창출과 포트폴리오 다변화 가능성이 있는 부동산 사신에 대인 노출을 추구이는 두자지들에게 적합한 선택지가 될 수 있다. 다만 투자자들은 투자를 결정하기 전에 이러한 투자와 관련된 위험과 단점을 신중하게 고려해야 한다. 부동산 투자를 전문으로 하는 재무자문사와 상담하는 것도 개별 투자 목표에 대한 비거래 리츠의 적합성과 위험감내성을 평가하는 데 유익할 수 있다.

(3) 조각 부동산 투자(Fractional Real Estate Investing)

조각 부동산 투자는 개인에게 더 적은 자본으로 부동산에 투자할 수 있는 기회를 열어주었다. 조각 부동산 투자 플랫폼을 통해 개인은 임대 주택, 상업용 건물 또는 휴양 주택과 같은 특정 부동산의 부분 소유 지분을 구입할 수 있다. 부동산은 여러 주식으로 나뉘며 각 투자자는 총 가치의 일정 비율을 소유한다. 이 접근법은 투자자들이 부동산 가치 전체 대신 각자의 몫만 지불하면 되기 때문에 부동산 투자에 필요한 자본을 크게 줄인다. 플랫폼은 자산 관리, 임차인 심사 및 유지 관리를 처리하므로 개인 투자자에게 보나 수동적인 투자가 가능하다. 투자자는 잠재적으로 소유 지분에 비례하는 임대 수익을 얻을 수 있고 잠재적인 부동산 가치 상승의 혜택을 받을 수 있다.

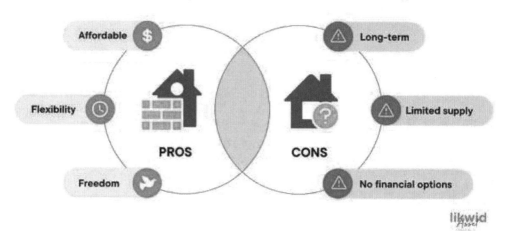

[그림 34] 조각 부동산 투자
출처 : https://blog.ebric.io/[24]

---

24) 장점 #1: 부분 투자는 금전 친화적이다. 부분 소유권은 전통적인 투자의 판도를 바꿔 재정적 부담을 과거의 일로 만든다. 이러한 부분 소유권 방법은 포트폴리오를 번성하고 다양화하려는 개인 투자자에게 엄청난 잠재력을 가지고 있다. 이는 실제 자산을 저렴하게 만들 뿐만 아니라 소유권에 쉽게 접근할 수 있는 독특한 기회를 제공한다. 부분 소유권을 통해 개인은 투자를 늘리고 재정적 지평을 확장할 수 있는 힘을 진정으로 활용할 수 있다. 장점 #2: 유연한 투자로 부분 소유권의 가장 큰 장점 중 하나는 고유한 유연성이다. 일반적으로 중개인 및 세금이 포함되는 전통적인 부동산 투자 와 달리 부분 소유권은 이러한 부담스러운 복잡성을 제거한다. 실제로 간편하고 번거롭지 않은 경험을 제공하므로 세금과 중개인의 필요성을 우회하면서 이익을 쉽게 현금화할 수 있다. 부분 소

첫째, 부분소유로 투자자는 전체 부동산을 구매하는 대신 특정 부동산의 부분소유 지분을 구매할 수 있다. 이는 부동산이 주식으로 분할되고 투자자는 부동산 가치의 일정 비율을 소유하면서 이 중 하나 이상의 주식을 구매할 수 있음을 의미한다.

둘째, 자본요구사항 하향으로 부동산 투자는 부동산 투자에 필요한 자본을 상당히 감소시킨다. 투자자들은 부동산을 완전히 사는 것에 비해 훨씬 적은 투자로 시장에 진입할 수 있다. 이리한 접근성은 부동산 투자를 민주화하고 자본이 제한된 개인도 시장에 참여할 수 있게 한다.

셋째, 패시브 투자로 부동산 투자 플랫폼은 일반적으로 부동산 관리, 임차인 심사, 임대료 징수 및 유지 관리를 투자자를 대신하여 처리한다. 이는 직접 부동산을 소유하고 관리하는 것에 비해 수동적인 투자가 된다. 투자자는 일상적인 관리 작업의 번거로움 없이 부동산 소유의 이점을 누릴 수 있다.

넷째, 임대 소득 및 부동산 감사로 투자자는 잠재적으로 부동산에 대한 소유 지분에 비례하는 임대 소득을 얻을 수 있다. 이 소득은 안정적인 현금 흐름을 제공할 수 있다. 또한 투자자는 시간이 지남에 따라 부동산 가치가 상승함에 따라 부동산 가치 상승의 혜택을 받을 수 있다. 부동산이 매각되면 투자자는 부분 소유 지분의 평가에 따라 자본 이득을 실현할 수 있다.

유권을 통해 이전과는 비교할 수 없는 유동성과 편리함의 이점을 누릴 수 있다. 장점 #3: 번거로움 없는 부동산 투자로 부분 소유권은 여러 면에서 기존 부동산 투자와 유사하다. 여전히 임대 소득과 부동산 가치 상승의 혜택을 누릴 수 있는 기회가 있다. 그러나 부분 투자의 장점은 전통적인 책임의 상당 부분을 제거한다는 사실에 있다. 더 이상 집주인의 역할을 맡거나 임차인 관리를 처리하거나 세금 및 유지 관리에 대한 재정적 부담을 짊어질 필요가 없다. 부분 소유권을 가지면 이러한 의무로부터 해방되어 자유로움과 편리함을 누릴 수 있다. 단점 1: 안정적인 투자는 장기적인 게임이다. 부동산 투자에 있어서는 장기적인 게임이라는 점을 인식하는 것이 중요하다. 집주인은 임대료 징수를 통해 수입을 창출하지만, 장기간에 걸쳐 발생하는 경향이 있는 부동산 평가에서 상당한 이익을 얻는 경우가 많다. 따라서 보다 투기적인 투자를 선호하고, 급격한 시장가치 변화에 따른 수익을 추구한다면 이러한 특성은 단점으로 비춰질 수도 있다. 단점 2: 부분 자산의 제한된 가용성이다. 부분 소유권의 세계에서는 인기 있고 인기가 높은 자산이 높은 수요나 입소문으로 인해 빠르게 매진될 수 있다. 부분 투자의 경제성(최저 100달러에 사용 가능한 자산 포함)을 고려할 때 경계심을 유지하고 주의 깊게 관찰하는 것이 중요하다. 이렇게 하면 탁월한 투자 기회를 포착하고 잠재적으로 수익성이 높은 벤처 기업을 놓치지 않을 수 있다. 단점 #3: 제한된 금융 옵션이다. 이 투자 모델의 매우 저렴한 특성으로 인해 기존 은행은 일반적으로 부분 소유권에 대한 대출이나 모기지를 제공하지 않는다. 이는 추가 부채가 필요하지 않기 때문에 긍정적인 측면으로 보일 수 있지만 일부 개인은 이를 단점으로 볼 수도 있다. 그들은 잠재적인 세금 인센티브, 혜택 및 기존 대출 채널을 통해 신용 점수를 쌓을 수 있는 기회를 놓칠 수 있다.

다섯째, 다양화로 조각 부동산 투자는 투자자들이 서로 다른 위치와 자산 계층에 걸쳐 여러 부동산의 주식을 소유함으로써 부동산 포트폴리오를 다양화할 수 있도록 한다. 이러한 다양화는 위험을 확산시키고 단일 부동산 또는 시장에 대한 노출을 줄이는 데 도움이 될 수 있다.

여섯째, 잠재적 위험으로 부동산 부분 투자는 많은 이점을 제공하지만 잠재적 위험을 고려하는 것은 필수적이다. 여기에는 부동산 가치, 임대 수익 및 점유율의 변동과 수수료, 유동성 제약 및 규제 준수와 같은 플랫폼 자체와 관련된 위험이 포함될 수 있다.

전반적으로, 부동산 부분 투자는 자본 요구 사항이 적고 관리 책임이 적은 부동산에 투자하려는 개인에게 매력적인 선택이 될 수 있다. 그러나 투자자는 투자 결정을 내리기 전에 철저한 조사를 수행하고 위험 감수성을 평가하며 특정 부동산과 플랫폼을 신중하게 평가해야 한다. 또한 금융 자문가와 상담하는 것은 부동산 부분 투자의 복잡성을 탐색하는 데 유용한 지침을 제공할 수 있다.

이러한 프롭테크 솔루션을 활용함으로써 다양한 자본 수준을 가진 개인은 이전에 접근할 수 없거나 상당한 초기 자본이 필요했던 부동산 투자에 노출될 수 있다. 그러므로 크라우드 펀딩 플랫폼, 비거래 리츠, 분수 부동산 투자는 프로세스를 대중화하여 더 많은 사람들이 포트폴리오를 다양화하고 수동적인 소득 흐름을 생성하며 잠재적으로 부동산 자산의 잠재적인 가치 상승으로부터 이익을 얻을 수 있도록 했다.

8) 그린 빌딩과 지속가능성 솔루션

프롭테크는 지속가능한 빌딩 관행과 에너지 효율적인 기술의 혁신을 주도하고 있다. 프롭테크 솔루션은 그린 빌딩 인증에서부터 에너지 관리 시스템, 재생에너지 통합에 이르기까지 환경을 고려한 부동산 개발과 운영을 지원한다. 또한, 프롭테크는 실제로 지속 가능한 건축 관행을 주도하고 에너지 효율적인 기술을 부동산 산업에 통합하는 데 중추적인 역할을 한다. 부동산 개발 및 운영에서 PropTech가 환경 의식을 고취하는 데 기여하고 있다.

(1) 녹색건축물 인증(Green Building Certification)
프롭테크 플랫폼은 LEED(Leadership in Energy and Environmental Design)

또는 BREEAM(Building Research Setup Environmental Assessment Method)과 같은 녹색건축물 인증을 쉽게 획득할 수 있다. 이 인증들은 에너지 효율성, 물절약, 실내 공기 질을 포함한 엄격한 환경 성능 기준을 충족하는 건축물을 인정한다. 프롭테크 솔루션은 지속 가능성 기준 준수를 보장하기 위해 데이터 수집, 분석 및 보고를 위한 도구를 제공함으로써 인증 프로세스를 간소화한다.

[그림 35] LEED(Leadership in Energy and Environmental Design)
출처 : https://www.linkedin.com/pulse/

프롭테크는 소프트웨어 플랫폼은 건물 소유자에게 인증 프로세스를 안내하고, 진행 상황을 추적하고, 개선할 영역을 식별할 수 있다. 이것은 프로세스를 단순화할 뿐만 아니라 건물이 최고의 지속 가능성 기준을 충족하도록 보장한다.

(2) 에너지 관리 시스템(Energy Management Systems)

프롭테크는 건물 내 에너지 소비를 실시간으로 모니터링, 분석 및 최적화할 수 있는 혁신적인 에너지 관리 시스템을 제공한다. 이 시스템은 IoT(Internet of Things) 센서, 스마트 미터 및 데이터 분석 알고리즘을 활용하여 에너지 비효율성을 식별하고 에너지 사용 패턴을 추적하며 에너지 절약 조치를 자동으로 구현한다.

프롭테크 솔루션은 에너지 사용을 최적화함으로써 건물 소유자와 세입자의 탄소 배출량을 줄이고 운영 비용을 낮추는 데 도움이 된다.

점유율에 따라 조명과 온도를 조절하는 건물을 상상해보라. 프롭테크는 이를 현실화한다. 센서가 실시간 사용량을 감지하고 HVAC 시스템의 조정을 트리거하여 에너지 낭비를 크게 줄인다. 예를 들어, "컴피"라는 회사는 입주자 선호도를 학습하고 냉난방을 자동으로 최적화하여 최대 30%의 에너지 절감 효과를 가져오는 스마트 건물 관리 시스템을 제공한다.

(3) 재생에너지 통합(Renewable Energy Integration)

프롭테크는 부동산 개발에 태양전지판, 풍력터빈, 지열시스템 등 재생에너지원의 통합을 용이하게 한다. 프롭테크 플랫폼은 재생에너지 프로젝트의 타당성을 평가하고, 에너지 생성 가능성을 모델링하며, 최대 효율을 위한 시스템 설계를 최적화하는 도구를 제공한다. 부동산 이해관계자들은 재생에너지를 활용함으로써 화석연료에 대한 의존도를 낮추고, 환경 영향을 완화하며, 지속가능성 목표를 달성할 수 있다. 스마트 시스템은 이러한 에너지원으로부터 에너지 생산을 모니터링하고 그에 따라 건물 전력 소비를 조정할 수 있다. 썬루프(SunRoof)와 같은 플랫폼은 주택 소유자가 태양 에너지 생산을 추적하고, 가정 내 에너지 사용을 최적화하며, 초과 전력을 그리드에 다시 판매할 수 있도록 한다.

(4) 스마트 빌딩 기술(Smart Building Technologies)

프롭테크는 에너지 효율과 지속 가능성을 향상시키는 광범위한 스마트 빌딩 기술을 포함한다. 이러한 기술에는 스마트 온도 조절 장치, 자동화된 조명 제어, 점유 센서 및 빌딩 자동화 시스템이 포함된다. 프롭테크 솔루션은 IoT 연결 및 데이터 분석을 활용하여 빌딩 운영을 최적화하고, 거주자의 편안함을 개선하며, 에너지 낭비를 최소화한다.

프롭테크는 설계 단계에서 BIM(Building Information Modeling) 소프트웨어를 활용해 건물의 3D 모델을 개발한다. 이 모델들은 햇빛 노출과 자연 환기와 같은 요소들을 고려해 건축가들이 처음부터 건물의 에너지 효율을 최적화할 수 있도록 해준다. 또한 BIM은 다양한 조건에서 에너지 사용을 시뮬레이션할 수 있어, 공사를 시작하기도 전에 개선해야 할 부분을 파악하는 데 도움이 된다.

(5) 가상 설계 및 건설(VDC, Virtual Design and Construction)

프롭테크 플랫폼은 가상 설계 및 건설 프로세스를 용이하게 하여 부동산 개발자들이 초기 설계 단계부터 환경적으로 지속 가능한 건물을 만들 수 있도록 한다. VDC 도구를 사용하면 이해 관계자들이 건물 설계를 시각화하고 성능 지표를 시뮬레이션하며 건설을 시작하기 전에 자원 활용을 최적화할 수 있다. 프롭테크는 설계 프로세스에 지속 가능성 원칙을 통합함으로써 환경 영향을 최소화하고 부동산 프로젝트의 장기적인 지속 가능성을 높이는 데 도움이 된다.

(6) 마이크로그리드 관리 시스템

건물이나 지역사회 내에서 태양열과 풍력 같은 재생 가능한 자원을 혼합하여 가동하는 미니그리드 시스템이다. 프롭테크 시스템은 이 복잡한 설정을 관리하여 효율적인 에너지 분배와 저장을 보장하고 전통적인 에너지원에 대한 의존도를 더욱 낮춘다. BIM(Building Information Modeling) 등을 이용하여 3D 모델링 소프트웨어를 사용하면 설계 단계 초기에 건축가, 엔지니어 및 건설 팀이 협력하고 잠재적인 환경 문제를 파악할 수 있다. BIM은 인공 조명 및 냉각 시스템에 대한 의존을 최소화하면서 자연광 및 환기를 위한 건물 레이아웃을 최적화하는 데 도움이 될 수 있다. 또한, 지속 가능한 재료 선택 플랫폼을 활용한다. 이러한 프롭테크 도구는 다양한 건축 재료의 환경 영향에 대한 데이터를 제공한다. 개발자가 재활용 콘텐츠 또는 현지에서 조달한 재료와 같은 친환경 옵션을 선택할 수 있도록 도와 건물의 탄소 발자국을 줄인다. 스마트 관개 시스템을 활용한다. 이 시스템은 센서를 사용하여 토양 수분을 모니터링하고 물주기 일정을 자동으로 조정한다. 이것은 과도한 물주기를 방지하고 물을 절약하며 더 건강한 식물을 촉진한다. 폐기물 관리를 모니터링한다. 프롭테크를 사용하면 폐기물 발생 및 유형을 실시간으로 추적할 수 있다. 이 데이터는 폐기물 수집 일정을 최적화하고 건물 내 재활용 계획을 장려하는 데 사용할 수 있다.

전반적으로 프롭테크는 지속 가능한 건축 관행을 개선하고 환경을 고려한 부동산 개발 및 운영을 촉진하는 데 중요한 역할을 한다. 프롭테크는 혁신적인 기술과 데이터 기반 솔루션을 활용하여 이해 관계자들이 현재와 미래 세대를 위해 더 에너지 효율적이고 자원 효율적이며 환경적으로 지속 가능한 건축 환경을 만들 수 있도록 지원한다.

<썬루프(SunRoof)>

특히 주거용 및 상업용 부동산을 위한 태양 에너지 솔루션에 초점을 맞춘 썬루프와 같은 플랫폼이 프롭테크 혁신의 선두에 있다. 썬루프와 이와 유사한 플랫폼이 지속 가능한 건축 관행과 에너지 효율적인 기술에 기여하는 방식은 다음과 같다.

1. 태양광 에너지 평가

SunRoof는 위성 이미지, AI 알고리즘 및 3D 모델링을 활용하여 개별 옥상의 태양광 잠재력을 평가한다. SunRoof는 지붕 방향, 기울기, 음영 및 지역 날씨 패턴과 같은 요소를 분석하여 태양광 패널 설치의 가능성을 정확하게 판단하고 잠재적인 에너지 생성을 추정할 수 있다.

[그림 36] SunRoof
출처 : https://sunroof.se/our-completed-projects/

2. 태양광 패널 설치

SunRoof는 설계, 계획부터 설치 및 유지보수에 이르기까지 태양 전지판 설치를 위한 엔드 투 엔드 솔루션을 제공한다. 이 플랫폼은 지붕 모델링, 에너지 수율 추정 및 비용 분석을 위한 온라인 도구를 제공함으로써 태양열로 가는 과정을 간소화한다. 사용자는 에너지 요구, 예산 및 미적 선호도에 따라 태양열 시스템을 사용자 지정할 수 있다.

3. 가상태양광발전소

SunRoof의 가상태양광발전소 개념은 주택 소유자가 옥상에서 청정 에너지를 생성하고 초과 전력을 그리드에 다시 판매할 수 있도록 한다. SunRoof는 여러 가구와 상업용 부동산에서 생산된 태양 에너지를 집적함으로써 재생 에너지 생성과 그리드 안정성에 기여하는 분산 에너지 네트워크를 생성한다.

4. 에너지 관리 및 모니터링

SunRoof의 플랫폼은 실시간 에너지 모니터링, 소비 추적 및 성능 분석을 위한 기능을 포함한다. 사용자는 직관적인 대시보드를 통해 태양 에너지 생산, 전기 사용 및 비용 절감을 모니터링할 수 있다. 에너지 사용 패턴과 시스템 성능에 대한 통찰력을 제공함으로써 SunRoof는 사용자가 에너지 소비를 최적화하고 태양 에너지 투자 수익을 극대화하도록 돕는다.

5. 환경영향 저감

썬루프와 같은 플랫폼은 태양 에너지의 도입을 촉진하고 화석 연료에 대한 의존도를 줄임으로써 기후 변화를 완화하고 환경 영향을 줄이는 데 기여한다. 태양 에너지는 온실 가스나 유해 오염 물질을 배출하지 않고 전기를 생산하는 청정 재생 가능한 자원으로, 지속 가능한 건축 관행과 에너지 전환 노력의 핵심 요소이다.

전반적으로 썬루프와 같은 플랫폼은 지속 가능한 건축 관행을 개선하고 재생 가능한 에너지 기술의 도입을 가속화하는 데 중요한 역할을 한다. 이러한 플랫폼은 개인과 기업이 기술, 데이터 분석 및 혁신적인 비즈니스 모델을 활용하여 태양 에너지의 힘을 활용하고 보다 지속 가능하고 탄력적인 에너지 미래로 전환할 수 있도록 지원한다.

<BIM(Building Information Modeling)>

BIM(Building Information Modeling)은 건물 및 인프라를 효율적으로 계획, 설계, 시공 및 관리하는 데 사용할 수 있는 장소의 물리적 및 기능적 특성을 디지털로 표현한 것이다. 빌딩 정보 모델링(Building information modeling, BIM)은 어느 장소의 물리적, 기능적 특징들의 디지털 표현들을 생성, 관리하는 프로세스이다. BIMs(Building information models)는 건물이나 기타 건축 자산과 관련한 의사 결정을 지원하기 위해 추출, 교환, 네트워크화할 수 있는 파일들(반드시 사유 데이터를 포함하거나 꼭 사유 포맷만은 아님)이다. 현재의 BIM 소프트웨어는 물, 전기, 가스, 통신 시설, 도로, 다리, 터널 등의 다양한 하부구조들을 계획, 설계, 건축, 운영, 관리하는 개인, 사업체, 정부 기관이 사용한다.

BIM의 개념은 1970년대부터 존재하여 왔다. 오늘날 쓰이는 BIM의 관점에서 "빌딩 모델"이라는 용어는 1980년대 중순에 논문에 처음 사용되었다. 1985년 논문에서 사이먼 러플(Simon Ruffle)이 1986년 게시하였고, 나중에 1986년 논문에서 당시 RUCAPS 소프트웨어의 개발자로서 GMW 컴퓨터에서 일했던 로버트 아이시(Robert Aish)가 런던의 히드로 국제공항에 소프트웨어를 사용하면서 언급하였다. "빌딩 정보 모델"(Building Information Model)이라는 용어는 G.A. van Nederveen과 F. P. Tolman이 쓴 1992년 논문에 처음 등장하였다.

1. 계획 및 설계 단계

건축 디자인에서 건축가들은 BIM 소프트웨어를 사용하여 벽, 바닥, 창문, 그리고 문과 같은 다양한 디자인 요소를 통합하여 건물의 3D 모델을 만든다. 예를 들어, 오토데스크 레빗 (Autodesk Revit)[25]을 사용하여 건축가는 자연 채광 및 환기와 같은 에너지 효율적인 기능을 갖춘 지속 가능한 사무실 건물을 디자인할 수 있다.

구조 분석에서 구조 엔지니어는 BIM을 활용하여 건물의 구조적 무결성을 분석하고 공사를 시작하기 전에 잠재적인 문제를 파악한다. 예를 들어, Tekla Structures[26]를 사용하여 엔지니어는 하중 시뮬레이션을 수행하고 고층 건물이

---

25) 오토데스크 레빗(Autodesk Revit)은 건축가, 풍경 아키텍트, 구조 공학자, 기계, 전기, 배관 공학자, 디자이너, 계약자들을 위한 빌딩 정보 모델링 소프트웨어 도구이다. 오리지널 소프트웨어는 1997년 설립된 찰스 리버 소프트웨어(2000년에 레빗 테크놀로지 코퍼레이션으로 개명)가 개발하였다가 2002년 오토데스크에 인수되었다. 이 소프트웨어를 통해 사용자는 빌딩 및 구조, 그리고 3차원 모델링의 컴포넌트의 설계가 가능하고 2D 초안 요소로 모델의 어노테이션이 가능하며 빌딩 모델의 데이터베이스로부터 빌딩 정보 접근이 가능하다.
26) Tekla Structures는 강철, 콘크리트, 목재, 유리 등 다양한 종류의 건축 자재를 통합한 구조를 모델링할 수 있는 건축 정보 모델링 소프트웨어이다. Tekla를 사용하면 구조 제도 담당자와 엔지니어가 3D 모델링을 사용하여 건물 구조와 구성 요소를 설계하고, 2D 도면을 생성하고, 건물 정보에 액세스할 수 있다. Tekla Structures는 이전에 Xsteel(Unix GUI의 기초인 X Window System의 X)로 알려져 있었다. Tekla Structures는 건설 업계의 철골 및 콘크리트 상세 설계, 프리캐스트 및 현장 타설에 사용된다. 이 소프트웨어를 통해 사용자는 콘크리트 또는 강철로 3D 구조 모델을 생성 및 관리할 수 있으며 개념부터 제작까지의 프로세스를 안내한다. 상점 도면 작성 프로세스가 자동화되었다. 다양한 구성과 현지화된 환경에서 사용할 수 있다.

바람과 지진력을 견딜 수 있는지 확인할 수 있다.

기계, 전기 및 배관(MEP) 설계에서 MEP 엔지니어는 건축가 및 구조 엔지니어와 협력하여 기계, 전기 및 배관 시스템을 BIM 모델에 통합한다. 엔지니어는 트림블 MEP와 같은 소프트웨어를 사용하여 에너지 효율과 탑승자의 편안함을 최적화하는 HVAC 시스템, 전기 레이아웃 및 배관 구성을 설계할 수 있다.

2. 공사단계

조정 및 충돌 감지에서 일반 시공자는 BIM을 사용하여 시공 활동을 조정하고 서로 다른 건물 구성 요소 간의 충돌을 감지한다. 예를 들어, 시공자는 Navisworks[27]를 사용하여 구조 요소와 MEP 시스템 간의 충돌을 파악하여 비용이 많이 드는 재작업 및 시공 중 지연을 방지할 수 있다. Construction Sequencing에서 프로젝트 관리자는 BIM 모델을 기반으로 건설 일정 및 시퀀스를 생성하여 리소스 활용 및 워크플로우 효율성을 최적화한다. 관리자는 Synchro PRO와 같은 도구를 사용하여 건설 시퀀스를 4D로 시각화하고 잠재적인 스케줄링 충돌이나 병목 현상을 파악할 수 있다. 수량 이륙 및 비용 추정에서 추정기는 BIM을 활용하여 자재 및 노동에 대한 정확한 수량 이륙 및 비용 추정치를 생성한다. 예를 들어, 추정기는 CostX[28]를 사용하여 BIM 모델에서 수량을 추출하고 예산 및 조달 목적으로 상세

---

27) Navisworks는 오토데스크가 AEC(Architecture, Engineering, and Construction) 산업을 위해 특별히 개발한 3D 소프트웨어이다. BIM(Building Information Modeling) 소프트웨어의 범주에 속하며 다양한 설계 분야의 3D 모델을 검토하고 조정하는 데 사용된다. Navisworks는 서로 다른 모델 결합할 수 있다. Navisworks를 사용하면 서로 다른 소프트웨어 프로그램으로 만든 3D 모델을 가져와 하나의 통합 모델로 결합할 수 있다. 이를 통해 프로젝트 전체를 시각화하고 서로 다른 설계 요소 간의 잠재적 충돌이나 충돌을 쉽게 식별할 수 있다. 그리고 검토 및 분석이 가능하다. Navisworks를 사용하면 3D 모델을 자세히 검토하고 탐색하며 측정할 수 있으며, 서로 다른 건물 구성 요소 간의 중복이나 충돌을 식별하는 데 도움이 되는 충돌 감지 도구도 제공한다. 조정 및 커뮤니케이션도 가능하다. Navisworks는 다양한 분야의 모델을 결합할 수 있기 때문에 건축가, 엔지니어 및 계약자 간에 더 나은 의사소통과 협업을 촉진한다. 모든 사람이 중앙 모델에서 작업하기 때문에 오해와 재작업을 줄일 수 있다. 4D 및 5D BIM도 가능하다. Navisworks는 3D 모델을 프로젝트 스케줄 및 비용 데이터와 연결하여 4D BIM(시간 스케줄링) 및 5D BIM(비용 추정)에 사용할 수 있다. 이를 통해 건설 프로세스를 시뮬레이션하고 잠재적인 지연 또는 비용 초과를 식별할 수 있다. 또한, 무료 뷰어 제공이다. 오토데스크는 Navisworks Freedom이라는 Navisworks 버전을 무료로 제공한다. 이 뷰어를 사용하면 3D 모델을 열고 탐색할 수 있지만 유료 버전의 일부 고급 기능이 부족하다.

28) CostX는 RIB Software가 개발한 구축 추정 소프트웨어이다. 2D 및 3D 추정을 모두 처리할 수 있는 것으로 알려져 있어 다양한 프로젝트 단계에 다용도로 사용될 수 있는 도구이다. CostX를 자세히 살펴보면 다음과 같은 특징이 있다. 최강 견적제공으로 CostX는 프로젝트에 필요한 재료, 노동력, 장비를 자세히 설명하는 BOQ(bills of

한 비용 보고서를 생성할 수 있다.

3. 운영 및 유지보수 단계

설비 관리에서 건물 소유자 및 설비 관리자는 BIM을 사용하여 유지 보수, 수리 및 공간 활용과 같은 설비 관리 작업을 능률적으로 수행한다. Autodesk BIM 360 Ops[29]와 같은 소프트웨어를 사용하면 관리자는 디지털 건물 매뉴얼에 액세스하고 장비 유지 보수 일정을 추적하며 작업 주문을 보다 효율적으로 관리할 수 있다. 또한, 에너지 성능 모니터링에서 소유자는 BIM 통합 에너지 관리 시스템을 사용하여 건물의 에너지 성능을 모니터링할 수 있다. 예를 들어, EcoDomus[30]를 사용하

---

quantities)를 만드는 데 탁월하다. 이는 계약자가 프로젝트 비용을 정확하게 추정하고 입찰을 생성하는 데 도움이 된다. 2D 및 BIM 통합으로 CostX는 2D 도면과 3D BIM 모델을 모두 사용할 수 있다. 2D 도면에서 직접 수량을 추출하거나 BIM 모델과 연동하여 자동으로 이륙을 생성하여 시간을 절약하고 오류를 줄일 수 있다. 상세한 원가내역으로 CostX를 사용하면 종합적인 원가내역을 확인할 수 있다. 자재비, 인건비, 장비임대료, 심지어 간접비까지 고려하여 사업비를 명확하게 파악할 수 있다. 협력 친화적으로 CostX는 다른 건설 소프트웨어와 통합되어 견적가, 프로젝트 관리자 및 기타 이해 관계자 간의 협력을 촉진한다. 교육 프로그램에서 RIB Software는 CostX를 위한 교육 프로그램을 제공하므로 건설 견적에 중점을 둔 대학 및 교육 기관에서 인기 있는 선택이다. 모바일 앱 가용성에서 iOS 기기에서 사용할 수 있는 "CostX - Work, Cost & Product"라는 모바일 앱이 있다. 기능에 대한 정보는 제한적이지만, 이동 중 비용 추적이나 데이터 액세스의 가능성을 시사한다. CostX에 대한 보다 자세한 내용은 RIB Software 공식 웹사이트 ([https://www.rib-software.com/en/])를 방문하거나 온라인에서 튜토리얼 또는 사용자 가이드와 같은 리소스를 검색할 수 있다.

29) Autodesk BIM 360 Ops는 빌딩 운영에 집중한다. 모바일 우선 접근 방식으로 Autodesk BIM 360 Ops는 모바일 사용성을 우선시하여 시설 관리자와 유지 보수 직원이 이동 중에도 건물 정보에 접근하고 업데이트할 수 있도록 지원한다. 이는 작업자가 모바일 기기에 크게 의존하는 오늘날의 환경에서 매우 중요하다. 향상된 핸드오버 경험으로 BIM 360 Ops는 BIM 모델의 귀중한 데이터를 운영 단계로 가져와 설계 단계와 시공 단계 사이의 격차를 해소한다. 이를 통해 핸드오버 프로세스가 간소화되고 시설 관리자는 처음부터 중요한 정보를 얻을 수 있다. 효율적인 자산 및 유지보수 관리로 소프트웨어는 장비, 시스템 및 공간을 포함한 건물 자산을 쉽게 관리할 수 있다. 사용자는 작업 주문을 작성하고, 유지보수 요청을 추적하고, 예방적 유지보수 작업을 예약할 수 있다. 이는 효율적인 건물 운영을 촉진하고 자산의 수명을 연장하는 데 도움이 된다. 의사소통 및 협업 강화로 BIM 360 Ops는 시설 관리자, 유지보수 팀 및 기타 이해 관계자 간의 의사소통을 촉진한다. 관련된 모든 사람이 동일한 중앙 집중식 플랫폼에 액세스하여 정보를 얻을 수 있으므로 혼란을 줄이고 협업을 개선할 수 있다. 고려해야 할 추가 기능으로 데이터 시각화로 BIM 360 Ops는 대시보드 및 보고서와 같은 데이터 시각화 도구를 제공하여 구축 성능 및 유지보수 추세에 대한 통찰력을 제공할 수 있다. 시스템 통합에서 BIM 360과 같은 다른 오토데스크 건설 관리 소프트웨어와 잠재적으로 통합되어 건물 라이프사이클을 보다 전체적으로 파악할 수 있다. Autodesk BIM 360 Ops 웹사이트: https://ops.bim360ops.com/)

30) EcoDomus는 BIM 및 Digital Twins 연결로 EcoDomus는 BIM과 관련된 소프트웨어

면 소유자는 BIM 모델의 에너지 소비 데이터를 분석하고 복고 또는 운영 개선을 통해 에너지 절감 기회를 확인할 수 있다.

Lifecycle Asset Management(LAM)에서 BIM을 사용하면 소유자는 설계 및 건설에서 해체에 이르기까지 자산 구축의 라이프사이클을 추적할 수 있다. FMX(Facility Management eXperience)[31]와 같은 플랫폼을 사용하면 소유자는

솔루션이다. BIM은 건물의 물리적, 기능적 특성을 지닌 디지털 표현을 만드는 것을 포함한다. 디지털 트윈(digital twins)은 물리적 자산의 가상 복제품으로, 실시간 데이터를 사용하여 물리적 상대방의 성능을 미러링한다. EcoDomus가 건물의 라이프사이클 전반에 걸쳐 BIM 데이터를 관리하고 시각화하는 역할을 수행하여 잠재적으로 디지털 트윈을 생성할 수 있다. 그러므로 COBIE 데이터 관리로 COBIE(건설 운영 건물 정보 교환)는 BIM 모델과 설비 관리 소프트웨어 간의 정보 교환에 사용되는 데이터 형식이다. 일부 소식통은 EcoDomus가 COBIE 데이터의 수집, 검증 및 편집에 사용되어 설계에서 운영까지 원활한 핸드오버를 보장할 수 있다. 3D 데이터 시각화로 EcoDomus는 3D 인터페이스에서 BIM 데이터를 시각화하는 기능을 제공하여 사용자가 가상 건물 모델을 탐색하고 설계에 대한 통찰력을 얻을 수 있도록 할 수 있다. 다른 플랫폼과의 통합에서 지멘스나 슈나이더 일렉트릭과 같은 회사의 플랫폼에서 에코도머스가 사용되고 있다. 이는 보다 포괄적인 워크플로우를 위해 다른 AEC(건축, 엔지니어링 및 건설) 소프트웨어와의 잠재적인 통합을 가능하게 한다. https://primepmo.com/ecodomus/

31) 라이프사이클 자산 관리(LAM)에서 FMX(Facility Management eExperience)는 매우 중요한 툴이다. FMX와 LAM에서의 역할에서 시설 자산에 집중한다. FMX(Facility Management eExperience)는 시설 내 자산 관리를 위해 특별히 설계된 소프트웨어 솔루션으로, LAM(Lifecycle Asset Management) 전략을 구현하는 데 유용한 도구다. 자산 라이프사이클 추적에서 FMX는 취득 및 설치부터 지속적인 유지보수, 수리 및 최종 교체에 이르기까지 라이프사이클 전체에서 자산을 추적하는 데 도움이 된다. 이를 통해 시설 관리자는 자산 활용률을 최적화하고 다운타임을 최소화하며 유지보수 및 투자에 대한 정보에 입각한 결정을 내릴 수 있다. 작업발주관리에서 FMX는 예방적 유지보수, 수리 및 기타 자산과 관련된 작업에 대한 작업발주 작성 및 관리를 용이하게 하며, 이를 통해 유지보수 프로세스를 간소화하고 자산이 기능 및 수명을 유지하는 데 필요한 주의를 받을 수 있도록 한다. 데이터 기반 의사결정에서 FMX는 자산의 성과, 유지보수 비용, 에너지 소비에 대한 데이터를 수집하고 분석하는 기능을 제공할 것으로 예상된다. 이 데이터는 추세를 파악하고 잠재적인 장애를 예측하며 자산 관리 전략에 대한 데이터 기반 의사결정을 내리는 데 사용될 수 있다. 커뮤니케이션 개선에서 FMX는 자산 정보 및 작업 주문을 관리하는 중앙 집중식 플랫폼을 제공하여 시설 직원 간의 커뮤니케이션을 잠재적으로 개선할 수 있다. 이를 통해 협업을 촉진하고 관련된 모든 사람이 최신 정보에 접근할 수 있도록 보장한다. FMX가 LAM 원칙을 보완하는 방법으로 사전 예방적 유지보수로 FMX는 자산 데이터 및 제조업체 권장사항을 기반으로 예방적 유지보수 스케줄링을 가능하게 함으로써 사전 예방적 유지보수 접근 방식을 지원한다. 비용 최적화로 FMX는 유지보수 비용 및 자산 성능을 추적함으로써 유지보수 예산을 최적화하고 자산 수명을 연장할 수 있는 기회를 파악할 수 있도록 지원한다. 지속가능성에서 효율적인 자산관리 및 잠재적인 에너지 소비 감소(FMX 데이터에 의해 추적됨)를 통해 FMX는 보다 지속 가능한 시설 운영에 기여할 수 있다. 또한, FMX는 설비 자산을 위해 설계된 반면, 이를 지원하는 LAM 원칙은 다양한 산업에 걸쳐 다양한 자산 유형에 적용될 수 있다. FMX는 보다 광범위한 LAM 시스템의 한 구성 요소일 수 있으며, 자산과 라이프사이클을 보다 포괄적으로 파악하기 위해 다른 소프트웨어 솔루션과 통합될 가능성이 있다.

자산 정보를 문서화하고, 유지 관리 작업을 예약하며, 데이터 기반 의사 결정을 통해 자산 수명을 연장하고 ROI(Return on Investment)[32]를 극대화할 수 있다.

그러므로 BIM(Building Information Modeling)은 프로젝트를 보다 효율적이고 지속가능하게 계획, 설계, 구성 및 관리하기 위한 협업적이고 데이터가 풍부한 환경을 제공함으로써 건물 및 인프라의 전체 라이프사이클에 혁명을 일으킨다.

---

32) ROI의 응용 프로그램으로 투자 의사결정에서 기업은 ROI를 사용하여 서로 다른 투자 옵션을 비교하고 잠재적인 수익률이 가장 높은 옵션을 선택한다. 프로젝트 성공 평가에서 ROI는 투자된 리소스 대비 달성된 재정적 이익을 측정하여 프로젝트의 효과를 평가하는 데 도움이 된다. 성과 측정에서 ROI는 마케팅 캠페인, 교육 프로그램 또는 초기 투자가 필요한 모든 이니셔티브의 성과를 추적하는 데 사용할 수 있다. ROI의 한계로는 Timeframe에서 ROI는 일반적으로 특정 기간에 집중되므로 장기적인 이점이나 위험을 고려하지 않는다. 비화폐적 요인에서 ROI는 주로 재무적 수익과 관련되며, 브랜드 평판이나 직원 만족도와 같은 다른 잠재적 이점은 무시한다. 무형 비용의 어려움에서 일부 투자의 경우 ROI 계산에 수량화 및 통합하기 어려운 무형 비용(예: 직원 시간)이 발생할 수 있다. 결론적으로 ROI는 정보에 입각한 투자 의사결정 및 프로젝트 성공 평가에 중요한 도구이다. 그러나 투자의 전반적인 가치를 보다 포괄적으로 이해하기 위해서는 투자의 한계를 고려하고 다른 지표와 함께 사용할 필요가 있다.

IV. 프롭테크 글로벌 기업

1. PropertyGuru

PropertyGuru는 동남아 직방으로 동남아 최대의 부동산 전문 기업이다. PropertyGuru는 동남아시아 최고의 1 PropTech 회사이며 3,700만 명 이상의 부동산 구직자가 선호하는 목직지로, 매달 59,000명 이싱의 싱딤원과 온라인으로 연결되어 꿈의 집을 찾는다. PropertyGuru는 290만 개가 넘는 부동산 목록을 통해 부동산을 찾는 사람들에게 힘을 실어준다. 싱가포르, 말레이시아, 태국, 베트남 전역에서 자신 있게 부동산 결정을 내릴 수 있도록 하는 심층적인 통찰력과 솔루션을 제공하는 기업이다.

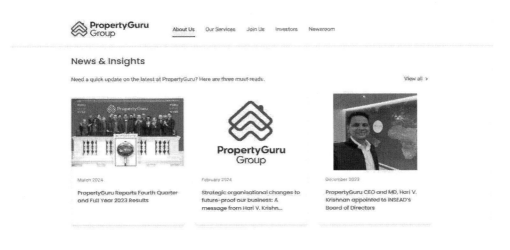

[그림 37] PropertyGuru
출처: PropertyGuru 홈페이지

PropertyGuru.com.sg는 2007년 싱가포르에서 출시된 이후 PropertyGuru 그룹은 동남아시아의 부동산 구직자들에게 부동산 여행을 투명하게 만들어 왔다. 지난 15년 동안 PropertyGuru는 핵심 시장 전반에 걸쳐 주요 부동산 시장과 수상 경력에 빛나는 모바일 앱을 포함한 강력한 포트폴리오를 갖춘 고성장 PropTech 회사로 성장했다. 모기지 시장, PropertyGuru Finance, 홈 서비스 플랫폼, Sendhelper, DataSense, ValueNet, 수상, 아시아 전역의 이벤트 및 출판물을 포함하여 PropertyGuru For Business의 다양한 독점 엔터프라이즈 솔루션을 제공하는 기업이다.

1) PropertyGuru 성공 스토리

PropertyGuru는 우리나라의 직방, 일본의 summo, 미국의 opendoor처럼 부동산을 온라인으로 중개하고 광고하는 플랫폼을 운영하는 회사이다. 일반적으로 플랫폼의 특징은 시장 장악력이 아주 강해서, 일단 업계의 지배자가 되면 자리를 내주지 않는게 특징이다. 그러므로 일단 선점하고 나면 점유율 방어에서 유리한 고지를 선점할 수 있다. 가장 점유율이 높은 회사를 고르는 것이 투자에서 성공확률이 높은 편이듯이 부동산 거래에 있어서 안전성 또한 보장을 받을 수 있다. 그런 의미에서, 동남아에서 압도적 1위를 유지하고 있는 부동산 중개 기업인 PropertyGuru가 있다[33].

이들의 창업스토리는 공동 창립자 Steve Melhuish가 전하는 PropertyGuru 이야기가 있다. Propertyguru의 공동 창립자는 Jani Rautiainen와 Steve Melhuish 이다. 싱가포르 최고의 온라인 부동산 포털인 PropertyGuru는 2007년 5월에 설립되었으며 이듬해 12월에 사이트가 공식적으로 출시되었다. 이 사이트는 여전히 활발히 운영되고 있으며 최근에는 유럽 부동산 포털 그룹인 ImmobilienScout24로부터 6천만 싱가포르 달러 (미화 4,910만 달러) 이상을 모금했다 .

공동 창업자인 Steve Mulhuish는 싱가포르로 이주하여 결국 PropertyGuru 그룹 제국을 설립하게 되었던 시절을 되돌아보면서, 싱가포르에 근무하기 전에는 디지털 미디어 투자 자문 회사와 Cable & Wireless를 포함한 다양한 통신 회사에서 근무하면서 글로벌 팀을 이끌었다. 싱가포르에 오기 전 그는 6개월 동안 동남아시아를 여행했는데, 그가 가고 싶은 곳으로 아시아가 눈에 띄었다. 2005년에 Steve의 아내는 싱가포르에서 일자리를 제의받고 Melhuish 가족은 그곳을 자신들의

---

[33] 동남아시아의 선도적인 온라인 부동산 기업인 PropertyGuru Group은 2023년 한 해 동안 두 자릿수 매출 성장률과 두 자릿수 조정 EBITDA 마진을 기록하며 견고한 재무 실적을 발표했다. 베트남과 말레이시아에서 역풍이 불었지만, 특히 싱가포르 시장에서 제품 수요가 증가하면서 회복력을 보였다. 긍정적인 순현금 흐름과 조정 EBITDA 전망치 초과 달성에서 알 수 있듯이, 회사는 제너레이티브 AI 및 머신러닝과 같은 데이터 및 기술 솔루션에 대한 투자에 집중한 것이 결실을 맺었다. 또한 말레이시아에서 주택 대출 자격 심사 도구를 출시했으며 싱가포르에서 핀테크 비즈니스가 성장했다. 2024년까지 예상되는 매출은 1억 6,500만 달러에서 1억 8,000만 달러, 조정 EBITDA는 2,200만 달러에서 2,600만 달러 사이로 예상하고 있다.

집으로 이주했다.

당시 Steve와 가족은 Orchard 지역에 거주하고 있었지만 2006년 '일괄(en bloc activity)' 활동으로 인해 강제로 이사해야 했다. 우리는 주택 옵션을 찾기 위해 신문에 의존해야 한다는 것을 알게 되었다. 그 당시 그들은 다음과 같은 경험을 해야 했다. 짧은 시간 안에 새로운 살 곳을 찾아야 했고 싱가포르에 온 지 1년 정도 되어서 꽤 새로운 사람이 되어 있었다. 그래서 가장 먼저 한 일은 온라인으로 부동산을 찾는 것이었다. 그런데 아무것도 없어서 신문에만 의존해야 했다. 엄청나게 답답하고 고통스러운 과정이었다.

또한, 2006년에 부동산이 싱가포르인들 사이에서 뜨거운 주제였다. Steve는 업계, 특히 미국, 호주 및 유럽에서 무슨 일이 일어나고 있는지 더 많이 조사하기 시작했다. 그는 부동산 포털 시장이 정말 크다는 사실을 알게 되었다. 주요 기업의 시가총액은 10억~20억 달러에 달하고 순이익은 60~70%에 달하였다. 최고의 온라인 부동산 포털은 현금 인출기와 같아서 정말 좋은 사업이고, 싱가포르 밖에서도 비즈니스 모델이 통할 거라 생각했는 데 그런데, 여기서는 여태까지 그런 게 없었다.

싱가포르 사람들은 재산에 집착하는 것 같았다. 현지인들의 피드백은 정말 긍정적이었다. 이는 실제로 싱가포르에 온라인 부동산 포털에 대한 수요가 있다는 신호였다. Steve는 PropertyGuru 창립이 항상 큰 시장과 당신이 열정을 갖고 있는 산업에서 스타트업을 설립한다는 그의 황금 기업가 규칙을 어긴 것이라고 회상했다. 왜냐면, 그는 아주 작은 시장인 싱가포르와 아무것도 모르는 부동산을 선택했기 때문이다.

PropertyGuru를 시작하기 전에 Steve는 모바일 만화 업로드, 구매 및 판매를 위한 스타트업인 ComiAsia를 운영하고 있었다. 그는 PropertyGuru에서 일하면서 스타트업을 운영하고 있었다. 그런 다음 그는 ComiAsia의 투자자 중 한 명에게 PropertyGuru 아이디어를 제안했고 투자자는 온라인 부동산 포털 아이디어를 작업하고 있던 Jani Rautiainen과 그를 연결했다. Jani는 싱가포르에 거주하고 있지만 주중에는 인도에서 근무했다. 그래서 처음에는 Jani와 Steve가 일주일에 이틀 난 PropertyGuru에서 일했다.

Jani는 이미 사이트 구조에 대해 코딩하고 생각하기 시작했다. 나는 우리의 기술이 서로를 보완한다고 생각했다. Jani는 매우 똑똑한 사람이다. 그는 전체 플랫폼과 제품의 설계자이고 저는 프론트엔드 영업, 마케팅, 비즈니스 개발 및 자금 조달 업무를 담당하고 있다. 정말 잘 된 조합이였다.

PropertyGuru.com이 출시되기 전에는 온라인 부동산 분야에 다른 경쟁자가 없었다. 그러나 2007년 12월 PropertyGuru가 출시되기 불과 두 달 전에 세 개의 다른 사이트가 출시되었다. Steve와 Jani는 같은 해에 각각 ST701과 Mocca.com을 출시한 Singapore Press Holdings(SPH)와 Mediacorp의 갑작스러운 도전에 직면했다. iProperty와 같은 다른 직접적인 경쟁업체는 PropertyGuru가 공식적으로 시장에 출시되기 두 달 전에 출시되었다. 우리는 출시하기도 전에 ST701, Mocca, iProperty라는 세 가지 경쟁자가 있었는데, 그건 조금 무서웠다라고 Steve는 말한 적이 있었다.

PropertyGuru는 처음 18개월 동안 자금 조달 없이 부트스트랩을 진행하고 작업했다. 2008년 8월에 이 스타트업은 200만 싱가포르 달러를 모금했고, 2010년에는 500만 싱가포르 달러를 모금했으며 올해는 6천만 싱가포르 달러에 가깝다(동남 아시아 최대 규모의 자금 조달 라운드 중 하나). 지난 5년 동안 PropertyGuru는 사이트를 사용하는 부동산 중개인이 1,000명에서 24,000명으로 성장했다.

2011년에는 말레이시아, 태국, 인도네시아로 사업을 확장하려는 야심찬 움직임을 보였다. 돌이켜보면 Steve는 한 번에 너무 많은 국가를 다루는 것이 큰 실수였다고 회상했다. 2010년에는 70명의 직원이 모두 싱가포르에 집중했다. 그런 다음 거의 하룻밤 사이에 말레이시아, 인도네시아, 태국을 추가했다. 그래서 팀이 너무 늘어났다. 돌이켜보면 팀이 너무 많은 압박을 받고 한계점에 가까워지는 것은 약간의 실수였다고 생각했다고 한다.

PropertyGuru의 확장 계획은 인수와 유기적이고 자체 육성된 팀이 혼합된 것이었다. 2010년 12월에는 북말레이시아 최고의 부동산 포털인 Fullhouse를 인수했다. 2011년에는 인도네시아 최고의 부동산 웹사이트인 Rumah.com과 태국의 DDProperty.com을 인수했다. 흥미롭게도 Rumah.com은 배후에 있는 팀이 없는 도메인 이름일 뿐이었다.

Rumah.com은 그 당시에는 끔찍한 웹사이트였다. 그 뒤에 있는 사람이 이 웹사이트를 사업적으로 운영하지 않았기 때문이다. 하지만 도메인 이름 때문에 트래픽이 정말 좋았다. 우리는 Rumah.com과 Rumah123을 비교했고 전자를 구입했다. 기본적으로 트래픽이 많은 도메인 이름이었고 PropertyGuru 플랫폼을 기반으로 구축하고 접근할 수 있었기 때문이다. Rumah123은 40명이 넘는 기존 사업체를 운영하고 있었다. 우리는 처음부터 구축하는 것보다 우리가 가고 싶은 방향으로 사람들을 이끄는 것이 더 어렵다고 느꼈다. Rumah.com이 인도네시아 최고의 부동산 포털로서의 입지를 강화하기 위해 리드와 브랜드를 강화했기 때문에 이는 분명히 올바른 결정이었다.

PropertyGuru는 세 가지 방법으로 수익을 창출한다. 첫째, 에이전트 수수료로 플랫폼 사용에 대한 수수료를 에이전트에게 청구한다. 둘째, 광고로 온라인 자산과 인쇄된 뉴스레터에 광고 스팟을 판매한다. 셋째, 부동산 개발업자로 부동산 개발업자를 위한 광고부터 판매까지 전체 캠페인을 지원한다. PropertyGuru는 2009년과 2010년에 수익을 냈지만 그 이후로 3개의 새로운 국가를 추가하고 3개의 인수를 통해 공격적으로 성장에 집중했다.

Steve는 모바일이 회사에서 점점 더 중요한 역할을 하고 있다고 말한다. 현재 PropertyGuru 사용자의 44%가 모바일 장치를 통해 방문하고 있으며, 내년에는 이 수치가 50%를 넘어설 것으로 예상된다. Steve는 모바일 사용자가 사이트 사용량을 늘리고 있다고 말한다. 예를 들어, 모바일 사용자의 피크 시간은 오전 8시와 오후 10시이고 데스크톱 피크 시간은 오전 10시이다. 전체적으로 모바일 트래픽에 비례하여 트래픽이 증가하고 있다.

우리는 모바일에 초점을 맞춰 전체적인 접근 방식을 바꾸고 있다. 모바일은 우리의 비즈니스와 미래에 절대적으로 중요하다. 부동산 구매자는 일반적으로 데스크톱 사용자에 비해 모바일 장치를 통해 3~5배 더 많은 문의를 하고 있다. GPS 위치 기술과 다양한 탐색 동작을 사용하여 근처에 무엇이 있는지 표시하는 기능에 관한 것이라고 생각한다.

PropertyGuru는 자본 시장에 따라 향후 18개월 이내에 IPO를 목표로 하고 있다. Steve와 그의 팀은 싱가포르에 본사를 두고 성공적인 국내 회사를 설립한 것을 매우 자랑스럽게 생각한다. 현재 싱가포르, 태국, 말레이시아, 인도네시아에 자리를 잡은 PropertyGuru는 향후 이 지역의 다른 국가로도 확장할 계획이다.

2) PropertyGuru 개요

PropertyGuru는 동남아시아 전역에서 운영되는 선도적인 온라인 부동산 포털 및 기술 회사이다. PropertyGuru에 대한 몇 가지 특징을 보면, 2007년에 설립되어 싱가포르에 본사를 둔 PropertyGuru는 싱가포르, 말레이시아, 태국, 인도네시아 및 베트남을 포함한 여러 국가에서 사업을 확장했다. 회사의 주요 사업은 부동산 중개인, 개발자 및 개인 판매자가 매물 또는 임대를 위해 부동산을 광고할 수 있는 온라인 부동산 상장 플랫폼을 운영하는 것이다. 사용자는 부동산을 검색하고 가격을 비교하며 부동산 관련 정보와 도구에 액세스할 수 있다.

PropertyGuru는 온라인 부동산 포털 외에도 부동산 산업을 위한 개발자 판매 관리 솔루션, 모기지 마켓플레이스 서비스 및 데이터 및 분석 도구를 제공한다. PropertyGuru는 동남아시아에서 가장 크고 가장 많이 방문하는 부동산 플랫폼 중 하나로 성장했다. 네트워크 전반에 걸쳐 300만 개 이상의 목록과 2,500만 명 이상의 월간 방문 수를 보유하고 있다고 주장한다. 이 회사는 투자자들로부터 여러 차례 자금을 지원받았으며, 2019년 기업공개를 통해 호주증권거래소(ASX)에 상장했다.

동남아시아에 있는 Property Guru의 주요 경쟁사로는 **99.co**[34)], **iProperty.com.my**[35)] 및 Rumah.com 등이 있다. PropertyGuru는 기술과 데이

---

34) 동남아시아의 주요 부동산 포털인 99.co는 싱가포르, 말레이시아, 인도네시아를 포함한 여러 동남아시아 시장에서 운영되는 선도적인 온라인 부동산 플랫폼이다. 이 회사는 2013년에 설립되었으며 싱가포르에 본사를 두고 있다. 99.co 의 핵심 사업은 부동산 구매자, 판매자 및 임대인과 부동산 중개인 및 개발자를 연결하는 온라인 마켓플레이스를 제공하는 것이다. 99.co 은 동남아시아 최고의 부동산 포털 중 하나로 자리 잡았으며, Property Guru와 같은 업계 리더들과 직접 경쟁하고 있다. 싱가포르에서 99.co 는 상당한 시장 점유율을 보이며 Property Guru 다음으로 두 번째로 큰 부동산 플랫폼으로 꼽힌다. 이 회사는 말레이시아와 인도네시아에서도 강력한 입지를 확보하고 있으며, 이곳에서 현지 선수들 및 지역 거물들과 경쟁하고 있다. 주요 특징 및 서비스로 99.co 의 다양한 부동산 관련 기능과 서비스에는 매매 및 임대를 위한 종합 부동산 목록, 부동산 평가, 모기지 계산 및 인근 분석 도구, 부동산 중개인 목록 및 리뷰, 부동산 뉴스, 통찰력 및 시장 동향 등을 제공한다. 이 플랫폼은 데이터와 기술을 활용하여 소비자에게 원활한 사용자 경험과 가치 있는 정보를 제공한다. 99.co 은 2013년 서비스를 시작한 이래 동남아시아 전역에서 상당한 성장과 확장을 경험해 왔다. 이 회사는 지역 확장과 제품 개발을 촉진하기 위해 투자자들로부터 여러 차례 벤처 캐피탈 자금을 조달했다. 99.co 은 시장 입지 강화를 위해 2016년 말레이시아 iProperty.com.my 플랫폼을 인수하는 등 전략적 인수를 단행했다. 이 회사는 동남아시아에서 경쟁이 치열한 온라인 부동산 시장에서 차별화하기 위해 기술과 혁신에 지속적으로 투자하고 있다. 종합적으로 99.co 은 지역의 소비자와 업계 전문가들에게 종합적인 온라인 부동산 플랫폼과 서비스를 제공하면서 시장 선두주자인 PropertyGuru에 강력한 도전자로 부상했다.

35) 동남아시아의 주요 부동산 포털인 iProperty.com은 말레이시아, 인도네시아 및 홍콩과 같은 시장에서 강력한 영향력을 가진 동남아시아의 주요 온라인 부동산 플랫폼 중 하나이다. 이 회사는 1999년에 설립되었으며 말레이시아 쿠알라룸푸르에 본사를 두고 있다. iProperty.com 은 부동산 상장 포털을 운영하며 소비자와 업계 전문가들에게 다양한 부동산 기술 솔루션을 제공하고 있다. 시장 포지션을 보면, iProperty.com 은 말레이시아 온라인 부동산 분야에서 시장 점유율 1위로 꼽힌다. 이 플랫폼은 Rumah.com 및 Property Guru와 같은 다른 주요 업체들과 경쟁하는 인도네시아에서도 중요한 위치를 차지하고 있다. 홍콩에서 iProperty.com 는 국내외 구매자와 투자자 모두를 위한 최고

터를 활용하여 이 지역의 부동산 산업을 혁신하고 소비자와 업계 전문가 모두에게 부동산 검색 및 거래 프로세스를 보다 효율적으로 만드는 것을 목표로 한다.

Property Guru의 간략한 연혁을 보면, 동남아시아 전역에서 운영되는 선도적인 온라인 부동산 포털 및 기술 회사이다. 2007년 설립되어 싱가포르에 본사를 둔 Property Guru는 싱가포르, 말레이시아, 태국, 인도네시아, 베트남 등 여러 국가에서 사업을 확장했다. 이 회사의 주요 사업은 부동산 중개인, 개발자, 개인 판매자가 지신의 부동산을 판매 또는 임대용으로 광고할 수 있는 온라인 부동산 상장 플랫폼을 운영하는 것이다.

[그림 38] 99.co

동남아시아의 주요 부동산 포털인 99.co는 싱가포르, 말레이시아, 인도네시아를

의 부동산 포털 중 하나이다. 주요 특징 및 서비스로는 iProperty.com 은 다음과 같은 부동산 관련 기능과 서비스를 포괄적으로 제공한다. 판매, 임대 및 신규 개발을 위한 광범위한 부동산 목록, 부동산 평가, 모기지 계산 및 인근 분석 도구, 부동산 중개인 목록 및 리뷰, 부동산 뉴스, 업계 인사이트 및 시장 동향 등과 이 플랫폼은 데이터와 기술을 활용하여 고객에게 원활하고 사용자 친화적인 경험을 제공한다. iProperty.com 은 1999년에 설립된 이래로 꾸준한 성장과 확장을 경험해 왔다. 2016년에는 세계적인 디지털 부동산 광고 기업인 호주에 본사를 둔 REA 그룹에 인수되었다. 이번 인수로 iProperty.com 은 시장 지위를 더욱 강화하고 동남아시아 전역으로 서비스를 확대할 수 있는 추가적인 자원과 전문 지식을 제공하게 되었다. 인수 이후 iProperty.com 은 플랫폼과 서비스를 강화하기 위해 제품 개발, 데이터 분석 및 전략적 파트너십에 지속적으로 투자해 왔다. 전반적으로 iProperty.com 은 동남아시아 온라인 부동산 시장, 특히 말레이시아와 인도네시아 시장에서 지배적인 업체로 자리매김했으며, 경쟁력을 유지하기 위해 자사의 기술과 자원을 지속적으로 활용하고 있다.

포함한 여러 동남아시아 시장에서 운영되는 선도적인 온라인 부동산 플랫폼이다. 이 회사는 2013년에 설립되었으며 싱가포르에 본사를 두고 있다. 99.co 의 핵심 사업은 부동산 구매자, 판매자 및 임대인과 부동산 중개인 및 개발자를 연결하는 온라인 마켓플레이스를 제공하는 것이다. 99.co 은 동남아시아 최고의 부동산 포털 중 하나로 자리 잡았으며, Property Guru와 같은 업계 리더들과 직접 경쟁하고 있다.

동남아시아의 주요 부동산 포털인 iProperty.com.my는 말레이시아, 인도네시아 및 홍콩과 같은 시장에서 강력한 영향력을 가진 동남아시아의 주요 온라인 부동산 플랫폼 중 하나이다. 이 회사는 1999년에 설립되었으며 말레이시아 쿠알라룸푸르에 본사를 두고 있다. iProperty.com.my는 부동산 상장 포털을 운영하며 소비자와 업계 전문가들에게 다양한 부동산 기술 솔루션을 제공하고 있다. 시장 포지션을 보면, iProperty.com.my는 말레이시아 온라인 부동산 분야에서 시장 점유율 1위로 꼽힌다.

[그림 39] iProperty.com.my

Property Guru의 시장 포지션을 보면, Property Guru는 싱가포르, 말레이시아, 태국, 인도네시아, 베트남 등 동남아시아 주요 시장에서 강세를 보이며 동남아시아의 지배적인 온라인 부동산 플랫폼으로 가장 크고 가장 많이 방문하는 부동산 플랫폼 중 하나로 성장했다. 네트워크 전체에서 300만 개 이상의 목록과 2,500만 명 이상의 월간 방문자를 보유하고 있다고 주장한다. Property Guru는 싱가포르와 말레이시아와 같은 몇몇 주요 동남아시아 부동산 시장의 시장 리더이다. Property Guru는 일부 시장에서 60% 이상의 시장 점유율을 차지하며 여러 국가에서 시장을 선도하고 있다. 많은 사용자 기반과 광범위한 부동산 목록으로부터 이익을 얻고 있으며, 그것은 부동산 추구자와 판매자 모두에게 인기 있는 플랫폼이다. 그것의 브랜드 인지도와 강력한 시장 존재는 그 지역에서 경쟁 우위를 제공한다.

주요 특징과 서비스에는 PropertyGuru는 온라인 부동산 포털 외에도 부동산 산업을 위한 개발자 판매 관리 솔루션, 모기지 마켓플레이스 서비스 및 데이터 및 분석 도구를 제공한다. 이 회사는 기술과 데이터를 활용하여 부동산 산업을 혁신하고 부동산 가치 평가 도구, 주변 분석 및 실시간 시장 통찰력과 같은 기능을 제공한다. 구체적으로 사용자는 위치, 가격, 크기, 편의 시설 등 다양한 기준에 따라 부동산 검색을 세분화할 수 있는 고급 검색 필터, 사용자가 정보에 입각한 결정을 내릴 수 있도록 데이터 기반 인사이트와 시장 동향을 제공하는 Property Insights, 부동산 거래 과정 전반에 걸쳐 전문가의 조언과 도움을 제공할 수 있는 숙련된 부동산 중개인과 사용자를 연결하는 에이전트 커넥트, 부동산 구매를 용이하게 하기 위해 모기지 옵션 및 자금 조달 솔루션에 대한 정보를 제공하는 자금 조달 솔루션, Property Guru의 모바일 앱을 통해 사용자는 이동 중에도 속성을 검색하고, 새로운 목록에 대한 알림을 받고, 다른 필수 기능에 액세스할 수 있다. 이 회사는 AI, 머신 러닝 및 빅 데이터와 같은 혁신적인 기술을 활용하여 소비자와 업계 전문가의 부동산 검색 및 거래 경험을 향상시키고 있다.

성장과 확장에서 Property Guru는 설립 초기부터 유기적인 성장과 전략적인 인수를 통해 확장되었다. 특히 Property Guru는 설립 이후 급속한 성장을 경험하며 싱가포르의 단일 부동산 포털에서 지역을 아우르는 선도적인 플랫폼으로 성장했다. 2018년 인도네시아 최고 부동산 포털 Rumah.com 을 인수하는 등 전략적 인수를 단행해 시장 입지와 역량을 강화하고 있다. 2019년에는 오스트레일리아 증권거래소의 기업공개(IPO)를 통해 3억 8천만 호주달러를 조달하여 지속적인 성장 계획을 추진하였다. PropertyGuru는 동남아시아 전역의 사용자를 위한 부동산 검색 및 거래 경험을 향상시키기 위해 지속적으로 혁신하고 새로운 기술을 활용하고 있다. PropertyGuru는 사용자 경험을 개선하고 고객에게 가치 있는 서비스를 제공하기 위해 기술을 활용하여 플랫폼을 계속 혁신하고 향상시키고 있다. 또한 PropertyGuru는 성장 모멘텀을 유지하기 위해 새로운 시장이나 수직 분야에서 추가 확장 기회를 모색하고 있다. 전반적으로 Property Guru는 동남아시아의 부동산 생태계에서 중추적인 역할을 하며 부동산 관련 요구에 대한 원스톱 솔루션을 제공하고 이 지역의 산업의 디지털 전환을 주도한다.

3) Property Guru의 성공스토리

다음은 Property Guru의 주요 성공 스토리를 보면, 다음과 같다.

첫째, 급속한 성장으로, Property Guru는 2007년 설립 이후 급속한 성장세를 보이며 싱가포르의 단일 부동산 포털에서 동남아를 대표하는 부동산 플랫폼으로 성장했다. 이 회사는 현재 이 지역 5개국에서 부동산 사이트를 운영하고 있으며 네트워크 전체에서 매월 2,500만 건 이상의 방문을 기록하고 있다.

둘째, 성공적인 IPO로 2019년에는 호주 증권거래소에서 기업공개를 통해 3억 8,020만 호주달러를 조달했다. 이는 당시 호주에서 가장 큰 기술 기업공개 중 하나였으며 PropertyGuru에게 성장 계획에 연료를 공급하기 위한 추가 자본을 제공했다.

셋째, 혁신적인 기술로 Property Guru는 동남아시아 부동산 산업을 변화시키기 위한 기술 적용에 앞장서 왔다. 여기에는 정교한 데이터 분석, 기계 학습 알고리즘 및 디지털 도구를 개발하여 부동산 검색 및 거래 경험을 향상시키는 것이 포함되었다.

넷째, 전략적 인수로 Property Guru는 역량과 시장 입지를 확장하기 위해 전략적 인수를 진행했다. 일례로 2018년 인도네시아 대표 부동산 포털인 Rumah.com을 인수해 인도네시아 시장에서의 입지를 강화했다.

다섯째, 업계 인지도에서 Property Guru는 부동산 기술 분야의 혁신과 리더십으로 수많은 상과 인정을 받았다. 여기에는 2019년 영향력 있는 브랜드가 선정한 싱가포르에서 가장 영향력 있는 브랜드 중 하나로 선정된 것과 여러 해 동안 프로퍼티구루 아시아 프로퍼티 어워드에서 '올해의 프로퍼티 포털'을 수상한 것이 포함된다.

전반적으로 PropertyGuru의 성공은 동남아시아 부동산 산업을 변화시킨 기술력과 전략적 확장을 실행하고 혁신적인 솔루션을 제공할 수 있는 능력에 기인한다고 볼 수 있다.

2. Rumah.com

인도네시아의 대표적인 부동산 포털인 Rumah.com[36]의 주요 세부 정보를 보면, Rumah.com 은 인도네시아에서 가장 크고 가장 많이 방문하는 부동산 포털이엇고, 인도네시아 자카르타에 본사를 두고 있었다. Rumah.com 은 부동산 구매자, 판매자 및 임대인과 부동산 중개인 및 개발자를 연결하는 온라인 마켓플레이스로 운영되었다.

시장 포지션에서 Rumah.com 는 인도네시아 온라인 부동산 검색 시장에서 60% 이상의 시장 점유율로 압도하고 있고, 100만 개 이상의 부동산 목록을 보유하고 있으며 매월 1,000만 건 이상의 방문을 받고 있다. 이 플랫폼은 인도네시아 전역의 주거, 상업, 산업 부동산을 검색하는 인도네시아인들이 즐겨 찾는 여행지로 간주되고 있다.

Property Guru에 의한 인수 합병되었다. 2018년 동남아시아의 대표적인 부동산 포털인 Property Guru가 Rumah.com 의 지분을 대부분 인수했다. 이번 전략적 인수를 통해 Property Guru는 빠르게 성장하는 인도네시아 부동산 시장에서 입지와 시장 점유율을 크게 강화할 수 있었다. 또한 Rumah.com 은 PropertyGuru의 기술, 데이터 및 리소스를 활용하여 플랫폼 및 서비스를 향상시킬 수 있도록 했다.

1) Rumah.com 특징

인도네시아의 선도적인 부동산 포털인 Rumah.com 에서 부동산 관련 서비스를 보면, 첫째, 포괄적인 자산 목록을 제공한다. Rumah.com 은 판매 및 임대 부동산 목록에 대한 확장된 데이터베이스, 주거, 상업 및 산업 관련 부동산 유형 범위를 커버한다. 사용자가 쉽게 사용할 수 있는 검색, 필터 및 비교 속성은 위치, 가격, 크기 및 편의시설과 같은 요인 기반이다.

둘째, 속성 평가 및 분석에서 Rumah.com 은 위치, 크기 및 최근 판매 데이터와 같은 다양한 요인에 대한 시장 가치를 추정하기 위해 사용자를 위한 고급 부동산 평가 도구를 제공한다. 플랫폼의 다른 운영자 세부 이웃 분석, 지역 인프라, 편의 시설 및 부동산 가격 동향과 같은 요인 제공 정보 결정에서 구매자를 보조한

---

36) 10년 이상 동안 Rumah.com은 2023년 12월 1일부터 운행을 중단하였고, Property Guru로 업무 서비스가 이관되었다.

다.

셋째, 모기지 및 금융 옵션에서 Rumah.com 은 모기지 시장 플레이스를 통합하고, 다양한 금융 기관에서 온 주택 대출을 플랫폼에 직접 신청하는 것을 선호한다. 플랫폼은 또한 구매자에게 도움이 되는 모기지 계산기 및 금융 자문 서비스를 제공한다.

넷째, 부동산 중개인 및 개발자 디렉토리에서 Rumah.com 은 부동산 및 부동산 개발업자의 포괄적인 디렉터리를 유지하고 있으며, 사용자들과 산업 전문가들과 연결하기 위해 노력하고 있다. 플랫폼 포함 에이전트 빛 개발자 프로필, 검토 및 등급은 부동산 서비스 제공 업체와 상담할 때 정보 제공을 위해 작성한다.

다섯째, 부동산 자산 뉴스와 통찰력에서 Rumah.com 부동산 뉴스, 시장 동향 및 산업 분석을 위한 전용 섹션, 인도네시아 부동산 시장에 대한 최신 정보와 통찰력을 사용자에게 제공한다. 이 도움말은 구매자, 판매자 및 투자자들에게 가장 최근 개발에 대한 통찰력과 투자 전에 필수적으로 알아야 할 더 많은 정보를 제공한다.

이 부동산 관련 서비스 및 도구의 포괄적인 제품군을 통해 Rumah.com 은 인도네시아 부동산 시장에서 개인과 전문가가 성취하지 못하고 불발된 원스톱 목적지를 획득하고, 다양한 요구에 부응하고, 전반적인 부동산 검색 및 거래 경험을 촉진하게 되었다.

성장 및 확장에서 Rumah.com 은 최근 몇 년간 인도네시아의 급속한 중산층 증가와 부동산 수요 증가에 힘입어 강력한 성장세를 보이고 있다. 이 회사는 부동산 전문가를 위한 모기지 마켓플레이스, 개발자 판매 관리 솔루션, 데이터 분석 도구 등으로 서비스를 확장했다. Rumah.com 은 인도네시아에서 사용자의 부동산 검색 및 거래 경험을 향상시키기 위해 기술을 지속적으로 혁신하고 활용하고 있다.

2) Rumah.com 세부 정보

인도네시아의 대표적인 부동산 포털인 Rumah.com 에 대한 주요 세부 정보는 다음과 같다.

첫째, 종합 부동산 목록을 제공한다. Rumah.com은 부동산 중개인, 개발자 및 개인 판매자를 포함한 다양한 출처의 부동산 목록을 집계하는 원스톱 플랫폼이다. 주거, 상업 및 토지를 포함한 광범위한 부동산 유형을 포함한다.

둘째, 사용자 친화적 인터페이스를 제공한다. 플랫폼은 현대적이고 직관적인 사용자 인터페이스를 갖추고 있어 사용자가 위치, 가격대, 부동산 유형 등 선호도에 따라 부동산 목록을 쉽게 검색, 필터링 및 탐색할 수 있다.

셋째, 고급 검색 기능이다. Rumah.com 은 사용자가 침실, 욕실, 심지어 건물의 층수까지 지정하는 등 검색 기준을 더욱 세분화할 수 있는 고급 검색 기능을 제공한다.

넷째, 가상 투어 및 대화형 지도 제공한다. 사용자 경험을 향상시키기 위해 Rumah.com 은 목록에 있는 많은 속성에 대한 가상 투어 및 대화형 지도를 제공하여 사용자가 원격으로 속성을 탐색하고 주변 환경을 더 잘 파악할 수 있도록 한다.

다섯째, Property Insights and Analytics 제공한다. 이 플랫폼은 부동산 가격 동향, 시장 보고서 및 지역 가이드와 같은 귀중한 통찰력과 분석을 제공하여 사용자가 정보에 입각한 결정을 내릴 수 있도록 도와준다.

여섯째, 에이전트 디렉토리를 제공한다. Rumah.com 에는 부동산 중개인의 디렉토리가 있어 사용자가 부동산 검색이나 판매 과정에서 도움을 줄 수 있는 전문가와 쉽게 연결할 수 있다.

3) Rumah.com 성공 스토리

Rumah.com 는 2007년에 시작되었고 빠르게 성장하는 중산층과 부동산 소유에 대한 그들의 욕구를 이용하여 인도네시아에서 선도적인 부동산 포털 중 하나가 되었다.

2015년 이 플랫폼은 동남아시아의 대표적인 부동산 기술 회사인 PropertyGuru Group으로부터 상당한 투자를 받았다. 이 투자로 인해 Rumah.com 은 서비스와 오퍼링을 확장하여 인도네시아 시장에서 입지를 더욱 공고히 할 수 있었다.

오늘날, Rumah.com 는 2백만 개 이상의 부동산 목록을 자랑하고 매달 수백만 명의 방문객을 받으며, 그것은 인도네시아의 부동산 구매자, 판매자, 그리고 투자자들이 즐겨 찾는 플랫폼이 되었다. 그것의 성공은 그것의 사용자 친화적인 인터페이스, 포괄적인 목록, 그리고 인도네시아 부동산 시장의 진화하는 요구들을 충족시키는 혁신적인 특징들에 기인할 수 있다.

Rumah.com 은 또한 인도네시아의 부동산 산업을 디지털화하고 효율화하는 데 중요한 역할을 해 왔으며, 이전에는 얻기 어려웠던 부동산 정보에 대한 투명성과 접근성을 제공했다. 즉, Rumah.com 이 인도네시아의 부동산 산업을 디지털화하고 효율화하는 데 중요한 역할을 해왔고, 이전에는 얻기 어려웠던 부동산 정보에 대한 투명성과 접근성을 제공했다. Rumah.com 이 인도네시아 부동산 환경에 기여한 주요 측면을 살펴보면, 다음과 같다.

정보 투명성 강화다. 종합부동산 목록으로 Rumah.com 의 광범위한 데이터베이스는 사용자에게 인도네시아 전역이 광범위한 부동산 매매 및 임대 정보에 액세스할 수 있는 중앙 집중식 플랫폼을 제공한다. 또한, 상세한 부동산 설명으로 플랫폼은 사진, 평면도, 편의시설, 주변 정보 등을 포함한 상세한 부동산 설명을 제공하여 사용자가 정보에 입각한 결정을 내릴 수 있도록 해준다. 그리고, 가격 투명성으로 가격이 투명한 부동산을 나열함으로써, Rumah.com 은 정보 비대칭을 줄이고 구매자와 판매자가 정보에 입각한 비교를 할 수 있도록 힘을 실어주었다.

향상된 접근성 및 편의성이다. 온라인 부동산 검색에서 사용자는 온라인에서 편리하게 부동산을 검색할 수 있으므로 입소문에 의존하거나 여러 부동산 중개인을 방문하는 등의 전통적인 방법을 사용할 필요가 없다. 또한, 모바일 앱 접근성으로 Rumah.com 모바일 앱은 접근성을 더욱 높여 사용자가 이동 중에도 속성을 검색하고 에이전트에게 연락하여 속성 검색을 관리할 수 있도록 해준다. 그리고, 24/7 가용성으로 온라인 플랫폼은 부동산 정보에 연중무휴로 접근하여 사용자가 편리한 시간에 부동산 검색을 수행할 수 있도록 해준다.

간소화된 부동산 거래다. 구매자와 판매자 연결로 Rumah.com 는 구매자와 판매자 간의 연결을 용이하게 하여 전통적인 중개 네트워크에 대한 의존도를 줄이고 잠재적으로 거래 비용을 절약할 수 있다. 또한, 에이전트 디렉토리 및 서비스로 플랫폼의 사전 검증 또는 검증된 에이전트 디렉토리는 구매자와 판매자에게 거래 프로세스 전반에 걸쳐 전문적인 도움을 제공한다. 그리고 추가 서비스로 Rumah.com 는 모기지 계산기, 부동산 가치 평가 도구, 법률 지원 등의 추가 서비스를 제공하여 사용자의 거래 프로세스를 간소화할 수 있다.

인도네시아 부동산 시장에 미치는 전반적인 영향이다. 시장 효율성 제고로 Rumah.com 은 투명한 정보를 제공하고 구매자와 판매자를 연결하며 거래를 효율화함으로써 보다 효율적인 부동산 시장에 기여했을 것으로 보인다. 또한, 힘 있는 소비자로 구매자와 판매자는 Rumah.com 에서 정보의 가용성과 도구에 대한 접근성이 증가함에 따라 부동산 검색 및 거래에 대한 더 많은 권한과 통제권을 갖게 되었다. 그리고, 부동산 시장 성장 촉진으로 투명성, 접근성, 효율성에 대한 플랫폼의 기여가 인도네시아 부동산 시장의 성장에 역할을 했을 것으로 보인다.

인도네시아 부동산 산업을 디지털화하고 변화시키기 위한 Rumah.com 의 역할은 매우 중요하다. 투명한 정보를 제공하고 접근성을 높이며 거래를 능률화함으로써 플랫폼은 소비자에게 힘을 실어주고 시장 효율성을 높이며 부동산 부문의 전반적인 성장에 기여했다. Rumah.com 은 서비스를 계속 혁신하고 확장함에 따라 인도네시아 부동산 환경의 미래를 형성하는 데 훨씬 더 중요한 역할을 할 수 있는 좋은 위치에 있다. Rumah.com의 성공 사례는 디지털 기술의 채택이 구매자, 판매자 및 업계 전문가 모두에게 부동산 경험을 크게 향상시킬 수 있는 신흥 시장에서 프롭테크 솔루션의 잠재력을 보여준다.

3. 일본의 suumo

수모(SUUMO, スーモ) 플랫폼은 일본 부동산 시장의 선두주자로서 1996년 설립하였고, 본사는 일본 도쿄에 있다. 주요 사업은 부동산 정보 플랫폼 운영, 부동산 중개, 부동산 관련 컨설팅 등을 영유하고 있다.

[그림 40] 일본의 suumo(스모)

수모(SUUMO, スーモ) 플랫폼은 일본 부동산 시장의 선두주자로서 1996년 설립하였고, 본사는 일본 도쿄에 있다. 주요 사업은 부동산 정보 플랫폼 운영, 부동산 중개, 부동산 관련 컨설팅 등을 영유하고 있다. SUUMO(スーモ)는 일본 최대 규모의 부동산 플랫폼으로, 다양한 부동산 매물 검색, 매매, 임대, 부동산 시세 확인, 주택 리모델링 등을 제공한다. 1996년 설립된 SUUMO는 일본의 주요 부동산 회사들이 공동으로 설립한 부동산 정보 포털 사이트이다. 당시 인터넷 환경이 발달하지 않은 시기였지만, 부동산 정보를 온라인에서 효율적으로 제공할 수 있다는 점에 착안하여 SUUMO를 설립했다. 2012년 Recruit Group(본사 : 도쿄도 치요다구, 대표이사 사장 : 키타무라 요시히로)에 인수되었으며, 현재 일본에서 가장 인기 있는 부동산 플랫폼 중 하나이다. 이후 SUUMO는 일본 내에서 가장 큰 규모의 부동산 정보 플랫폼으로 성장했으며, 지속적인 서비스 혁신과 사용자 편의성 향상을 통해 현재까지 일본 부동산 시장을 대표하는 웹사이트로 자리 잡고 있다.

1) SUUMO(スーモ) 플랫폼

SUUMO(スーモ) 플랫폼은 다양한 부동산 매물을 검색할 수 있는 특징을 가지고 있다. 이 플랫폼은 아파트, 주택, 상가, 빌딩, 토지 등 다양한 유형의 부동산 매물을 제공하며, 약 250만 건의 다양한 매물을 소유하고 있다. 사용자는 신축, 중고, 임대, 매매 등 다양한 유형의 매물을 검색할 수 있다.

또한, SUUMO는 지역, 가격, 면적, 방 개수, 시설 등 다양한 조건으로 검색 필터링을 제공하여 사용자가 원하는 매물을 보다 쉽게 찾을 수 있도록 도와준다. 이를 통해 사용자는 자신의 요구에 맞는 매물을 빠르고 효율적으로 발견할 수 있다.

이 플랫폼은 사용자 친화적인 인터페이스를 제공하여 직관적이고 간편한 검색 기능을 제공한다. 매물 사진과 상세 정보 뿐만 아니라 주변 환경 정보도 제공하여 사용자가 매물을 보다 잘 이해할 수 있도록 도와준다. 또한, 지도 기능을 통해 시각적으로 매물을 검색할 수 있도록 지원하여 사용자들이 원하는 지역의 부동산 매물을 쉽게 찾을 수 있다.

부동산 전문가 지원 시스템은 지역, 종류, 면적 등을 기준으로 부동산 시세를 신속하게 확인할 수 있는 기능과 함께, 부동산 전문가와 직접 상담을 할 수 있는 기능을 제공한다. 이를 통해 매물 문의 및 상담 서비스를 손쉽게 이용할 수 있다. 또한, 부동산 거래 과정에 대한 안내 및 지원도 함께 제공되어 고객들이 스트레스 없이 거래를 진행할 수 있다.

이 시스템은 주택 론(대출) 정보와 상담 서비스도 제공하여 고객들이 자신에게 맞는 대출 상품을 선택할 수 있도록 돕는다. 뿐만 아니라, 부동산 시세 정보와 함께 주택 구매 또는 임대에 필요한 가이드를 제공하여 사용자가 더 나은 결정을 내릴 수 있도록 지원한다.

부동산 관련 정보를 원하는 사용자들을 위해, 이 시스템은 부동산 관련 뉴스와 트렌드를 제공하고, 주택 인테리어 및 리폼 정보도 함께 제공한다. 이를 통해 사용자들은 부동산 시장 동향을 파악하고, 주거 환경을 개선하는 데 필요한 정보를 얻을 수 있다. 이 모든 기능들은 일관된 사용자 경험을 제공하며, 부동산 관련 서비스를 효율적으로 활용할 수 있도록 한다.

주택 리모델링 기능을 통해 사용자들은 리모델링 견적을 받고, 신뢰할 수 있는 리모델링 업체를 찾을 수 있다. 이를 통해 사용자들은 주거 환경을 개선하고 원하는 모습으로 주택을 개조할 수 있다. 또한, 부동산 관련 최신 뉴스 및 정보를 제공하여 사용자들이 부동산 시장 동향을 파악할 수 있도록 돕는다.

이 플랫폼은 부동산 경매 정보를 제공하고, 부동산 감정 평가 서비스도 제공하여 사용자들이 부동산 투자에 필요한 정보를 얻을 수 있도록 지원한다. 또한, 이삿짐 서비스를 제공하여 이사 과정을 보다 편리하게 처리할 수 있도록 돕는다. SUUMO 사업 프로세스를 통해 사용자들은 부동산 거래 과정을 보다 효율적으로 이해하고, 필요한 정보를 얻을 수 있다. 이러한 다양한 부가 서비스를 통해 사용자들은 부동산 관련 다양한 요구를 충족시킬 수 있다.

2) SUUMO(ス－モ) 플랫폼 사용하기

매물 등록은 부동산 중개업체나 개인이 SUUMO 플랫폼에 매물을 등록하는 메뉴이다. 이를 위해서는 매물의 정보, 사진, 가격 등을 입력해야 한다. 등록된 매물은 플랫폼 관리자에 의해 검토되고, 심사를 거친 후에 게시된다. 이 과정을 통해 사용자들은 정확하고 신뢰할 수 있는 매물 정보를 획득할 수 있다.

매물 검색에서 사용자는 SUUMO 플랫폼을 통해 원하는 매물을 검색할 수 있다. 검색 시 사용자는 지역, 가격, 면적, 방 개수 등 다양한 상세 조건을 설정할 수 있다. 이를 통해 사용자는 자신의 요구에 맞는 매물을 더욱 쉽게 찾을 수 있다. 검색 결과는 목록 형태로 제공되며, 사용자는 해당 매물의 상세 정보를 열람할 수 있다.

매물 문의에서 사용자가 관심 있는 매물에 대해 문의할 수 있다. SUUMO 플랫폼 내에서는 메시징 기능을 통해 문의를 할 수 있으며, 또는 매물 정보에 표시된 연락처를 통해 전화로 문의할 수도 있다. 이를 통해 사용자는 직접 부동산 중개업체나 개인에게 문의를 할 수 있으며, 필요한 정보를 더욱 쉽게 얻을 수 있다.

거래 진행에서 사용자가 매물에 대한 문의를 한 후, 부동산 중개업체나 개인과 거래 조건을 협의한다. 이후에는 부동산 계약을 체결하고 거래를 진행합니다. SUUMO 플랫폼에서는 부동산 전문가 지원을 활용할 수 있으며, 필요한 경우 전문가의 조언을 받아 거래를 진행할 수 있다.

거래 완료에서 부동산 계약이 완료되고 물권이 이전된다. SUUMO 플랫폼에서는 사용자들이 거래 후기를 남길 수 있어서, 다른 사용자들이 해당 거래에 대한 정보를 확인할 수 있다. 이를 통해 사용자들은 거래에 대한 신뢰성 있는 정보를 얻을 수 있으며, 더 나은 거래 경험을 할 수 있다.

3) SUUMO 주요 성장 단계

▶ 초기 성장(1999-2005)

1999년, 일본의 부동산 정보 포털 'SUUMO'가 처음 출시되었다. 이는 일본 최초의 부동산 정보 포털이었으며, 부동산 관련 정보를 온라인으로 제공하기 시작했다. 이후 2000년에는 부동산 중개 서비스를 추가로 제공하기 시작했다. 이로써 SUUMO는 단순 정보 제공을 넘어 실제 부동산 중개 기능까지 제공하는 포털로 발전했다.

2001년에는 모바일 서비스를 출시하여 언제 어디서나 SUUMO의 서비스를 이용할 수 있게 되었다. 이를 통해 사용자들의 접근성이 크게 향상되었다. 이러한 서비스 확장과 더불어 SUUMO의 사용자 수도 급증하였다. 2005년 기준으로 이용자 수가 1,000만 명을 돌파하며 일본 부동산 포털 시장을 선도하게 되었다.

이와 같이 SUUMO는 1999년 출시 이후 부동산 정보 제공, 중개 서비스, 모바일 서비스 확대 등을 통해 지속적인 성장을 거듭하며 일본 부동산 포털 시장의 선두 주자로 자리매김했다.

▶ 확장 및 다각화(2006-2015)

2006년에는 중고 주택 매매 플랫폼인 'SUUMO TOWN'을 출시하며 사업 영역을 확장했다. 이를 통해 단순 부동산 정보 제공을 넘어 실제 거래까지 지원하는 종합 부동산 플랫폼으로 발전했다. 이어 2008년에는 렌탈 주택 검색 플랫폼 'SUUMO

RENT'를 추가로 출시했다. 이로써 매매뿐만 아니라 임대 주택 정보까지 제공하며 고객들의 다양한 니즈를 충족시킬 수 있게 되었다.

2010년에는 부동산 관련 컨설팅 사업을 시작했다. 이를 통해 단순 정보 제공을 넘어 전문적인 컨설팅 서비스를 제공하며 고객 가치 향상에 힘썼다. 2012년에는 부동산 정보 데이터 분석 서비스를 출시했다. 이를 통해 고객들에게 더욱 심도 있는 부동산 시장 분석 정보를 제공할 수 있게 되었다. 2014년에는 인공지능 기술을 도입하여 서비스를 개선하기 시작했다. 이를 통해 고객 맞춤형 정보 제공, 예측 분석 등 서비스의 질적 향상을 이루었다.

이처럼 SUUMO는 2006년부터 2015년까지 중고 주택 매매, 렌탈 주택 검색, 컨설팅, 데이터 분석 등 다양한 사업 영역으로 확장하며 종합 부동산 플랫폼으로 발전했다. 또한 인공지능 기술 도입으로 서비스 품질도 지속적으로 향상시켜 나갔다.

▶ 글로벌 진출 및 지속적 성장(2016-현재)

2016년에는 해외 시장 진출을 시작하며 글로벌 기업으로의 도약을 꾀했다. 이를 통해 일본 내에서의 강력한 입지를 바탕으로 더 넓은 시장으로 사업을 확장할 수 있게 되었다. 2017년에는 인공지능 기술을 도입하여 부동산 정보 분석 및 서비스를 개선하였다.

2018년에는 'Summo AI'를 출시하여 인공지능 기반의 부동산 가격 예측 서비스를 제공하였다. 2018년에는 부동산 관련 핀테크 서비스를 출시했다. 이를 통해 고객들의 부동산 거래와 금융을 연계하는 종합적인 서비스를 제공할 수 있게 되었다. 부동산 정보와 금융 서비스의 융합은 고객 편의성을 크게 높여주었다. 2019년에는 'Summo VR'을 출시하여 가상현실 기술을 활용한 부동산 소개 서비스를 제공하였다.

2020년에는 코로나19 팬데믹으로 인한 비대면 서비스 수요 증가에 대응하여 온라인 부동산 거래를 확대하였다. 2020년에는 부동산 테크 스타트업에 대한 투자를 시작했다. 이를 통해 혁신적인 기술과 아이디어를 접목하여 SUUMO의 서비스를 지속적으로 개선할 수 있게 되었다. 2021년에는 'Summo Metaverse'를 출시하여 메타버스 기술을 활용한 부동산 플랫폼을 구축하였다. 이러한 노력 끝에 SUUMO 는 일본 부동산 시장에서 선두주자로 자리매김할 수 있었다. 부동산 정보 제공, 중개, 컨설팅, 핀테크 등 다양한 사업 영역을 아우르며 고객들의 니즈를 포괄적으로 만족시켰기 때문이다.

2022년에는 지속적인 기술 투자 및 서비스 개선을 통해 부동산 거래의 미래를 선도하였다. 그리고 2023년에는 글로벌 시장에서의 점유율을 확대하여 세계적인 부동산 플랫폼으로 도약하였다. 이를 통해 Summo는 지속적인 혁신과 발전을 거듭하여 글로벌 부동산 시장에서 주도적인 역할을 하고 있다.

결과적으로 SUUMO는 1999년 출범 이후 지속적인 성장을 거듭하며 일본을 대표하는 부동산 플랫폼으로 발전했다. 해외 진출, 핀테크 서비스, 스타트업 투자 등 끊임없는 혁신으로 시장을 선두하며 새로운 미래를 향해 나아가고 있다.

4) Summo 성공 요인

1. 혁신적인 부동산 정보 플랫폼

SUUMO는 직관적이고 사용자 친화적인 인터페이스를 갖추고 있다. 이를 통해 사용자들은 복잡한 과정 없이 쉽고 편리하게 원하는 정보를 검색하고 찾을 수 있다. 또한 SUUMO는 방대한 부동산 정보를 체계적으로 수집하고 제공하고 있다. 매물 정보, 실거래가, 지역 정보 등 다양한 데이터를 한 곳에서 확인할 수 있어 사용자들의 의사결정에 큰 도움을 준다.

이와 더불어 SUUMO는 다양한 검색 기능을 제공하고 있다. 지역, 가격, 면적 등 조건별 검색은 물론, 지도 기반 검색, 추천 기능 등을 통해 사용자들이 최적의 부동산을 찾을 수 있도록 지원하고 있다.

이처럼 SUUMO는 편리한 인터페이스, 풍부한 데이터, 다양한 검색 기능을 통해 사용자 중심의 혁신적인 부동산 정보 플랫폼을 구축해 왔다.

2. 다각화된 사업 전략

SUUMO는 부동산 정보 플랫폼을 기반으로 중개, 컨설팅, 핀테크 등 다양한 사업 분야로 진출하고 있다. 중개 서비스인 'SUUMO TOWN'과 렌탈 주택 검색 플랫폼 'SUUMO RENT'를 통해 단순 정보 제공을 넘어 실제 거래까지 지원하고 있다. 또한 이와 더불어 부동산 관련 컨설팅 사업을 전개하여 고객들에게 전문적인 자문 서비스를 제공하고 있다. 단순 정보 제공을 넘어 고객 맞춤형 컨설팅으로 서비스 가치를 높이고 있다.

더 나아가 부동산 관련 핀테크 서비스를 출시하며 금융과의 융합을 이루었다. 이를 통해 고객의 부동산 거래와 금융을 연계하는 종합적인 서비스를 제공하고 있다. 최근에는 혁신적인 부동산 테크 스타트업에 대한 투자를 통해 새로운 기술과 아이디어를 흡수하고 있다. 이를 통해 SUUMO의 서비스를 지속적으로 개선하고 고도화하고 있다.

이처럼 SUUMO는 부동산 정보 플랫폼을 기반으로 다양한 사업 분야로 지속적으로 확장해 왔다. 이를 통해 시장의 변화에 유연하게 대응하고 종합적인 부동산 서비스를 제공할 수 있게 되었다.

3. 데이터 분석 및 인공지능 활용

SUUMO는 방대한 부동산 데이터를 체계적으로 수집, 분석하고 있다. 이를 통해 부동산 시장의 동향과 패턴을 정확하게 파악하고 있다. 더 나아가 이러한 데이터 분석 역량을 바탕으로 인공지능 기술을 도입하여 서비스를 고도화하고 있다. 고객 맞춤형 정보 추천, 시장 예측 분석 등 인공지능 기술을 활용하여 고객 경험 향상과 운영 효율성 제고에 힘쓰고 있다.

이를 통해 SUUMO는 데이터와 기술을 융합하여 고객에게 더욱 정확하고 효율적인 서비스를 제공할 수 있게 되었다. 또한 내부적으로도 업무 프로세스를 최적화하고 의사결정을 지원하는 등 경쟁력 강화에도 기여하고 있다.

결과적으로 SUUMO의 데이터 분석 역량과 인공지능 기술 활용은 고객 만족도 제고와 함께 지속 가능한 성장을 위한 핵심 요소로 자리잡고 있다.

4. 고객 중심 서비스

SUUMO는 고객 중심의 서비스 제공을 최우선 과제로 삼고 있다. 이를 위해 사용자 경험 개선, 고객 신뢰 구축, 만족도 향상에 힘쓰고 있다. 먼저, 직관적인 인터페이스와 사용자 친화적인 UI/UX 설계를 통해 고객들이 편리하게 서비스를 이용할 수 있도록 하고 있다. 풍부한 데이터와 다양한 검색 기능 또한 고객 만족도 제고에 기여하고 있다.

또한 고객 정보 보호와 투명한 거래 과정 등을 통해 고객들의 신뢰를 쌓고 있다. 이는 SUUMO가 고객을 최우선으로 여기는 기업 문화를 잘 보여주고 있다. 이와 더불어 고객 맞춤형 서비스, 신속한 A/S 등 고객 만족을 위한 다양한 노력을 기울이고 있다. 이를 통해 고객들의 충성도를 높이고 지속적인 관계를 유지할 수 있게 되었다.

5. 적극적인 투자 및 파트너십

SUUMO는 부동산 테크 스타트업에 대한 적극적인 투자와 전략적인 파트너십 구축으로 기술력과 경쟁력을 강화하고 있다. 혁신적인 기술과 아이디어를 보유한 스타트업에 대한 투자를 통해, SUUMO는 자사 서비스의 고도화와 혁신을 가속화할 수 있다. 이를 통해 시장 변화에 발 빠르게 대응하고 차별화된 경쟁력을 확보할 수 있게 되었다. 또한 다양한 부동산 관련 기업들과의 전략적 제휴를 통해 시너지 효과를 창출하고 있다. 이를 통해 고객에게 더욱 포괄적이고 완성도 높은 서비스를 제공할 수 있게 되었다.

이처럼 SUUMO는 적극적인 투자와 파트너십으로 기술 혁신과 사업 확장을 지속적으로 추진하고 있다. 이는 SUUMO가 시장을 선도하는 강력한 기반을 구축하는 데 크게 기여하고 있다.

6. 혁신과 고객 중심 경영

Summo는 끊임없는 혁신을 통해 첨단 기술을 적극적으로 도입하고 있다. 인공지능, 가상현실, 메타버스 등의 첨단 기술을 적용하여 부동산 플랫폼을 선도하고 있다. 또한, 사용자 중심 경영을 추구하여 사용자 친화적인 인터페이스를 제공하고 다양한 부동산 정보를 제공함으로써 고객 만족도를 높이고 있다.

Summo는 다양화된 서비스를 제공하여 매매, 임대, 중개, 경매, 리뉴얼, 시세, 인테리어, 투자 등 다양한 부동산 서비스를 제공하고 있다. 이를 통해 고객들의 다양한 요구를 충족시키고 있다.

뿐만 아니라, Summo는 글로벌 시장으로의 진출을 통해 글로벌 경쟁력을 강화하고 있다. 해외 시장 진출을 통해 다양한 시장에서 서비스를 제공하고 있으며, 이를 통해 전 세계적인 부동산 시장에서 선도적인 위치를 차지하고 있다.

7. 부동산 거래의 새로운 지평을 열다

Summo는 인공지능 및 빅데이터를 적극적으로 활용하여 부동산 거래의 효율성을 높일 것이다. 인공지능을 통해 부동산 시장의 데이터를 분석하고 예측하여 고객들에게 더욱 정확하고 신속한 정보를 제공할 것이다. 또한, 빅데이터 기술을 활용하여 부동산 시장의 트렌드를 파악하고 고객들에게 효과적인 서비스를 제공할 것이다.

메타버스 플랫폼을 구축하여 부동산 거래의 새로운 경험을 제공할 것이다. 메타버스를 활용하여 가상 현실에서 부동산을 체험하고 다양한 옵션을 살펴볼 수 있도록 할 것이다. 이를 통해 사용자들에게 더욱 혁신적이고 흥미로운 부동산 거래 경험을 제공할 것이다.

끝으로, 글로벌 시장 점유율을 확대하여 세계적인 부동산 플랫폼으로 도약할 것이다. 해외 시장에 진출하여 다양한 지역의 고객들에게 서비스를 제공하고 글로벌 시장에서의 경쟁력을 강화할 것이다. 이를 통해 Summo는 세계적인 부동산 플랫폼으로의 성장을 이루어낼 것이다.

4. 미국 Opendoor

오픈도어(Opendoor) 또는 오픈도어 테크놀로지스(Opendoor Technologies Inc.)는 상주형 부동산을 매매하는 온라인 기업이다. 본사는 미국 샌프란시스코에 위치해 있다. 2021년 11월 기준으로 미국 내 44개 시장에서 운영되고 있다. 2014년 3월 키스 라보이스, 에릭 우, JD 로스에 의해 설립되었다. 2018년, 오픈도어는 소프트뱅크 비전 펀드로부터 400,000,000달러의 투자를 받았다.

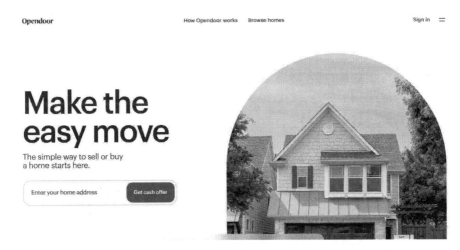

[그림 41] Opendoor 홈페이지

1) 회사 개요

주택을 사고 파는 재창조된 방법(reimagined way)을 추구하는 기업이다.

Opendoor는 주거용 부동산을 위한 선도적인 디지털 플랫폼이다. 2014년에 집을 사고 파는 새롭고 근본적으로 간단한 방법으로 인생에서 가장 중요한 거래를 재창조하기 시작했다. 전체 소비자 부동산 경험을 재구성하고 모바일 장치에서 구매 및 판매를 가능하게 만들었다. Opendoor를 찾은 수만 명의 고객이 더 쉽게 이동할 수 있도록 서비스를 제공했다. 결혼이든, 가정을 꾸리든, 새 직장을 구하든, 단순히 삶의 변화를 가져오든, 사람들이 간단하고 원활한 거래를 통해 다음 단계로 나아갈 수 있도록 돕는다. 사명은 한 번에 한 걸음씩 삶의 발전에 힘을 실어주는 것이다.

Opendoor는 현재 전국적으로 점점 더 많은 도시와 지역에서 운영되고 있다. 샌프란시스코에 본사를 두고 있는 주거용 부동산을 위한 가장 크고 가장 신뢰할 수 있는 플랫폼을 구축하는 문제 해결사, 혁신가 및 운영자로 구성된 팀이다.

나스닥 상장사인 오픈도어(Opendoor)는 주거용 부동산 온라인 중개 플랫폼이자 'i-Buying' 선두 업체이다. i-Buying은 instant Buying의 약자로, 주거용 부동산을 직접 매입한 뒤 보수 및 리모델링 등을 거쳐 다시 판매하는 비즈니스 모델을 의미한다. 오픈도어는 이 i-Buying 사업에서 미국 최대의 업체로 자리잡고 있다.

오픈도어의 주요 경쟁사로는 질로우(Zillow), 레드핀(Redfin), 컴퍼스(Compass) 등이 있다. 이들 업체 역시 온라인 기반의 부동산 중개 서비스를 제공하고 있다.

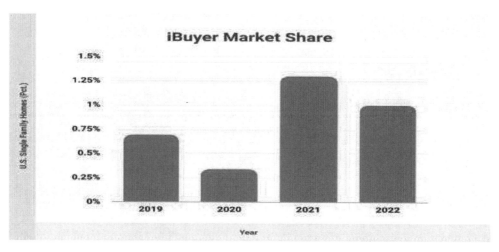

[그림 42] iBuyer Market Share 2022
출처 : https://www.rubyhome.com/blog/ibuyer-stats/

미국 부동산 시장은 전체 규모가 약 1조 7,000억 달러에 달하며, 매년 약 500만 개의 주택이 거래되는 막대한 시장이다. 이 시장에는 총 약 200만 개의 부동산 중개 업체들이 영업을 하고 있다. 그러나 이 시장의 대부분을 차지하는 업체들은 영세하고 전통적인 방식으로 운영되고 있다. 이 중개업체들의 실적은 매우 양극화되어 있다. 전체 중개업체의 66%는 1년에 15개 이하의 매매만을 성사시키고 있는 것으로 나타났다. 반면 상위 4%의 업체들만이 50개 이상의 매매를 달성하고 있다.

이처럼 미국 부동산 시장은 금융이나 보험 산업과 함께 막대한 규모를 자랑함에도 불구하고, 실제 시장을 구성히고 있는 업체들은 대부분 영세한 수준이며 전통적인 사업 방식을 고수하고 있다. 이러한 시장 환경 속에서 오픈도어는 온라인 중개 플랫폼을 통해 고객 편의성을 높이며 많은 고객을 유치하고 있다. 또한, 이러한 시장 환경 속에서 오픈도어(Opendoor)와 같은 기업들이 온라인 기반의 혁신적인 플랫폼과 기술을 접목하여 부동산 거래 패러다임을 선도하고 있다. 특히 오픈도어의 i-Buying 사업은 AI와 전문가 집단의 가치 평가를 바탕으로 신속하고 편리한 거래 프로세스를 제공함으로써, 전통적인 중개업체들과는 차별화된 고객 경험을 선보이고 있다. 이를 통해 오픈도어는 미국 부동산 시장의 새로운 패러다임을 선도하는 주도적인 업체로 부상하고 있다.

결과적으로 미국 부동산 시장은 거대한 규모에 비해 낙후된 사업 구조를 가지고 있는데, 이러한 틈새를 공략하여 혁신을 주도하는 기업들이 시장을 선도해 나가고 있는 것이다.

2) 오픈도어(Opendoor) 역사와 성공 스토리

▶ 초기 역사 (2014-2018)

2014년 페이팔, 링크드인 등의 성공 기업을 창업한 경험을 보유한 키스 라보이스가 주도하여 오픈도어를 설립했다. 라보이스는 기존 부동산 중개 시장의 비효율성을 개선하고자 하는 비전 아래 오픈도어를 창립했다.

2015년 오픈도어는 본격적인 투자 유치를 시작하며 벤처 기업으로 성장하기 시작했다. 초기에는 엔젤 투자자와 시드 투자 라운드를 통해 자금을 확보했다. 이를 바탕으로 기술 개발과 사업 확장을 가속화할 수 있었다.

2018년 오픈도어는 소프트뱅크 비전 펀드로부터 4억 달러 규모의 대규모 투자를 유치했다. 이를 통해 인공지능 기반의 부동산 매매 플랫폼 구축에 박차를 가할 수 있었다. 당시 소프트뱅크는 오픈도어의 기술력과 혁신적인 비즈니스 모델에 주목하고 대규모 투자를 단행했다.

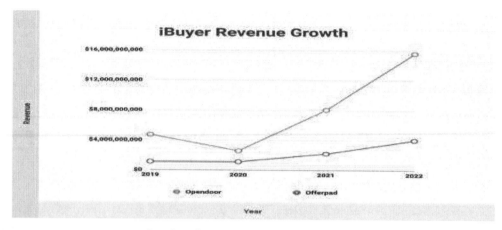

[그림 43] iBuyer Revenue Growth
출처 : https://www.rubyhome.com/blog/ibuyer-stats/

이처럼 오픈도어는 초기부터 성공 경험이 풍부한 창업팀과 벤처 투자 유치를 통해 빠르게 성장할 수 있었다. 특히 소프트뱅크의 대규모 투자는 오픈도어가 기술 개발과 플랫폼 고도화에 매진할 수 있는 동력이 되었다. 이를 바탕으로 오픈도어는 인공지능 기술을 적극 도입하여 부동산 매매 시장을 혁신하는 선도 기업으로 자리 잡아 갔다.

▶ 성장과 확장 (2019-2021)
2019년 오픈도어는 미국 내 20개 이상의 주요 도시에서 서비스 제공을 시작했다. 이를 통해 지리적 영향력을 점차 확대해 나갔다. 전국적인 서비스 범위 확대로 고객 기반을 빠르게 늘릴 수 있었다.
2020년 코로나19 팬데믹이 발생하면서 온라인 부동산 매매 플랫폼의 장점이 부각되었다. 오픈도어는 비대면 거래와 신속한 처리 능력을 바탕으로 이 시기 성장을 가속화할 수 있었다. 팬데믹으로 인한 오프라인 부동산 시장의 침체 속에서도 오픈도어는 온라인 기반의 강점을 십분 발휘했다.
2021년 오픈도어는 SPAC(special purpose acquisition company) 합병을 통해 나스닥에 상장되었다. 이를 통해 기업 가치가 120억 달러를 돌파하며 괄목할 만한 성장을 거두었다. 상장 이후에도 오픈도어는 인수합병과 해외 진출 등을 통해 사업 영역을 지속적으로 확장해 나갔다.

이처럼 오픈도어는 2019년부터 2021년까지 빠른 속도로 성장하며 미국 내 부동산 매매 플랫폼 시장을 선도하는 기업으로 자리매김했다. 특히 코로나19 팬데믹 상황에서도 온라인 기반의 장점을 발휘하며 오히려 두각을 나타낼 수 있었다. 이를 기반으로 한 SPAC 합병 상장은 오픈도어가 글로벌 기업으로 도약할 수 있는 기회가 되었다.

3) 주요 특징과 차별점

▶ 온라인 플랫폼

온라인 플랫폼인 오픈도어는 부동산 매매의 전 과정을 온라인으로 처리하는 플랫폼을 운영하고 있다. 이를 통해 고객들은 언제 어디서나 편리하게 부동산 거래를 진행할 수 있다. 전통적인 오프라인 중개 방식에 비해 시간과 비용을 크게 절감할 수 있다.

온라인 플랫폼은 오픈도어의 가장 두드러진 특징 중 하나이다. 오픈도어는 부동산 매매의 모든 과정을 온라인으로 처리할 수 있는 플랫폼을 운영하고 있다. 전통적인 부동산 거래 방식에서는 직접 부동산 중개 업체를 방문하거나, 전화로 상담을 받는 등 오프라인 중심의 과정이 많았다. 하지만 오픈도어의 온라인 플랫폼을 통해 고객들은 매물 검색, 가치 평가, 계약 체결, 거래 완료 등 전 과정을 온라인상에서 처리할 수 있다. 이를 통해 시간과 비용을 크게 절감할 수 있다. 부동산 중개 업체를 직접 방문할 필요가 없고, 전국 어디서나 편리하게 거래를 진행할 수 있다. 또한 온라인 플랫폼 특성상 24시간 언제든 접근이 가능하며, 절차가 간소화되어 있어 거래 완료까지의 시간도 단축할 수 있다.

결과적으로 오픈도어의 온라인 플랫폼은 고객들의 부동산 거래 경험을 크게 향상시키고 있다. 시간과 비용 절감, 접근성 향상, 거래 간소화 등의 장점을 제공하며, 기존 오프라인 중심의 부동산 거래 방식의 한계를 극복하고 있다.

▶ 인공지능 기반

인공지능을 기반으로 하는 오픈도어는 인공지능 기술을 적극 활용하여 매물 평가, 수리, 판매 등의 프로세스를 자동화하고 있다. AI 알고리즘을 통해 정확한 부동산 가치 평가, 효율적인 수리 계획 수립, 신속한 매각 등을 가능하게 함으로써 전반적인 효율성을 극대화하고 있다.

[그림 44] iBuyer 기업들
출처 : https://www.isoldmyhouse.com/ibuyers-guide/

오픈도어는 인공지능(AI) 기술을 적극적으로 활용하여 부동산 거래 과정의 효율성을 극대화하고 있다. 먼저, AI 알고리즘을 활용하여 매물의 정확한 가치 평가가 가능하다. 오픈도어는 방대한 데이터와 AI 분석 능력을 바탕으로 각 매물의 특성, 시장 동향 등을 종합적으로 고려하여 공정한 가격을 산출한다. 이를 통해 매도자와 구매자 간 신뢰를 높일 수 있다.

또한 AI는 부동산 수리 및 리모델링 계획 수립에도 활용된다. 오픈도어는 AI가 매물의 상태를 진단하고, 필요한 공사를 최적화하여 일정과 예산을 수립한다. 이를 통해 비용과 시간을 절감하면서도 매물 가치를 높일 수 있다.

마지막으로 AI는 매물 판매 과정에서도 핵심적인 역할을 한다. 오픈도어의 AI 시스템은 잠재 구매자를 예측하고, 효과적인 마케팅 전략을 수립하여 신속한 매각을 지원한다. 이를 통해 전통적인 부동산 거래 방식과 비교했을 때 획기적으로 빠른 거래가 가능하다.

이처럼 오픈도어는 매물 평가, 수리, 판매 등 부동산 거래의 전 과정에서 AI 기술을 활용하고 있다. 이를 통해 업무 효율성을 극대화하고, 고객에게 더욱 빠르고 정확한 서비스를 제공할 수 있게 되었다.

▶ 빠른 거래

빠른 거래가 특징인 오픈도어는 전통적인 부동산 거래 방식이 수개월이 소요되는 것에 비해, 오픈도어는 1주일 내 매물 매도를 가능하게 하고 있다. 이는 온라인 플랫폼과 AI 기술 활용으로 인한 획기적인 거래 속도 향상이다.

오픈도어의 가장 두드러진 특징 중 하나는 빠른 거래 속도이다. 오픈도어는 전통적인 부동산 거래 방식과 비교했을 때 획기적으로 빠른 거래 프로세스를 제공하고 있다. 일반적으로 부동산 매도 과정은 수개월이 소요되는 경우가 많다. 부동산 중개 업체 섭외, 매물 공개, 구매자 탐색, 계약 체결 등 일련의 절차를 거치면서 시간이 많이 소요된다.

		Zillow Offers	Opendoor	Offerpad
$ 325,000	List vs. Instant Offer	$ 318,930	$ 311,480	$ 313,170
	Service Fee	$ 22,385	$ 25,853	$ 23,801
3% $ 9,750 3% $ 9,750	Commissions Seller Agent Buyer Agent	2% $ 6,390	$ 6,230	$ 6,263
$ 3,900	Prep and Repairs	$ 11,037	$ 3,114	$ 12,526
$ 3,250	Closing Costs		$ 2,087	$ 3,131
$ 26,650	Costs of Selling	$ 38,831	$ 37,284	$ 45,721
$ 298,350	Estimated Net	$ 280,099	$ 274,196	$ 267,449
$0	Money Left on the Table	$ 18,251	$ 24,154	$ 30,901
80	Days to Close	7-90	10-60	8-90
1	Total Inspections	1	1	1
1-30	Total Showings	0	0	0
Yes	Price Negotiable	No	No	No
90%	Home is Eligible and Receives Offer	19%	18%	20%
92%	Homeowner Accepts Initial Offer	16%	53%	52%
95%	Homeowner Agrees to Prep and Repairs Cost	82%	82%	82%
89%	Overall Likely of Sale	3%	8%	4%

[그림 45] 부동산 거래 금액 비교

출처 : https://www.topgahomes.com/

그러나 오픈도어는 이 모든 과정을 온라인 플랫폼을 통해 처리하고, 인공지능 기술을 활용하여 신속하게 진행한다. 오픈도어 고객들은 매물을 등록한 지 1주일 내에 매도가 가능하다. 이는 기존 부동산 거래 방식과 비교하면 획기적으로 빠른 속도라고 할 수 있다.

이처럼 오픈도어의 빠른 거래 속도는 온라인 플랫폼과 AI 기술의 결합을 통해 가능해진 것이다. 전통적인 오프라인 중개 과정을 생략하고, AI 알고리즘을 통해 거래 프로세스를 자동화함으로써 부동산 매도에 소요되는 시간을 대폭 단축할 수 있었다. 이는 고객 만족도 향상과 시장 경쟁력 제고에 크게 기여하고 있다. 빠른 거래 속도는 오픈도어만의 차별화된 강점으로, 기존 부동산 업계에 혁신을 가져오는 핵심 요인이 되고 있다.

▶ 투명한 가격

투명한 가격으로 오픈도어는 시장 상황과 각 매물의 특성을 면밀히 분석하여 투명한 가격을 제시한다. 이를 통해 매도자와 구매자 간의 신뢰를 높이고 공정한 거래를 보장하고 있다.

오픈도어의 또 다른 주요 특징은 부동산 가격에 대한 투명성이다. 오픈도어는 시장 상황과 각 매물의 특성을 면밀히 분석하여 공정한 가격을 제시하고 있다.

전통적인 부동산 거래 방식에서는 중개업자의 주관적인 판단이나 협상력에 따라 가격이 결정되는 경우가 많았다. 이로 인해 매도자와 구매자 간 가격 갈등이 발생하고, 공정성 논란이 제기되기도 했다. 그러나 오픈도어는 방대한 데이터와 AI 분석 기술을 활용하여 시장 동향, 유사 매물 실거래가, 해당 물건의 특성 등을 종합적으로 고려한 공정한 가격을 산출한다. 이를 통해 매도자와 구매자 모두가 신뢰할 수 있는 투명한 가격 체계를 확립하고 있다.

또한 오픈도어는 가격 책정 과정의 투명성을 높이기 위해 상세한 가치 평가 내역을 고객에게 제공한다. 이를 통해 고객들이 가격 결정 근거를 명확히 확인할 수 있도록 하고 있다. 결과적으로 오픈도어의 투명한 가격 책정 방식은 부동산 거래의 공정성을 높이고, 고객들의 신뢰를 확보하는 데 기여하고 있다. 이는 오픈도어가 기존 부동산 업계의 관행을 혁신하는 핵심 요인으로 작용하고 있다.

이처럼 오픈도어는 온라인 플랫폼, 인공지능 기술, 빠른 거래 속도, 투명한 가격 책정 등의 차별화된 특징들을 바탕으로 기존 부동산 거래 방식의 한계를 극복하고 있다. 이를 통해 고객 편의성과 거래 효율성을 동시에 제고하며 부동산 거래 패러다임을 선도하고 있다.

4) 오픈도어 직면 과제

오픈도어는 혁신적인 비즈니스 모델로 부동산 거래 시장을 변화시키고 있지만, 몇 가지 과제에 직면해 있다.

1. 높은 운영 비용

오픈도어는 주택을 직접 매입하여 수리, 유지 관리, 개조 등의 비용을 부담해야 한다. 이는 오픈도어의 주요 비용 요인이 되고 있다. 이러한 비용 부담은 오픈도어의 수익성과 재무 건전성에 부담으로 작용할 수 있다. 즉 오픈도어가 직면한 주요 과제 중 하나는 주택 매입 및 매도 과정에서 발생하는 운영 비용 부담이다.

오픈도어의 핵심 비즈니스 모델인 'i-Buying'은 주택을 직접 매입하여 수리, 유지 관리, 개조 등의 과정을 거친 뒤 다시 판매하는 방식이다. 이 과정에서 발생하는 다양한 비용이 오픈도어의 주요 지출 요인이 되고 있다. 먼저, 매입한 주택의 수리와 개보수 비용이 상당하다. 오픈도어는 매물의 상태를 진단하고 가치를 높이기 위해 리모델링 공사를 진행해야 한다. 이를 위해 전문 인력과 자재 구매 등에 많은 비용이 소요된다.

또한 매입 주택의 유지 관리 비용도 지속적으로 발생한다. 주택 관리, 세금, 보험 등의 경비를 오픈도어가 부담해야 하므로, 이 또한 운영 비용의 주요 항목이 된다. 더불어 매도 과정에서도 부동산 중개 수수료, 광고/마케팅 비용 등이 발생하여 비용 부담을 가중시키고 있다.

이처럼 오픈도어는 주택 매입부터 매도까지의 전 과정에서 다양한 비용을 부담해야 하는 상황이다. 이는 오픈도어의 수익성과 재무 건전성에 부담 요인이 되고 있다. 따라서 이를 효과적으로 관리하고 절감하는 것이 오픈도어의 주요 과제로 대두되고 있다.

2. 시장 변동성에 대한 취약성

오픈도어가 직면한 또 다른 과제는 부동산 시장의 변동성에 따른 취약성이다. 오픈도어는 부동산 시장 변동에 따른 주택 가격 하락 리스크에 노출되어 있다. 경기 침체나 시장 불황 시 매도가 지연되거나 원가 이하로 매도해야 하는 상황이 발생할 수 있다. 이는 오픈도어의 재무 건전성과 수익성에 부정적인 영향을 미칠 수 있다. 오픈도어의 비즈니스 모델은 주택 가격 변동에 큰 영향을 받을 수밖에 없다.

오픈도어는 주택을 직접 매입하여 수리 및 개선을 거친 뒤 다시 판매하는 'i-Buying' 사업을 운영하고 있다. 따라서 부동산 시장의 가격 변동에 따라 오픈도어가 매입한 주택의 가치가 하락할 경우, 큰 손실을 입을 수 있다. 특히 경기 침체나 부동산 시장 불황 시 이 위험은 더욱 커질 수 있다. 이런 상황에서 매도 지연 또는 원가 이하로의 매도 등이 발생하면 오픈도어의 수익성과 재무 건전성에 직접적인 타격을 줄 수 있다.

이처럼 오픈도어는 부동산 시장의 변동성에 매우 취약한 구조를 지니고 있다. 시장 상황에 따라 손실 가능성이 크게 변동될 수 있는 것이 오픈도어의 가장 큰 과제 중 하나라고 할 수 있다.

따라서 오픈도어는 이러한 시장 변동성 리스크를 효과적으로 관리하고 대응할 수 있는 전략을 마련해야 할 것이다. 이를 통해 지속 가능한 성장을 달성할 수 있을 것으로 보인다.

3. 규제 및 법적 문제

오픈도어가 직면한 또 다른 과제는 새로운 비즈니스 모델에 대한 규제 및 법적 불확실성이다. 오픈도어의 새로운 비즈니스 모델은 기존 부동산 거래 관행과 차이가 있어 규제 불확실성이 존재한다. 법적 문제 발생 시 오픈도어의 사업 운영에 차질이 발생할 수 있다.

오픈도어의 'i-Buying' 사업 모델은 기존 부동산 중개 시장의 관행과 차이가 있기 때문에, 이에 대한 규제 체계가 명확하지 않은 상황이다. 부동산 거래와 관련된 다양한 법규 및 정책 변화에 따라 오픈도어의 사업 운영에 차질이 발생할 수 있다.

예를 들어, 주택 매입, 수리, 판매 과정에서 발생할 수 있는 법적 책임 소재, 소비자 보호 이슈, 거래 과정의 투명성 확보 등과 관련하여 명확한 규제가 부재한 상황이다. 이러한 법적 불확실성은 오픈도어의 사업 확장과 안정적 운영에 장애 요인이 될 수 있다.

또한 해외 진출 시에도 각국의 부동산 관련 법제도 차이로 인한 문제가 발생할 수 있다. 새로운 시장에서 적용되는 규제를 사전에 면밀히 검토하고 대응해야 할 필요가 있다.

따라서 오픈도어는 정부 및 관련 기관과의 협력을 통해 부동산 거래와 관련된 규제를 명확히 하고, 법적 리스크를 최소화할 수 있는 방안을 모색해야 할 것이다. 이는 오픈도어의 지속 가능한 성장을 위한 핵심 과제라고 할 수 있다.

4. 경쟁 심화

오픈도어가 직면한 주요 도전 과제 중 하나는 기존 부동산 중개업체 및 온라인 플랫폼과의 경쟁 심화이다. 오픈도어는 기존 부동산 중개업체 및 온라인 플랫폼 기업들과 치열한 경쟁을 벌이고 있다. 시장 진입 장벽이 낮아짐에 따라 새로운 경쟁자들이 지속적으로 등장하고 있다. 이러한 경쟁 심화는 오픈도어의 시장 지위 및 수익성에 부담으로 작용할 수 있다. 이는 부동산 시장에서 경쟁이 치열해지고 있으며, 고객들이 다양한 옵션을 비교하고 선택할 수 있는 환경에서 발생하는 현상이다.

온라인 플랫폼과의 경쟁에서는 가격이 핵심 요소이다. 다양한 온라인 플랫폼들이 수수료나 중개비를 저렴하게 제공하며 시장을 공략하고 있다. 이에 따라 기존 중개업체들은 가격 경쟁에서 밀리지 않기 위해 가격 정책을 재고하고 서비스를 제공해야 한다.

온라인 플랫폼들은 기술적 혁신을 통해 고객 경험을 개선하고 편의성을 제공한다. 가상 투어, 3D 매핑, AI 기반 추천 시스템 등의 기술을 활용하여 고객들에게 더욱 매력적인 서비스를 제공하고 있다. 이에 대응하기 위해 기존 중개업체들은 기술을 적극적으로 도입하여 경쟁력을 확보해야 한다.

온라인 플랫폼들은 디지털 커뮤니케이션을 통해 고객 서비스를 제공하며, 고객들의 편의를 높인다. 이에 반해 기존 중개업체들은 오프라인에서의 서비스 경험을 강조하며 차별화를 시도하고 있지만, 이는 온라인 경쟁과의 균형을 유지하기 어려운 상황이다.

기존 중개업체들은 오랜 기간 동안 축적된 브랜드 가치를 활용하여 고객들의 신뢰를 얻고 있다. 그러나 온라인 플랫폼들도 점차적으로 브랜드 가치를 쌓고 있으며, 특히 눈에 띄는 마케팅 활동을 통해 브랜드 인지도를 높이고 있다.

이러한 경쟁 심화는 오픈도어와 같은 기업에게 더 큰 혁신과 전략적인 대응을 요구한다. 지속적인 시장 조사와 고객 피드백 수집을 통해 시장 동향을 파악하고, 미래에 대비하는 방향으로 비전과 전략을 수립해야 한다. 이와 같은 과제들을 효과적으로 해결하는 것이 오픈도어의 지속 가능한 성장을 위한 핵심 과제라고 할 수 있다.

5) 오픈도어 특징과 서비스

오픈도어(Opendoor)의 특징과 서비스에는 기본 서비스는 iBuyer(iBuyer) 프로그램으로, 회사의 온라인 플랫폼을 통해 자산을 즉시 현금화할 수 있도록 요청한다. 판매자가 Opendoor's Offer를 수용하면 회사는 진입 거래, 포함 홈 검사, 수리 및 재판매를 처리한다. 오픈도어 알수퍼스는 부동산 서비스의 제품군, 디지털

홈버잉 및 판매 경험, 모기지 및 타이틀 서비스, 그리고 현재 홈오너들을 위한 트레이드인 프로그램들을 포함한다.

첫째, iBuyer 프로그램으로 오픈도어의 핵심 서비스는 iBuyer 프로그램으로 주택 소유자가 오픈도어의 온라인 플랫폼을 통해 주택에 대한 즉석 현금 제안을 요청할 수 있다. 주택 소유자는 몇 분 안에 사전 제안을 받은 후 직접 주택 점검 일정을 잡을 수 있으며, 이후 오픈도어가 최종 현금 제안을 제공한다. 주택 소유자가 제안을 수락하면 오픈도어는 집 수리, 상장, 전매 등 거래 전반을 처리한다.

둘째, 간소화된 주택 판매로 오픈도어는 전통적인 부동산 프로세스에 비해 더 빠르고 편리한 주택 매매 경험을 제공하는 것을 목표로 한다. 오픈도어가 모든 과정을 처리하기 때문에 주택 소유자는 집을 보여주고, 집을 공개하고, 구매자와 협상하는 번거로움을 피할 수 있다. 오픈도어는 또한 유연한 마감 타임라인을 제공하여 판매자가 자신에게 가장 적합한 이사 날짜를 선택할 수 있다.

셋째, 주택 개조 및 재판매로 오픈도어는 주택을 구입한 후 필요한 수리 및 개조를 수행하여 주택을 재판매할 수 있도록 준비할 예정이다. 이 회사는 데이터 분석 및 운영 전문 지식을 활용하여 최적의 개선 사항을 파악하고 주택 개선 프로세스를 효율적으로 실행한다. 그런 다음 오픈도어는 구매자에게 재판매할 수 있도록 개조된 주택을 오픈마켓에 나열한다.

넷째, 통합 부동산 서비스로 오픈도어는 iBuyer 프로그램 외에도 다음과 같은 보완적인 부동산 서비스를 제공한다. 보다 원활한 주택 구매 및 판매 경험을 제공하기 위한 모기지 및 타이틀 서비스이다. 현재 주택 소유자가 기존 주택을 거래하고 오픈도어를 통해 새 주택을 구입할 수 있는 트레이드인 프로그램이며, 오픈도어의 대출 파트너를 통한 주택 대출 및 리파이낸싱 옵션을 보유하고 있다.

다섯째, 데이터 기반 가격 및 운영으로 오픈도어의 비즈니스 모델은 정확한 주택 가격 책정, 재고 관리, 운영 효율성 최적화를 위해 데이터 분석과 알고리즘에 크게 의존한다. 이 회사는 고급 분석, 기계 학습 및 자동화를 사용하여 주택 구매 및 판매 프로세스를 간소화한다.

오픈도어는 이러한 포괄적인 서비스를 제공하고 기술을 활용함으로써 전통적인 부동산 산업을 변화시키고 소비자에게 보다 편리하고 투명하며 효율적인 주택 구매 및 판매 경험을 제공하는 것을 목표로 하고 있다.

6) 오픈도어(Opendoor) 성장과 확장

오픈도어(Opendoor)의 성장과 확장을 보면, 오픈도어는 2014년에 설립된 이래 지리적으로 도달할 수 있는 범위와 구입 및 판매한 주택 수 모두에서 급속한 성장을 경험했다. 초기에 오픈도어는 피닉스(Phoenix), 댈러스-포트워스(Dallas-Fort Worth), 라스베가스(Las Vegas) 등 소수의 주요 미국 시장에서 사업을 확장하는 데 주력했다. 2021년까지 오픈도어는 미국 전역의 50개 이상의 시장에서 운영될 성도로 성상하여 미국에서 가장 큰 iBuyer 회사 중 하나가 되었다. 이 회사는 또한 재고를 늘렸는데, 오픈도어는 연간 수만 채의 주택을 구매하고 재판매했다.

오픈 도어의 펀딩과 투자에서 오픈도어는 성장과 확장을 촉진하기 위해 상당한 규모의 벤처캐피털 자금을 조달했다. 이 회사는 현재까지 10억 달러 이상의 자금을 조달했으며 2021년 가장 최근의 시리즈 라운드는 8억 5천만 달러를 조달했다. 오픈도어의 투자자로는 소프트뱅크(Softbank), 안드레센 호로위츠(Andreessen Horowitz), 엑세스 인더스트리(Access Industries) 등 유명 벤처 캐피털 회사들이 있다. 이러한 자본의 유입으로 오픈도어는 기술, 데이터 인프라 및 전략적 인수에 투자하여 역량을 강화할 수 있게 되었다.

또한 오픈 도어의 인수업체와 파트너십에서 오픈도어는 매물을 확대하고 부동산 기술 시장에서 입지를 강화하기 위해 전략적 인수를 추진해왔다. 2021년 오픈도어는 고객에게 보다 통합적인 부동산 서비스를 제공하기 위해 타이틀 및 에스크로 회사인 OS National[37]을 인수했다. 이 회사는 또한 주택 구매자와 판매자에게 보

---

37) OS National은 2021년 오픈도어가 인수한 타이틀 및 에스크로 회사로, OS National은 OS National은 미국에서 타이틀 보험 및 에스크로 서비스를 제공하는 선도적인 업체이다. 이 회사는 2008년에 설립되었으며 조지아주 덜루스에 본사를 두고 있다. OS National은 40개 이상의 주에서 운영되고 있으며 전국에 지역 사무소와 타이틀 에이전트 네트워크를 보유하고 있다. 이 업체는 오픈도어에 의한 인수 업체이다. 2021년에는 아이바이어(즉시 구매자) 기업인 오픈도어가 OS 내셔널 인수를 발표했다. 이번 전략적 인수는 타이틀과 에스크로 서비스를 오픈도어의 엔드투엔드 부동산 플랫폼에 통합하기 위한 것이었다. 오픈도어는 OS National을 소유함으로써 고객에게 보다 능률적이고 원활한 주택 구매 및 판매 경험을 제공할 수 있다. 주요 서비스로는 타이틀 보험으로 OS National은 부동산 소유권, 권리, 청구권과 관련된 문제로부터 주택 소유자와 대출 기관을 보호하기 위해 타이틀 보험을 제공한다. 에스크로 서비스로 당사는 부동산 거래 시 인진인 샤금 이세 빛 문서와를 포함한 에스크로 프로세스를 처리한다. 거래 대금 및 비용 계산 명세서(Settlement Services)로 OS National은 제목 검색, 제목 정리, 마감 조정 등 다양한 정산 서비스를 제공한다.
- 1031 거래소 서비스(Exchange Services)로 당사는 부동산 투자자를 위한 세금이 부과되는 1031 거래소 거래를 촉진하는 데 도움을 준다. 오픈도어와의 시너지 효과로 OS 내셔널 인수로 오픈도어는 타이틀과 에스크로 서비스를 아이바이어 플랫폼에 수직적으로 통

다 포괄적인 서비스를 제공하기 위해 다양한 부동산 중개인, 모기지 대출 기관 및 기타 업계 플레이어와 파트너십을 맺었다.

지리적 확장에서 오픈도어의 성장 전략은 미국 전역으로 지리적 입지를 넓히는 데 초점을 맞춰왔다. 이 회사는 초기에 몇몇 일부 시장에서 시작했으며 로스앤젤레스, 애틀랜타 및 워싱턴 D.C.와 같은 주요 도시를 포함하여 50개 이상의 대도시 지역으로 꾸준히 확장했다. 이러한 광범위한 지리적 범위를 통해 Opendoor는 데이터와 운영 전문 지식을 활용하여 iBuyer 모델을 최적화하고 더 많은 고객 기반에 서비스를 제공할 수 있다. 전반적으로 오픈도어의 급속한 성장과 상당한 자금 조달, 전략적 인수 및 지리적 확장으로 부동산 기술 분야의 선두주자로 자리매김하면서 전통적인 주택 매매 프로세스를 방해하고 있다.

7) Opendoor 작업 장단점

주택 소유자가 알아야 할 Opendoor 작업의 장단점은 다음과 같다. Opendoor를 사용하여 집을 판매할 때의 장점으로 다음과 같다.

1) 편의. Opendoor는 판매자의 등록 절차를 최대한 원활하게 만들기 위해 노력했다. 주택 소유자는 Opendoor 웹사이트를 방문하여 주택에 관한 질문이 포함된 양식을 작성할 수 있다. 24시간 이내에 Opendoor는 그들에게 제안 가격을 보낸다. Opendoor는 주택 검사 비용도 지불하므로 판매자의 비용이 줄어든다. 가장 중요한 점은 Opendoor가 주택 판매 과정을 제거했다는 점이다. 이는 많은 판매자에게 주요 동기가 된다.

2) 숙련된 판매자에게 적합. 수년간의 부동산 통찰력을 갖춘 숙련된 판매자라면 Opendoor가 적합할 수 있다. Opendoor는 조건에 따라 구매 프로세스를 주도하기 때문에 상당한 자금 손실 위험을 감수하지 않으려면 부동산 산업을 진행하기 전에 시장을 확고히 파악하고 부동산 업계를 매우 잘 이해하는 것이 중요하다. 집을 처음 파는 사람이나 부동산 시장에 대한 깊은 이해가 없는 사람은 Opendoor가 시장 금리보다 훨씬 낮은 가격의 제안을 보낼 경우 순수익의 상당 부분을 잃을

합할 수 있게 됐다. 이러한 통합은 오픈도어가 엔드 투 엔드(end-to-end) 주택 구매 및 판매 프로세스를 더 잘 제어할 수 있도록 도와줌으로써 효율성 향상, 비용 절감 및 보다 원활한 고객 경험으로 이어진다. OS National의 인수는 또한 오픈도어에 홈 밸류에이션 알고리즘과 운영 의사 결정을 향상시키기 위한 추가 데이터와 통찰력을 제공한다. 종합적으로 이번 OS 내셔널 인수는 오픈도어가 부동산 기술 분야에서 입지를 강화하고 고객에게 보다 포괄적인 서비스를 제공하기 위한 전략적 움직임을 나타낸다.

위험이 있다. Opendoor와 협력하기로 선택한 판매자는 강력한 협상자가 되어야 하며 수리 비용에 대해 논의하고 Opendoor 사용에 따른 기타 많은 수수료에 대해 협상할 준비가 되어 있어야 한다.

3) 급한 판매자에게 도움이 된다. Opendoor의 주요 판매 포인트는 속도이다. 구매 프로세스를 가능한 한 빨리 진행하며 일반적으로 24시간 이내에 판매자에게 제안을 보낸다. 판매자가 Opendoor를 사용하기로 선택한 경우 일반적으로 제안이 전송된 후 며칠 후에 검사가 이루어진다. 급하게 주택을 판매할 시간이 없는 판매자는 Opendoor의 혜택을 누릴 수 있다(이전에 부동산 경험이 있는 경우). 반대로, 집을 파는 것만큼 중요한 절차를 서두르면 해로울 수 있으며 상당한 금전적 손실을 초래할 수 있다.

4) 판매자는 현금 제안을 받는다. 구매자와 협력할 때 항상 자금 조달이 실패할 것이라는 두려움이 있다. 전액 현금 제안을 받으면 판매자는 마음의 평화를 얻을 수 있고 대출 기관이 대출 신청을 처리할 때까지 기다리는 시간을 없애므로 이것이 Opendoor의 강력한 판매 포인트가 될 것이다.

Opendoor를 사용하여 집을 판매할 때의 단점을 보면, 다음과 같다.

1) 판매가. Opendoor는 집을 할인된 가격에 구입하고 공정한 시장 가격으로 다시 표시한 후 판매하기 때문에 수익성이 높은 조직이다. 이를 통해 Opendoor는 구매할 때 수수료/기본 자산을 통해, 그리고 주택이 문을 닫을 때 총 판매 가격의 증가를 통해 거래 양쪽에서 돈을 벌 수 있다.

2) 높은 수수료. Opendoor는 서비스에 대해 최소한 7.5%의 수수료를 청구한다. 이를 관점에서 보면 표준 부동산 중개인은 일반적으로 6%의 수수료만 청구한다. Opendoor 웹사이트에는 수수료가 6%에서 14%까지 다양할 수 있다는 면책조항도 있는데, 이는 상당한 금액이다. 그들은 주택을 판매하는 데 걸리는 시간, 해당 지역에서 판매되는 비슷한 주택 및 주택의 특징을 기준으로 가격을 책정한다.

3) 성급한 판매 프로세스로 인해 돈이 손실될 수 있다. 주택 판매는 귀하가 경험할 수 있는 가장 중요한 거래 중 하나이다. 많은 사람들에게 집은 가장 중요한 자산이며, 그 자산에서 돈을 잃는 것은 엄청난 손실이 될 수 있다. Opendoor는 시장 가격을 모르고 부동산 산업에 대해 확고한 이해가 없는 사람들을 활용할 수 있다. 그들은 시장 가격보다 낮은 가격으로 주택을 구매하겠다고 제안하거나 제안 가격에서 상당한 수익금을 공제하여 수리 비용을 충당함으로써 이를 수행할 수 있다.

4) 수리 비용은 본인의 재량에 따른다. 오픈도어는 점검 결과를 바탕으로 수리

비용을 산정하고 이를 판매 가격에서 공제한다. 표준 거래에서 판매자는 일반적으로 수리 비용을 협상할 수 있으므로 수리 비용을 전액 지불할 필요가 없다.

5) 부동산 경험이 풍부한 분들에게만 사용한다. 과거에 부동산 면허를 취득한 적이 있거나 주택을 사고 파는 데 상당한 경험이 있는 경우, 급하게 주택을 판매하려는 경우 Opendoor가 도움이 될 수 있다. 물어봐야 할 질문과 주의해야 할 잠재적인 위험 신호를 알아야 한다. Opendoor는 때때로 시장보다 낮은 가격으로 주택 가격을 책정할 수 있는데, 일부 판매자는 주택 시장에 익숙하지 않은 경우 이를 깨닫지 못할 수도 있다. 그들은 또한 수리 비용을 협상하는 방법을 모르고 전통적인 부동산 중개인에게 집을 등록했을 때보다 훨씬 더 많은 비용을 지출할 수도 있다.

6) 구매자를 유인할 수 없음. 집을 사고 파는 것은 감정적인 경험이다. 전통적으로 중개업자를 통해 주택을 판매할 때, 귀하의 주택을 사랑하고 귀하가 요구하는 가격보다 더 높은 가격을 제시하는 구매자를 찾을 수 있는 기회가 있다. Opendoor는 판매에서 감정적인 요소를 제거하고 순전히 거래로만 진행한다. 즉, 판매자는 훨씬 더 많은 비용을 지불하려는 구매자를 놓칠 수 있다.

7) 특정 지역에서만 사용 가능. Opendoor는 애틀랜타, 오스틴, 샬럿, 댈러스-포트워스, 덴버, 휴스턴, 잭슨빌, 라스베거스, 로스앤젤레스, 미니애폴리스-세인트에서만 이용 가능하다. 폴, 내슈빌, 올랜도, 피닉스, 포틀랜드, 롤리-더럼, 리버사이드, 새크라멘토, 솔트레이크시티, 샌안토니오, 탬파, 투산 등은 Opendoor가 서비스를 제공하는 지역이다.

5. 부동산 기술 회사 iBuyer Companies

1) iBuyer(즉시 구매자)

오픈도어(Opendoor)는 부동산 기술 회사로, 온라인 구매 및 판매를 위한 플랫폼을 제공한다. 2014년 창립된 이후 부동산 기술 회사로 캘리포니아주 샌프란시스코에 본사를 두고 있다. 이 회사의 핵심 비즈니스 모델은 주택 소유자가 주택을 직접 구매할 수 있는 즉석 현금 제안을 제공하는 iBuyer(즉시 구매자) 역할을 하는 것이다. 또한, 필요한 수리를 한 후에, 구매자에게 홈을 재판매하는 것이다. 오픈도어의 기술 중심 플랫폼은 전통적인 부동산 프로세스에 비해 주택 소유자에게 더 빠르고 편리하며 스트레스를 덜 받는 주택 매매 경험을 제공하는 것을 목표로 한다. 오픈도어는 주택을 구입한 후 필요한 수리와 개조를 거친 후 재판매를 위한 주택을 오픈마켓에 상장할 예정이다. 오픈도어의 비즈니스 모델은 데이터, 알고리즘, 자동화를 활용하여 주택 가격을 정확하게 책정하고 재고를 관리하며 주택 거래를 효율적으로 촉진하는 데 기반을 두고 있다. 이 회사의 서비스는 단순히 주택을 사고 파는 것을 넘어 모기지, 부동산 소유권 및 거래 프로그램을 포함한 일련의 관련 부동산 서비스도 제공한다.

오픈도어는 주요 대도시를 중심으로 미국 전역의 50개 이상의 시장에서 운영되고 있다. 이러한 넓은 지리적 위치는 회사 전략의 핵심이다. 오픈도어는 현재까지 10억 달러 이상의 자금이 조달되는 등 상당한 규모의 벤처 캐피탈 자금을 조달하여 운영 규모를 확장하고 기술 및 데이터 인프라에 투자할 수 있도록 했다. 이 회사의 목표는 소비자들에게 보다 간소화되고 투명하며 기술이 가능한 주택 매매 경험을 제공함으로써 주거용 부동산 산업을 변화시키는 것이다. 오픈도어만의 아이바이어 모델과 통합 부동산 서비스 플랫폼이 전통적인 부동산 산업의 파괴력으로 자리 잡았다.

2) Zillow

Zillow[38] 기업의 서비스를 보면, 질로우는 대표적인 부동산 미디어 및 기술 회사

---

38) Zillow 기업의 주요 특징과 서비스는 부동산 목록 및 검색으로 질로우는 가장 큰 온라인 부동산 마켓플레이스 중 하나를 운영하고 있으며, 수백만 채의 주택을 매매, 임대 및 최근에 판매했다. 소비자는 부동산을 검색하고 자세한 목록 정보를 볼 수 있으며 다양한 도구에 액세스하여 집과 동네를 분석할 수 있다. 추정치 및 주택 평가로 질로우의 독자적인 "제스티메이트(Zestimate)" 알고리즘은 자동화된 주택 평가를 제공하여 사용자가 부동산의 시장 가치를 추정할 수 있도록 한다. 이 기능은 질로우 플랫폼의 핵심 부분이며 소비자가 주택을 구입, 판매 또는 재융자할 때 정보에 입각한 결정을 내릴 수 있도록 도와준다. 모기지 마켓플레이스로 Zillow는 온라인 모기지 마켓플레이스를 운영하여 사용자가 여러 대출 기관의 대출 금리와 조건을 비교할 수 있도록 한다. 이 플랫폼은 또한 주택 구매자의 자금 조달 과정을 돕기 위해 모기지 계산기, 사전 승인 도구 및 기타 리소스를 제공한다. Zillow 오퍼(iBuyer Program)으로 질로우 오퍼즈는 이 회사의 아이바이어(즉시 구매자) 프로그램으로, 질로우가 판매자로부터 직접 주택을 구입한 뒤 오픈마켓에서 되파는 방식이다. 이 서비스는 주택 소유자에게 빠르고 편리한 주택 매매 경험을 제공하는 것을 목표로 한다. 임대 시장 및 도구로 질로우는 사용자가 임대 부동산을 검색하고 임대료 지불 능력 계산기와 같은 도구에 액세스할 수 있는 강력한 임대 시상을 제공한다. 플랫폼은 임대 상장 관리, 임차인 심사 등 임대인과 부동산 관리자를 위한 서비스도 제공한다. 부동산 중개인 및 중개인 서비스로 질로우는 부동산 중개업자 및 중개업자에게 리드 생성, 광고 및 성능 분석을 포함한 다양한 서비스와 도구를 제공한다. 회사는 대리인 및 중개인 광고 및 소개 수수료를 통해 수익을 창출한다. 질로우는 부동산 관련 제품과 서비스의 포괄적인 제품군을 제공함으로써 소비자와 업계 전문가 모두의 요

로 2006년에 설립되었으며 워싱턴주 시애틀에 본사를 두고 있다. 질로우는 소비자와 업계 전문가에게 부동산 관련 광범위한 정보와 도구, 서비스를 제공하는 온라인 플랫폼을 운영하고 있다. 질로우는 핵심 부동산 포털 외에도 iBuying(주택 즉시 매매), 모기지론, 부동산 관리 등 다양한 부문으로 사업을 확장했다.

[그림 46] Zillow Offers

시장에서의 위치를 보면, 오픈도어(Opendoor)는 대도시 지역의 주요 운영 분야인 미국에서 강력한 시장 프레젠테이션을 열었다. 2023년 현재 Opendoor는 미국 시장 총액 50개 이상에 적극적으로 진입하여 국가 내에서 가장 큰 아이 구매자(즉각 구매자) 회사를 설립하고 있다. 오픈도어는 전통적인 부동산 중개업자 및 중개업자뿐만 아니라 Zillow Offers, Offerpad와 같은 다른 유명한 iBuyer Companies들과 경쟁한다.

3) Offerpad

Offerpad[39] 회사의 주요 기능 및 서비스를 보면, 오퍼패드(Offerpad)는 2015년

구를 충족시키는 온라인 부동산 업계의 지배적인 역할을 하고 있다.

39) 오퍼패드 회사의 주요 특징과 서비스로는 즉시 현금 제공으로 오퍼패드는 주택 소유자에게 회사의 온라인 플랫폼을 통해 부동산에 대한 즉각적인 현금 제안을 요청할 수 있는 기능을 제공한다. 오퍼패드의 독자적인 가격결정 알고리즘은 다양한 데이터 포인트를 분석하여 오퍼가격을 결정하고, 이는 24시간 이내에 판매자에게 제시된다. 간소화된 주택 판매로 판매자가 오퍼패드의 제안을 수락하면 회사는 재매각을 위한 주택의 점검, 수리, 상장 등 주택 매각 과정의 모든 측면을 처리한다. 이를 통해 전통적인 부동산 중개인, 오픈 하우스 및 판매자의 관련 번거로움이 제거된다. 탄력적 휴무일 및 보유일으로 오퍼패

에 설립된 아이바이어(즉시 구매자) 회사로 애리조나주 길버트에 본사를 두고 있다. 오퍼패드의 핵심 비즈니스 모델은 판매자로부터 직접 주택을 구입하고, 필요한 수리 및 개조를 한 후, 해당 주택을 오픈 마켓에서 재판매하는 것이다. 이 회사는 미국 전역의 800개 이상의 도시에서 운영되고 있으며, 미국에서 가장 큰 iBuyer 플랫폼 중 하나이다. 오퍼패드는 성장과 확장을 촉진하기 위해 상당한 벤처 캐피털 자금을 조달했으며, 현재까지 10억 달러 이상이 조달되었다.

[그림 47] Offerpad

4) iBuyer

iBuyer[40] 회사는 iBuyer(즉시 구매자) 회사는 기술 및 데이터 분석을 사용하여

드는 유연한 마감 일정을 제공하여 판매자가 자신의 필요에 가장 적합한 이사 날짜를 선택할 수 있다. 이는 판매자에게 주택 판매 과정에서 더 많은 통제와 편의를 제공한다. 주택 개선 및 재판매로 오퍼패드는 주택을 구입한 후 재판매를 준비하기 위해 필요한 수리 및 개조를 수행한다. 이 회사는 데이터 분석 및 운영 전문 지식을 활용하여 최적의 개선사항을 파악하고 주택 개선 프로세스를 효율적으로 실행한다. 그런 다음 오퍼패드는 구매자에게 재판매하기 위해 개조된 주택을 시장에 나열한다. 통합 부동산 서비스로 오퍼패드는 고객에게 보다 원활한 주택 매매 경험을 제공하기 위해 모기지 및 타이틀 서비스를 포함한 일련의 보완 부동산 서비스를 제공한다. 이 회사는 또한 현재 주택 소유자들이 오퍼패드를 통해 기존 주택을 거래하고 새 주택을 구입할 수 있는 트레이드인 프로그램을 개발했다. 오퍼패드는 이러한 혁신적인 기능과 서비스를 제공함으로써 주택 소유자에게 보다 편리하고 번거롭지 않으며 기술 중심적인 주택 판매 경험을 제공하는 동시에 미국에서 증가하고 있는 iBuyer 시장을 활용하는 것을 목표로 하고 있다.

40) iBuyer 회사의 주요 특징과 서비스로는 즉시 현금 제공으로 iBuyer는 알고리즘과 데이터를 사용하여 주택의 가치를 분석하고 주택 소유자에게 부동산을 구입할 수 있는 즉각적인 현금 제안을 제공한다. 따라서 전통적인 홈 쇼, 협상 및 긴 마감 일정이 필요하지 않는다. 간소화된 주택 판매로 iBuyer는 검수, 수리, 전매 등 주택 매매 전 과정을 처리해 주택 소유자가 전통적인 부동산 거래의 번거로움을 피할 수 있다. 주택 소유자는 선

주택 소유자에게 주택을 직접 구입할 수 있는 즉석 현금 제안을 하는 부동산 기술 회사이고, iBuyer 모델은 전통적인 부동산 프로세스에 비해 더 빠르고 편리하며 스트레스를 덜 받는 주택 매매 경험을 제공하는 것을 목표로 한다. 주요 아이바이어 회사로는 오픈도어, 질로우 오퍼즈, 오퍼패드, 레드핀 나우, 노크 등이 있다. 이들 기업은 지난 10년간 주택 거래를 효율화하기 위해 기술을 활용함으로써 전통적인 부동산 산업의 교란 요인으로 부상했다.

[그림 48] iBuyer.com

6. 프롭테크 분야와 콘테크(ConTech)

1) 프롭테크 4개 분야

프롭테크(prop-tech)는 정보기술(IT)·디지털기술을 활용해 온라인으로 다양한 부

호하는 마감 일정과 이사 날짜를 선택할 수 있다. 주택 개조 및 재판매로 iBuyers는 주택을 구입한 후 필요한 수리 및 개조를 수행하여 공개 시장에서 재판매할 부동산을 준비한다. iBuyers는 데이터와 운영 전문 지식을 활용하여 주택 개선 프로세스를 효율적으로 관리한다. 통합 부동산 서비스로 많은 iBuyer들은 보다 원활한 주택 매매 경험을 제공하기 위해 모기지, 타이틀, 에스크로 서비스와 같은 보완적인 부동산 서비스를 제공한다. 일부 iBuyer는 또한 현재 주택 소유자가 iBuyer를 통해 기존 주택을 거래하고 새 주택을 구입할 수 있는 트레이드인 프로그램을 가지고 있다. 데이터 기반 가격 및 운영으로 iBuyer는 정확한 주택 가격 책정, 재고 관리 및 운영 효율성 최적화를 위해 데이터 분석, 알고리즘 및 자동화에 크게 의존한다. 이러한 데이터 기반 접근 방식은 iBuyer 비즈니스 모델의 핵심 부분이다. 아이바이어 기업들은 이러한 혁신적인 기능과 서비스를 제공함으로써 전통적인 부동산 산업을 혁신하고 소비자들에게 보다 편리하고 투명하며 기술이 가능한 주택 매매 경험을 제공하는 것을 목표로 하고 있다.

동산 서비스를 제공하는 산업이다. 처음엔 인터넷이나 애플리케이션(앱)으로 부동산 정보 제공, 부동산거래 중개 역할만 하다가 IT·디지털기술 발달과 함께 중개 및 임대, 부동산 관리, 프로젝트 개발, 투자 및 자금조달 등 크게 4개 부문으로 확대되고 있다.

아날로그의 최고봉, 로테크(low-tech) 산업이라 해 기술과는 인연이 없다던 부동산업계에 어떻게 프롭테크(디지털 부동산)가 급성장할 수 있었을까. 한마디로 기술혁신의 승리라는 게 전문가 평가다. 3D프린터, 증강현실(AR), 가상현실(VR) 같은 공간기술에다 인공지능(AI)기술도 가세하면서 부동산 수요자·공급자 요구를 아날로그보다 더 잘 맞춰줄 수 있게 됐다. 부동산 디지털 수요가 급증하면서 글로벌 프롭테크 투자액은 2012년 약 6억 달러에서 2021년 240억 달러로 10년간 무려 40배 급성장했다.

하지만 '산이 높으면 골도 깊은 법.' 지난 해 초부터 미국발 금리 인상이 세계 금융시장을 위축시키면서 프롭테크업계도 국내외 할 것 없이 기업 가치가 절반 이하로 폭락하고 자금조달에 어려움을 겪고 있다. 단기간 유니콘으로 등극했던 미국 프로젝트 개발업체 '카테라' 도산과 최대 중개 및 임대업체 질로우의 'iBuying' 사업 철수는 미래의 성장 스토리보다 현재의 수익 창출이 중요함을 단적으로 보여주는 사례다.

이에 따라 '춘궁기'돌파를 위한 프롭테크의 아이디어도 백출하고 있다. 대표적인 것들로는 첫째, 부동산업 내의 수익력 제고를 통한 손익분기점(BEP) 확보다. 예컨대 질로우의 경우 기존 수익모델인 데이터와 가치평가 서비스 제공에서 나아가 매물탐색, 대출 중개, 임대와 매매계약 등 부동산의 전 과정으로 파고들고 있다. 국내는 어떤가. 국내 프롭테크 수익모델은 특히 주택 중개 및 임대플랫폼에 편중돼 있다. 전통산업과 갈등이 많아 수익력이 취약한 게 단점이다. 따라서 패스트파이브, 알스퀘어 같은 1세대 프롭테크 중심으로 인테리어나 주택 외 오피스 플랫폼 진출 등으로 매출 다각화를 시도하고 있다.

둘째, 다른 디지털 플랫폼산업과의 융합모델이다. 대표적으로 프롭테크와 핀테크 융합으로 금융과 부동산 경계를 허무는 '프롭핀테크' 분야가 주목을 받고 있다. 이들의 목표는 양 분야 융합으로 새로운 융합수요를 창출하겠다는 것이다. 조사업체 '리포트 링커'에 따르면 2030년 글로벌 프롭테크는 800억 달러(105조 원), 핀테크는 3253억 달러(432조 원)의 대규모 시장이 예상된다고 한다. 그만큼 융합 수익모델인 프롭핀테크 시너지효과도 엄청날 거란 얘기다. 해외의 경우 '하비토(Habito)',

'우노(Uno)', '질로우(Zillow) 등이 대출 중개 등 핀테크 분야로 진출하고 있고, 국내에서도 프롭테크업체 '오아시스비즈니스'가 KB증권과 제휴로 토큰증권(STO)으로의 사업확장을 계획한다든지, '베스트핀'이 온라인 담보대출 비교 플랫폼에다 부동산 매물 검색과 맞춤형 부동산 추천기능도 추가, 고도화할 방침이라고 한다.

셋째, 특히 콘테크를 통한 전통적인 건설업과의 협력 및 제휴는 기존산업이 보수적이고 영세사업자가 많다는 점을 고려할 때, 이들과의 갈등을 완화할 수 있는 현실적인 방안이란 평가다. 콘테크는 건설(construction)과 기술을 합친 말로, 건설업에 빅데이터와 인공지능(AI), 사물인터넷(IoT) 등 첨단기술을 접목해서 효율성을 높인다는 목표를 갖고 있다. 미국의 경우 프롭테크 시장의 17%를 차지할 정도로 핵심섹터이며, 에큅먼트쉐어(EquipmentShare), 프로코어(Procore) 등이 대표적이다. 우리나라는 아직 1% 내외지만, 건설현장의 공정시간 단축을 타깃으로 하는 스패너(Xpanner Inc.) 등이 벤처캐피탈의 관심을 모으고 있다.

2) 콘테크(ConTech)

콘테크(ConTech)는 건설 현장에 스마트한 미래를 접목한 것으로, 콘테크는 건설(Construction)과 기술(Technology)의 합성어로, 첨단 기술을 건설 현장에 도입하여 생산성을 높이고, 안전성을 강화하며, 품질을 개선하는 것을 목표로 하는 새로운 산업 분야이다.

핵심 기술은 빅데이터로 건설 현장에서 발생하는 방대한 데이터를 수집하고 분석하여 프로젝트 진행 상황을 실시간으로 파악하고, 문제점을 예측하며, 최적의 의사 결정을 지원한다. 인공지능(AI)으로 인공지능 기술을 활용하여 설계, 시공, 관리 등 건설 프로세스 전반을 자동화하고, 로봇을 이용한 작업을 통해 생산성을 향상시키고, 안전사고를 예방한다. 사물인터넷(IoT)으로 건설 자재, 기계, 장비에 센서를 부착하여 실시간 데이터를 수집하고, 이를 통해 자재 관리, 작업 진행 상황, 안전 상태 등을 모니터링한다. 증강현실(AR)로 가상의 정보를 현실 세계에 투사하여 설계도를 확인하거나, 작업 지침을 제공하는 등 현장 작업의 효율성을 높인다. 빌딩 정보 모델링(BIM)로 3D 모델을 활용하여 건축물을 설계하고 시공하는 기술로, 설계 단계에서부터 시공 단계까지 일관된 정보 관리를 가능하게 하여 생산성과 품질을 향상시킨다.

콘테크의 주요 효과로는 생산성 향상으로 첨단 기술을 활용하여 자동화, 효율화를 통해 건설 공정을 단축하고 생산성을 크게 향상시킬 수 있다. 안전성 강화로 로봇 작업, 위험 요소 감지, 안전 교육 등을 통해 작업자의 안전을 확보하고 사고를 예방할 수 있다. 품질 개선으로 BIM 기술을 활용하여 설계 오류를 줄이고, 시공 품질을 일관되게 관리할 수 있다. 또한, 비용 절감으로 생산성 향상, 안전 사고 감소, 품질 개선 등을 통해 건설 프로젝트의 총 비용을 절감할 수 있다. 지속가능성 확보로 친환경 건축 자재 사용, 에너지 효율 개선 등을 통해 건설 산업의 지속 가능성을 높일 수 있디.

콘테크의 활용 사례로 자율주행 건설 기계로 무인으로 작동하는 자율주행 건설 기계는 위험하고 단순한 작업을 자동화하여 생산성을 높이고 안전성을 강화한다. 드론 활용으로 건설 현장 측량, 구조물 검사, 사진 촬영 등에 드론을 활용하여 작업 효율성을 높이고 안전성을 확보한다. 웨어러블 기기로 작업자들이 착용하는 웨어러블 기기는 작업 환경 정보를 실시간으로 제공하고, 안전 사고를 예방하는 데 도움을 준다. 증강현실(AR) 기반 작업 지침으로 AR 기술을 활용하여 작업 지침을 시각적으로 제공하고, 작업자의 실수를 줄이는 데 도움을 준다. 스마트 빌딩으로 건축물 자체에 센서와 제어 시스템을 설치하여 에너지 사용량을 최적화하고, 실내 환경을 조절하며, 안전을 관리한다.

콘테크는 아직 초기 단계이지만, 건설 산업의 미래를 변화시킬 잠재력이 매우 높다. 앞으로 정부, 기업, 연구기관의 협력을 통해 콘테크 기술 개발 및 활용을 더욱 확대하고, 건설 산업의 지속가능한 발전을 이끌어낼 것으로 기대된다.

콘테크의 기대 효과로는 건설 생산성 20~30% 향상, 건설 비용 10~20% 절감, 건설 사고 감소, 지속가능한 건축 환경 조성과 새로운 일자리 창출 등이다.

3) 콘테크(ConTech) 기업

(1) 프로코어 테크놀로지스(Procore Technologies)

2002년에 설립된 Procore는 클라우드 기반 건설 관리 소프트웨어의 선도적인 공급자이다. 그들의 플랫폼은 건설 회사들이 프로젝트, 자원 및 통신을 보다 효율적으로 관리할 수 있도록 돕는다. Procore의 성공의 핵심은 클라우드 컴퓨팅 및 모바일 기술을 초기에 채택한 것으로 건설 팀이 프로젝트 데이터에 액세스하고 원격으로 협력할 수 있도록 한 것이다. 이것은 전통적으로 종이 기반 건설 산업의 주요 문제를 해결했다. Procore는 현재까지 6억 달러 이상의 자금을 모았으며

2022년 현재 90억 달러의 가치가 있다

(2) 오토데스크(Autodesk)

1982년 설립된 신생 기업은 아니지만 오토데스크는 데스크톱 소프트웨어에서 클라우드 및 모바일 건설 솔루션으로 성공적으로 전환했다. 오토캐드, Revit, BIM 360 등 자사의 주력 제품은 건설 프로젝트에서 3D 모델링, 시뮬레이션 및 협업을 위한 업계 표준이 되었다. 오토데스크는 강력한 브랜드 인지도와 리얼리티 캡처, 생성 설계 및 머신 러닝 등의 분야에서 지속적인 혁신을 통해 시장 지배력을 유지할 수 있었다.

(3) 필드와이어(Fieldwire)

필드와이어는 현장 보고서, 펀치리스트, 품질 체크리스트 등의 작업을 디지털화하는 모바일 건설 현장 관리 플랫폼을 제공한다. 2013년에 설립된 이들은 초기에 모바일 사용성에 초점을 맞추고 플랜그리드(오토데스크가 인수) 같은 플랫폼과 긴밀하게 통합된 점이 핵심이었다. 필드와이어는 4천만 달러 이상의 자금을 모았으며, 오토데스크, 프로코어, 힐티 등과 전략적 제휴를 맺은 후 이들의 가치는 급격히 상승했다.

특징으로 도면 및 설계도 앱으로 빠른 고화질 HD 도면 뷰어 (오프라인 동작가능), 자동 하이퍼링크 및 광학문자인식, Box/Dropbox를 이용한 공동 문서작성 기능, 자동 시트 버전 관리, 설계도 폴더, 표시 및 주석 기능 (풍선, 문구, 화살표...), 측정 및 화면 상에서의 견적조사, 공정사진 및 정요요청서 하이퍼링크, 준공도면 기록보관소이다. 간소화된 건설 스케쥴 작성 앱으로 위치, 거래, 우선순위 및 소유주 등을 다루는 작업관리자, 만기일 또는 우선순위에 따라 작업, 이동 중에 관련 작업, 비용 및 인력 추적, 생산성 보고서 등이 있다. 건물 준공검사 및 미결목록 앱에서 건설 관련 확인목록 및 점검 템플릿, 주석 및 표시 기능이 포함된 공정사진 기능, 외주업체를 위한 2단계 인증, 상세한 건물 준공검사/미결목록 보고서 등이 있다. 응용 프로그램의 종류로 사용 가능한 표준 모듈 (매일 RFI 타임 시트 등), 완벽하게 사용자 정의 가능한 템플릿, 자동 기상 데이터 등이 있고, 기타 정말 중요한 기능들로 오프라인 모드, 선택적 동기화, 푸쉬/이메일 알림, 자동화된 보고서, 훌륭한 고객지원 등이 있다.

(4) 카테라(Katerra)

케테라는 궁극적으로 실패하고 2021년에 문을 닫았지만, 그들의 초기 성공은 콘테크가 어떻게 건설 운영을 변화시킬 수 있는지를 보여주었다. 케테라는 제조, 공급망, 설계 및 건설을 수직적으로 통합하기 위해 20억 달러 이상을 모금했다. 케테라는 최고조에 달했을 때 40억 달러의 가치가 있었고 전 세계적으로 주요 프로젝트가 있었다. 그러나 궁극적으로 규모의 수익성을 달성할 수 없었다.

국내외 프롭테그(Proptech, 부동산 시장의 기술 혁신) 기업 사례로 건설 프롭테크(Constructech, 컨테크) 분야의 대표격 기업인 미국의 카테라(Katerra)로 주택이나 빌딩 건설 영역은 혁신이 더뎠다. 건설 단가는 점점 오르는데, 세계 건설시장의 생산성은 계속 떨어지고 있었고, 기존 건설 회사들은 수익의 1%도 신기술을 위해 투자하지 않고 있었다. 이에 착안해, 전기차 기업 테슬라(Tesla)의 전 CEO 마이클 마크스(Michael Marks)는 카테라(Katerra)를 설립했다. 마크스는 건설 자동화를 기반으로 한 독창적인 사업 모델을 통해 건설시장에 성공적으로 진입했다. 카테라는 건축 디자인부터 실제 공사에 이르기까지의 과정 전반을 돕는다. 고객이 카테라를 통하면, 건축의 시작부터 끝까지 한 번에 해결할 수 있다. 카테라는 자체 설계기술과 글로벌 공급망을 통해 고품질 자재를 직접 제조하고 유통해, 현장에서 조립까지 해준다. 모든 과정에서 IT 기반 기술(BIM, ERP 등)을 활용하며, 중간 도매상과의 계약 과정을 없애서 고객의 이익을 극대화한다. 카테라의 비전은 BIM, 로보틱스(Robotics)와 같은 디지털 플랫폼 기반 건설 자동화 기술을 통해 건설 업계의 생산성을 향상시키고 고객에게 이익을 되돌려주는 것이다. 카테라는 이를 위해 ▲BIM ▲ERP▲프리패브41)와 모듈 재활용 ▲공급 체인 통합 등의 기술과 전략을 사용한다. 카테라는 설립 3년 만에 미국 내 25위권 안에 드는 주택 전문 건설 기업으로 급성장했다. 기업 가치만 3조원에 달하며, 13억 달러(약 1조 5600억원)어치의 수주 예약을 달성할 만큼 빠르게 성장 중이다. 조직 내에는 100명의 건축가와 1300여명의 직원이 함께하고 있다.

카테라의 성장에는 전 세계로 뻗어 나간 유통망도 중요했다. 2018년 피닉스(Phoenix) 공장을 시작으로, 첨단 시설을 갖춘 자체 공장을 이용하고 있다. 2019년에는 중국과 미국을 비롯에 전 세계에 5개 공장을 가동했다. 카테라는 사전인증

---

41) 프리패브(Prefabrication)는 공장에서 미리 문, 벽 단위의 조립품 형태로 주택을 제작하여 현장으로 이송한 뒤, 현장에서 조립해 공사 기간과 비용을 절감하는 프로세스(모델링 하우스의 개념)

과 검사 시스템을 통해 생산 품질과 가격 경쟁력을 확보했다. 별도 물류센터를 통한 적기 납품 시스템(Just In time system)의 도입으로, 자재의 효율적인 유통도 가능하게 했다. 기존 건설 프로세스를 혁신한 카테라의 등장에 대형 투자자들도 몰려들었다. 소프트뱅크(Soft Bank Group)와 DFJ, 제조사인 Foxconn 등이 투자에 참여했으며, 그 투자 규모만 11억3000만 달러(약 1조 3300억원)에 달했다. 2018년 미국의 '대형 투자 라운드 Top 10(TechCrunch)'에 들만큼 큰 규모였다.

지속가능성(Sustainability)을 위한 노력으로 건설 자재 생산 과정에서 나오는 온실가스는 미국 내 전체 발생량의 11%에 달한다. 시멘트 제조 공정에서도 온실가스가 나온다(미국 내 발생량의 5~8%). 카테라 연구팀은 지속가능발전(Sustainable development)을 위해 환경을 파괴하지 않는 공정을 연구한다. 특히 환경친화적 시멘트를 통해 이산화탄소의 배출을 줄이려 하고 있다. 또한, 에너지 소비를 줄이는 최적의 창문 크기와 배치, 실내외 물 사용량 데이터도 수집하고 있다. 카테라는 견습생 프로그램(Apprenticeship program)도 실시하고 있다. 갈수록 숙련된 건설 인력의 부족해지는 이때, 1년 중 144시간의 첨단 기술교육과 약 2000시간의 현장 실습을 통해 인재를 길러내겠다는 계획이다. 신기술을 활용해 건설 현장을 혁신한 숙련자가, 다시 미래를 위해 투자를 하는 셈이다.

(5) 독시스4(Doxis4)

신흥시장에서 ConTech 성공 사례로 꼽히는 Doxis4는 건설산업을 위한 클라우드 기반 CPM/ERP 플랫폼을 개발하는 우크라이나 기업이다. Doxis4는 프로세스와 컴플라이언스를 둘러싼 현지의 과제를 깊이 이해함으로써 동유럽 전역에서 사용자 기빈을 빠르게 성장시키고 해당 지역에서 시장 주도권을 확보할 수 있었다.

이러한 다양한 사례들은 콘텍 기업들이 클라우드 컴퓨팅, 모바일 앱, BIM/모델링, 데이터 분석, 수직 통합 등의 기술을 활용하여 전 세계 건설 산업의 혁신과 효율성을 이끌어냈다는 점을 보여준다. 또한 사용자 경험, 확장성 및 중요한 건설 워크플로우 해결에 초점을 맞춘 것도 일반적인 요소였다.

7. 모바일 부동산 플랫폼: 직방

1) 직방

직방은 국내 최대 부동산 중고거래 플랫폼으로며, 최대의 매물/임대 정보를 제공하고 있다. 부동산 전문가 등의 상담 등을 제공한다.

직방 기업의 연혁을 보면, 2012년 1월 원룸 오피스텔 정보 제공 서비스로 시작하였고, 2015년 아파트 단지 정보 서비스 제공하였다. 2016년 부동산 중개 서비스를 개시하였고, 2019년 6월 슈가힐(네모)42)을 인수하였고, 한국자산신탁, 하나자산신탁과 업무협약(MOU)을 체결하였다. 2020년 7월 신한카드와 업무협약(MOU)을 체결하였고, 이웃벤처(호텔리브)43)를 인수하고, 직방Lounge를 오픈하였다. 2021년 국내 12번째 유니콘을 등극히였고, 아파트 앱 '모빌'44)을 인수하였고, 안전 원격근무 체제로 전환하기도 하였다. 위와 같은 기업들을 인수하거나 업무협약을 체결하여, 부동산 정보 제공 및 중개 서비스 분야에서 경쟁력을 강화하고 있다.

비전은 '집을 찾는 경험을 새롭게'이다. 사람들이 원하는 집을 쉽고 빠르게 구할 수 있도록 돕고, 주거 환경이 더욱 나아지도록 만들겠다는 미션을 가지고 있다. 직방의 설립자는 안성우45)이다. 그는 2010년 11월에 (주)채널브리즈를 설립하였으며, 2012년 1월에 원룸 오피스텔 정보 제공 서비스인 직방을 출시하였다. 이후 2015년 아파트 단지 정보 서비스를 제공하고, 2016년 부동산 중개 서비스를 개시하는 등 지속적인 서비스 확대를 통해 직방을 대한민국 대표 부동산 플랫폼으로 성장시켰다.

부동산 거래 시스템을 직거래로 단순화하자는 목표로 시작하였으나 현재 직방은 전국 공인중개사무소 5000여 곳과 제휴되어 있다. 2015년 부동산 앱 최초로 1000만 다운로드 돌파, 2017년 2000만 다운로드를 돌파하였다. 이용자 시장 점유율 부분에서도 59% 이상을 기록하며 부동산 플랫폼 시장의 압도적인 1위를 기록하였다.

---

42) 2019년 6월에 인수한 기업으로, 상업용 부동산 정보 제공 및 중개 서비스를 제공하는 기업으로, 네모는 사무실, 상가, 공유 오피스 등의 매물 정보를 제공하며, 사용자들은 이를 통해 원하는 매물을 쉽게 찾을 수 있다.

43) 2020년 7월에 인수한 기업으로, 호텔 객실 청소 서비스를 제공하는 기업이다. 호텔리브는 호텔 객실 청소에 필요한 전문 장비와 세제를 사용하여 객실을 깨끗하게 청소해주며, 호텔 운영자들은 이를 통해 객실 관리 비용을 절감할 수 있다.

44) 2021년에 인수한 기업으로, 아파트 관리사무소와 입주민을 연결해주는 아파트 앱 서비스를 제공하는 기업으로 모빌은 아파트 관리비 조회, 납부, 전자투표, 커뮤니티 등의 기능을 제공하며, 입주민들은 이를 통해 아파트 생활을 편리하게 할 수 있다.

45) 서울대학교 통계학과 학사로 졸업한 후 게임 제작사인 마리 텔레콤과 엔씨소프트 기획팀 직원으로 일했다 그만두었고, 이후 삼일회계법인과 블루런벤처스에 일했다. 2010년 직방을 세워 스타트업으로 시작했으며, 2012년 대표로 나서서 직방과 채널브리즈 팀의 인터뷰를 진행해 본격적으로 기업인 활동을 시작했다. 2019년, 제14회 대한민국 인터넷 대상 과학기술정보통신부 장관상을 받았다. 2022년 7월 28일 삼성SDS의 홈 IoT 사업 부문 영업 양수를 완료하고, 직방 스마트홈으로 개칭했다. 출처:나무위키

2) 직방 기업의 업무 프로세스

직방 기업의 매물 등록 과정은 먼저, 매물 정보 입력이다. 공인중개사나 임대인은 직방 앱에서 매물 등록 페이지에 접속하여 매물의 정보를 입력한다. 매물의 종류, 위치, 가격, 면적, 층수, 방 개수 등의 정보를 입력한다. 둘째, 매물의 사진을 등록한다. 사진은 매물의 상태를 확인하는 데 중요한 역할을 한다. 직방은 고화질의 사진을 권장하며, 사진의 크기와 용량도 제한하고 있다.

셋째, 매물을 검수한다. 직방의 검수팀이 매물의 정보와 사진을 검수한다. 실제 매물 여부와 정보의 정확성을 확인하고, 허위매물을 방지하기 위해 노력한다.

넷째, 매물을 노출한다. 검수를 통과한 매물은 직방 앱에 노출된다. 이용자들은 직방 앱에서 매물을 검색하고, 상세 정보를 확인할 수 있다.

다섯째, 문의 및 상담으로 이용자가 매물에 대해 문의나 상담을 요청하면, 중개사가 이에 대해 답변한다. 중개사는 이용자와 직접 연락하여 매물의 상태와 가격 등을 협의한다.

여섯째, 계약을 체결한다. 중개사와 이용자가 협의하여 계약을 체결한다. 중개사는 계약 체결 전에 이용자에게 매물의 상태와 계약 조건 등을 다시 한번 확인하고, 계약 체결 후에는 대금 결제와 입주 등의 절차를 진행한다.

일곱째, 사후 관리이다. 이용자가 입주한 후에도 중개사는 사후 관리를 제공한다. 이용자의 문의나 요청에 대해 신속하게 대응하고, 문제가 발생할 경우에는 적극적으로 해결한다.

위와 같은 과정을 통해 직방은 이용자에게 편리하고 신뢰성 높은 부동산 중개 서비스를 제공하고 있다.

3) 직방의 홈 IoT 사업 사례분석

(1) 삼성SDS의 홈 IoT 사업부문 시너지

2022년 7월 28일 삼성SDS의 홈 IoT 사업 부문 영업 양수하였다. 그러나 직방이 삼성SDS의 홈 IoT 사업을 인수한 지 1년이 넘었지만 아직까지 뚜렷한 성과를 내지 못하고 있다.

첫째, 시장 경쟁 심화이다. 국내 스마트홈 시장은 이미 포화 상태이며, 경쟁이 매우 치열하다. 직방은 후발주자로서 시장 점유율을 높이기 위해 많은 비용을 투자해야 하지만, 경쟁 업체들의 견제와 시장의 불확실성으로 인해 어려움을 겪고 있다.

스마트홈 IoT 시장은 이미 삼성전자, LG전자, SK텔레콤 등 국내 기업들이 진출해 있는 포화 시장이다. 특히 삼성전자는 스마트홈 허브 '스마트싱크' 출시를 통해 시장 선점에 나섰으며, LG전자는 '씽큐' 플랫폼을 구축하여 공격적인 마케팅 전략을 펼치고 있다. 이러한 경쟁 속에서 뒤늦게 시장에 진출한 직방(삼성SDS)은 차별화된 경쟁력을 확보하기 어려울 것으로 예상된다.

둘째, 기술적 한계이다. 스마트홈 IoT 기술은 빠르게 발전하고 있지만, 아직까지 완벽하지 않다. 직방은 삼성SDS의 홈 IoT 기술을 활용하여 다양한 서비스를 제공하고 있지만, 기술적 한계로 인해 이용자들의 요구를 충족시키지 못하는 경우가 있다. 또한, 스마트홈 IoT 사업을 성공적으로 운영하기 위해서는 지속적인 기술 및 서비스 개발이 필요하다. 이를 위해서는 상당한 비용이 필요하며, 초기 투자 이후에도 계속해서 투자를 해야한다. 이로 인해 초기에는 수익이 낮을 수 있다.

직방(삼성SDS)의 스마트홈 IoT 사업은 월패드와 디지털 도어락 등 기존 제품 위주로 구성되어 있으며, 인공지능, 빅데이터 등 첨단 기술 기반의 차별화된 서비스 개발이 부족하다는 지적이 있다. 소비자들은 단순히 제품을 연결하는 스마트홈 시스템을 넘어, 개인화된 맞춤형 서비스와 편리한 사용성을 요구하고 있다. 이러한 요구에 부응하기 위해서는 끊임없는 기술 개발과 투자가 필요하지만, 현재 직방(삼성SDS)는 이에 부족한 것으로 보인다.

셋째, 마케팅 전략 부족이다. 직방은 스마트홈 IoT 사업을 시작하면서 적극적인 마케팅 전략을 펼치지 않았다. 이는 시장 경쟁에서 뒤처지는 요인 중 하나이다. 직방은 스마트홈 IoT 사업 인수 이후, 아직 명확한 경영 전략을 제시하지 못했다. 시장 상황을 분석하고 경쟁사 대비 차별화된 전략을 수립해야 하지만, 아직까지 구체적인 방안이 마련되지 않은 상황이다. 또한, 삼성SDS으로부터 인수한 홈 IoT 사업을 성공적으로 통합하고 시너지를 창출하는데 어려움을 겪고 있는 것으로 보인다.

넷째, 협력 업체 부족이다. 스마트홈 IoT 사업은 다양한 협력 업체와의 협력이 필요하다. 직방은 삼성SDS의 홈 IoT 사업을 인수하면서 일부 협력 업체를 확보했지만, 아직까지 부족한 부분이 많다. 또한, 스마트홈 IoT 시장은 아직 초기 단계이너, 소비자들의 인식 개선이 중요이다. 하지만 스마트홈 IoT 제품에 대한 인지도는 아직 낮고, 설치 및 사용에 대한 어려움, 정보 보안 우려 등 소비자들의 부담 요소도 존재한다. 이러한 문제를 해결하고 소비자들의 인식을 개선하기 위한 적극적인 마케팅 및 홍보 활동이 필요하지만, 직방(삼성SDS)은 이 부분에서 아직 부족한 모습이다.

다섯째, 수익 모델 부재이다. 스마트홈 IoT 사업은 아직까지 수익 모델이 명확하지 않다. 직방은 다양한 수익 모델을 모색하고 있지만, 소비자들의 요구와 시장 동향이 빠르게 변화하기 때문에 아직까지 성과를 내지 못하고 있다. 단순히 제품 판매를 통한 수익 창출은 어려울 것으로 예상되며, 구독 서비스, 데이터 활용 사업 등 다양한 수익 모델을 모색해야 한다.

여섯째, 보안 문제이다. 스마트홈 IoT 시스템은 보안 문제에 취약하다. 해킹이나 개인 정보 유출과 같은 사건이 발생할 경우 소비자들의 신뢰를 상실하고 사업에 부정적인 영향을 미칠 수 있다.

위와 같은 이유로 인해 직방의 스마트홈 IoT 사업은 아직까지 수익을 내기에는 요원하다는 평가가 나오고 있다. 하지만 직방은 스마트홈 IoT 사업을 미래 성장 동력으로 삼고, 지속적인 투자와 연구개발을 통해 경쟁력을 강화하고 있다. 앞으로 직방이 스마트홈 IoT 사업에서 성과를 낼 수 있을지 주목하고 있다.

8. 부동산 전문가 상담 플랫폼: 다방

1) 부동산 전문가 상담 플랫폼

부동산 전문가 상담 플랫폼인 다방은 사용자들이 부동산 관련 문제에 대해 전문가의 조언을 받을 수 있는 플랫폼이다.

먼저, 다양한 분야의 전문가가 존재한다. 다방은 부동산 분야의 다양한 전문가들과 협력하여 사용자들에게 전문적인 조언을 제공한다. 전문가들은 부동산 중개, 법률, 세무, 인테리어 등 다양한 분야에서 활동하며, 사용자들은 자신이 필요한 분야의 전문가를 선택하여 상담을 받을 수 있다.

둘째, 편리한 상담 서비스이다. 다방은 사용자들이 편리하게 상담을 받을 수 있도록 다양한 서비스를 제공한다. 사용자들은 모바일 앱을 통해 언제 어디서나 전문가에게 상담을 요청할 수 있으며, 전문가들은 빠르고 정확한 답변을 제공한다.

셋째, 맞춤형 상담이다. 다방은 사용자의 상황에 맞는 맞춤형 상담을 제공한다. 사용자가 상담을 요청할 때 자신의 상황을 자세히 설명하면, 전문가는 이를 바탕으로 맞춤형 조언을 제공한다.

넷째, 다양한 콘텐츠를 제공한다. 다방은 사용자들에게 부동산 관련 정보를 제공하는 다양한 콘텐츠를 제공한다. 사용자들은 부동산 시장 동향, 부동산 관련 법률,

인테리어 팁 등 다양한 콘텐츠를 통해 부동산에 대한 지식을 쌓을 수 있다.

다방은 부동산 전문가 상담 플랫폼으로서 사용자들에게 전문적인 조언을 제공하고, 부동산 시장의 정보를 제공함으로써 사용자들의 부동산 거래를 지원하고 있다.

2) 부동산 정보 플랫폼 다방 연혁

다방은 대한민국의 부동산 정보 플랫폼으로, 연혁과 창립자, 비전을 보면, 다음과 같다. 먼저, 다방 기업의 연혁은 2013년 스테이션3[46] 법인 설립과 동시에 다방 앱 출시하였다. 2015년 다방이 허위매물 신고센터를 최초로 개설하였다. 2016년 공인중개사 전용 시스템인 다방프로[47] 출시하였다. 2018년 아파트 단지 정보 서비스를 제공하기 시작했다. 2021년 중개 법인 자회사인 다방허브[48]를 설립하였다.

위와 같은 서비스를 통해 사용자들에게 부동산 정보를 제공하고, 부동산 시장의 혁신을 이끌어 나가고 있다. 창립자는 한유순, 유형석 공동대표이다. 비전은 다방은 '사람들의 삶과 행복을 플러스하는 라이프스타일 플랫폼'이라는 비전을 가지고 있다. 이를 위해 사용자들에게 더욱 편리하고 유용한 부동산 정보를 제공하고, 부동산 시장의 혁신을 이끌어 나가는 것을 목표로 하고 있다.

다방은 모바일 앱을 통해 사용자들에게 부동산 정보를 제공하는 서비스로, 원룸, 투룸, 오피스텔, 아파트 등 다양한 유형의 매물 정보를 제공하고 있다. 사용자는 지역, 가격, 면적 등 다양한 조건을 설정하여 원하는 매물을 찾을 수 있으며, 360도 VR(가상현실) 영상, 주변 인프라 정보 등 다양한 콘텐츠를 제공하여 매물에 대한 더욱 자세한 정보를 확인할 수 있다.

부동산 정보 제공뿐만 아니라, 사용자들의 안전한 부동산 거래를 위해 허위매물 신고센터를 운영하고 있으며, 공인중개사와의 협력을 통해 부동산 중개 서비스도 제공하고 있다. 또한, 다양한 분야의 기업들과 협력하여 부동산 시장의 혁신을 이끌어 나가고 있다.

다방의 업무 프로세스는 먼저, 매물 등록으로 공인중개사들은 다방 앱에 매물을

---

46) 스테이션3은 부동산 정보 플랫폼 '다방'을 운영하는 기업이다. 사용자들은 다방 앱을 통해 원룸, 투룸, 오피스텔, 아파트 등 다양한 유형의 매물 정보를 확인할 수 있나.
47) 다방프로는 공인중개사 전용 중개 업무 플랫폼이다. 공인중개사들이 매물 광고 등록 및 소속 직원 관리 등 업무 전반을 온라인으로 처리할 수 있다.
48) 다방허브는 개인·법인 임대사업자들을 위한 임대관리 플랫폼이다. 오프라인에서 이뤄지던 공실 관리 업무를 온라인으로 전환해 공실 문제를 빠르게 해결하는 등 임대관리 업무 효율성을 높이는 서비스이다.

등록한다. 이때, 매물의 사진, 가격, 위치, 면적 등의 정보를 함께 등록한다. 둘째, 매물 조회로 사용자들은 다방 앱에서 원하는 매물을 조회한다. 사용자들은 지역, 가격, 면적 등의 조건을 설정하여 매물을 검색할 수 있다. 셋째, 문의 및 상담으로 사용자가 매물에 대해 문의하거나 상담을 요청하면, 해당 매물을 등록한 공인중개사가 이에 대해 답변한다. 넷째, 계약 체결로 사용자와 공인중개사가 매물에 대해 합의하면, 계약을 체결한다. 다섯째, 사후 관리로 계약 체결 후에도 다방은 사용자와 공인중개사를 대상으로 사후 관리를 제공한다. 예를 들어, 사용자에게는 계약 체결 후 입주 인내 및 사후 관리 서비스를 제공하고, 공인중개사에게는 매물 등록 및 관리에 대한 지원을 제공한다.

3) 다방 업무 프로세스

다방의 특이한 서비스로는 먼저, 360도 VR(가상현실) 영상으로 매물의 내부를 360도 VR 영상으로 제공하는 서비스이다. 사용자들은 VR 영상을 통해 매물의 내부를 실제처럼 확인할 수 있다. 둘째, 주변 인프라 정보로 매물 주변의 편의시설, 교통시설, 교육시설 등의 정보를 제공하는 서비스이다. 사용자들은 주변 인프라 정보를 통해 매물의 생활환경을 파악할 수 있다. 셋째, 허위매물 신고센터로 사용자가 허위매물을 발견하면 신고할 수 있는 서비스이다. 다방은 신고된 매물을 확인하고, 허위매물로 확인될 경우 해당 매물을 삭제하고 공인중개사에게 제재를 가한다. 넷째, 다방허브로 개인·법인 임대사업자들을 위한 임대관리 플랫폼이다. 오프라인에서 이뤄지던 공실 관리 업무를 온라인으로 전환해 공실 문제를 빠르게 해결하는 등 임대관리 업무 효율성을 높이는 서비스를 제공한다.

9. 호갱노노

1) 부동산 실거래가 정보 제공 플랫폼

부동산 실거래가 정보 제공 플랫폼으로 시세 분석 및 투자 정보를 제공한다.
아파트 실거래가 정보를 제공한다. 호갱노노는 전국의 아파트 실거래가 정보를 제공하고, 사용자는 지도 위에서 아파트의 실거래가 정보를 확인할 수 있으며, 실거래가 정보를 바탕으로 아파트의 시세를 파악할 수 있다. 시세 분석 및 투자 정보를 제공한다. 호갱노노는 아파트의 시세를 분석하고, 이를 바탕으로 투자 정보를 제공한다. 사용자는 호갱노노의 분석 기능을 이용하여 아파트의 가격 변동 추이를 파악하고, 투자 유망 지역을 찾을 수 있다. 사용자 리뷰를 제공한다. 호갱노노는 사용자들이 아파트에 대한 리뷰를 작성할 수 있는 기능을 제공한다. 사용자들은 자신이 거주하는 아파트나 관심 있는 아파트에 대한 리뷰를 작성하고, 다른 사용자들과 정보를 공유할 수 있다. 직방에 인수 합병되었다. 2019년 3월에 직방에 인수 합병되어, 직방의 자회사로 편입되었다. 이를 통해 직방과 호갱노노의 부동산 정보 제공 기능이 더욱 강화되었다. 호갱노노는 부동산 시장의 정보 비대칭성을 해소하고, 사용자들에게 더욱 정확하고 유용한 부동산 정보를 제공하는 것을 목표로 하고 있다.

연혁은 2015년 8월 11일 호갱노노 설립하였고, 2016년 4월 아파트 실거래가 정보를 제공하기 시작했다. 2019년 3월 직방에 인수 합병되었고, 2021년 아파트 시세 분석 및 투자 정보를 제공하는 기능을 추가하였다.

2) 성공스토리

창립자 심상민 대표이다. 2017년 어떤 신문에 따르면, 심상민 대표는 초기에는 사무실을 집으로 사용하며 유지비를 최소화했다. 홍보 비용도 거의 들이지 않았는데, 이는 신비주의 전략이 아니라 돈이 부족해서였다고 한다. 그러나 호갱노노 멤버들은 홍보보다는 제품에 집중하여 서비스를 개발했고, 이런 노력 끝에 호갱노노가 탄생했고, 2016년에는 프라이머 시드투자를 받았고, 이에 따라 사무실도 이전하게 되었다고 한다. 호갱노노는 아파트 실거래가를 제시하고 주변 부동산 정보를 제공하는 서비스를 제공하는 스타트업이며, 치열한 부동산 O2O(Online to Offline, 온·오프라인 연계) 앱 시장에서 '사용자 중심' 부동산 서비스로 주목을 받았다. 학군, 대중교통까지 확인이 가능하도록 하였고, 호가와 실거래를 비교해주었기 때문에 집 없는 고객들에게 반응이 상당히 좋았다. 월 이용자 수도 20만 명이 훌쩍 넘었다.

심상민 대표를 비롯해 호갱노노 창업 멤버들은 모두 직장인 출신으로, 소위 IT 대기업인 카카오, 네이버에서 일했다. 회사 이름 '호갱노노'는 '호구 고객이 되지 말자'는 뜻에서 만들었다고 한다. 사용자 편에서 부동산 시장을 바라보고 싶어서 창업을 하게 되었다고 한다.

그는 카카오 재직 중일 때 재미삼아 스웨덴 가구 회사 이케아 가격비교 사이트를 만들어봤다고 한다. 당시 이케아가 한국에서만 제품을 비싸게 판매한다는 말이 있었다. 3일을 투자해 전세계 이케아 상품 가격을 비교하는 서비스를 개발했고, 완성된 가격비교사이트는 좋은 반응을 얻었고, 미디어도 많이 탔다고 한다. 그때 '손쉽게 가격을 비교하는 사이트가 필요하다'는 생각을 하게 됐으며, 특히 실거래가와 호가가 다른 부동산에 초점을 맞췄다고 한다. 직장생활 10년 동안 사용자 중심 개발 프로그램을 만든 것도 상당히 도움이 됐다고 한다.

초기의 팀원은 5명이었고, 호갱노노를 만들었던 멤버들은 모두 전 직장에서부터 함께 일했다고 한다. 한명 빼곤 초기 상업 멤버들이 회사를 이끌고 있으며, 팀워크를 따로 맞출 필요가 없었다고 한다. 대부분 프로그램을 같이 만들었고, 호갱노노 팀원들은 개별 역량이 뛰어났으며, 투자를 유치하는 시기엔 모두가 개발에 집중할 수 없다고 한다. 그래서 각 멤버들의 역할이 세분화되어 경영 부분에서도 하나하나씩 배워나가게 되었다고 한다.

초창기에는 피벗(Pivot, 사전운영 후 제품 변경)하기 전 서비스는 사용자 요청을 받으면 (호갱노노 팀원들이) 부동산에 직접 전화해 매물 정보를 물어보는 방식이었다고 한다. 부동산 측에서도 매우 싫어했으며, 원하지 않는 전화를 매번 하려니 우리도 힘들었고, 시행착오도 많았다고 한다. 단순히 허위매물만 줄여주면 된다고 생각했지만, 사용자들은 허위매물 외에도 신경쓰는 요소가 많았다는 것을 감지하였다. 매물을 선택하는 데 있어 가격 등 다른 요소들을 더 높게 취급하는 사용자들도 있었고, 호갱노노가 실제 3억짜리 매물을 가져다주면, 사용자는 더 싼 매물을 찾곤 했었다. '네이버엔 똑같은 집이 더 싸게 나왔는데요?'라는 불만도 받았었다고 한다. 시행착오를 겪고 서비스를 많이 개선했으며, 차츰 실거래가, 매물정보 등을 더 자세히 제공할 수 있게 되었다고 한다.

V. 미국 부동산 산업의 새로운 패러다임

1. iBuyer 회사의 부상

미국의 경우 오픈도어, 오퍼패드, 질로우 오퍼즈와 같은 iBuyer 회사의 부상은 부동산 업계의 새로운 패러다임을 보여준다. iBuyer 플랫폼이 전통적인 부동산 환경을 변화시키는 몇 가지 주요 방법은 다음과 같다.

1) 전통적인 주택 판매 프로세스 중단

iBuyer는 주택 소유자에게 전통적인 주택 판매 경험에 대한 빠르고 편리하며 번거롭지 않은 대안을 제공한다. iBuyers는 즉시 현금 제안을 제공하고 모든 거래 과정을 처리함으로써 부동산 중개인, 오픈 하우스 및 긴 협상의 필요성을 제거한다. 먼저, 빠르고 편리하며 번거롭지 않은 경험을 제공한다. 예를 들면, 전통적인 주택 매매에서, 그 과정은 전시를 위해 집을 준비하고, 공개된 집을 주최하고, 구매자들과 협상하고, 마감 과정을 탐색하는 것까지, 종종 몇 달이 걸릴 수 있다. 이것은 집 소유자들에게 시간이 많이 걸리고 스트레스를 줄 수 있다.

[그림 49] 전통방식 주택구입절차
출처 : http://www.theootolawoffice.com/residential-closings

이와 달리 오픈도어나 오퍼패드 같은 iBuyer들은 간소화된 프로세스를 제공한다. 주택 소유자들은 온라인으로 즉석 현금 제안을 받을 수 있으며, 보통 24~48시간 내에 이 제안을 받는다. 제안이 받아들여지면 iBuyer는 집 점검 일정을 잡고, 필요한 수리를 진행하며, 마감을 조율하는 등의 후속 조치를 모두 처리한다. 따라서 주택 소유자는 주택을 준비하고 시장에 상장하며 잠재 구매자와 주고 받는 협상을 처리할 필요가 없다. iBuyer는 모든 것을 처리하므로 훨씬 빠르고 편리한 판매 경험을 제공한다.

둘째, 부동산 중개인과 오픈 하우스의 필요성 제거한다. 예를 들면, 전통적인 주택 매매에서 주택 소유자는 일반적으로 부동산 중개인을 고용하여 부동산을 목록화히고 미게팅하며 구매자와의 협상을 처리해야 한다. 이는 수택 매매 가격의 5~6%에 해당하는 비용을 중개 수수료로 지불해야 한다. 반면에 구매자들은 부동산 중개인의 필요 없이 판매자로부터 직접 주택을 구입한다. 이는 주택 소유자가 중개인 수수료를 지불하는 것과 오픈 하우스를 주최하고 쇼를 조율하는 번거로움을 피한다는 것을 의미한다. 예를 들어, 질로우 오퍼를 사용하면 주택 소유자는 자신의 부동산에 대한 몇 가지 기본 정보를 제공하기만 하면 질로우의 알고리즘은 즉시 현금 오퍼를 생성한다. 그러면 부동산 중개인의 개입 없이 주택 소유자가 원하는 일정에 따라 오퍼를 수락하고 매매를 종료할 수 있다.

iBuyers는 전통적인 부동산 중개인의 필요성과 오픈 하우스 및 협상과 같은 관련된 업무를 제거함으로써 주택 소유자에게 훨씬 더 간소화되고 번거롭지 않은 주택 판매 경험을 제공한다. 이는 전통적인 부동산 거래 과정을 방해하고 많은 판매자에게 매력적인 편리한 대안을 제공한다.

2) 기술 및 데이터 활용.

iBuyer 회사는 주택 가격을 정확하게 책정하고 재고를 관리하며 운영을 최적화하기 위해 고급 데이터 분석, 알고리즘 및 자동화에 크게 의존한다. 이러한 데이터 기반 접근 방식을 통해 iBuyer는 기존 부동산 모델에 비해 더 빠르고 정보에 입각한 의사 결정을 내릴 수 있다.

먼저, 데이터 분석을 이용한 정확한 주택 가격 책정한다. 예를 들어, 전통적인 부동산 모델에서 매물로 나온 주택 가격은 종종 부동산 중개인의 현지 시장 지식과 최근 유사한 매물에 의존한다. 이는 주관적이고 시간이 많이 소요되는 과정일 수 있다. 반면 iBuyer들은 정교한 데이터 분석과 알고리즘을 통해 정확한 주택 평가를 산출한다. 오펜도어나 질로우 오퍼 같은 회사들은 부동산 특성, 시장 동향,

판매 이력, 심지어 실시간 동네 정보까지 포함한 방대한 데이터를 고려한 정교한 가격 모델을 개발했다. 이러한 데이터 기반 접근 방식을 활용하면 iBuyer는 주택 소유자에게 경쟁력이 높고 실제 시장 가치를 반영하는 현금 제안을 즉시 제공할 수 있다. 이를 통해 기존 부동산 중개업자에 비해 더 빠르고 정보에 입각한 가격 결정을 내릴 수 있다.

둘째, 자동화 및 인벤토리 관리를 통한 운영 최적화이다. 예를 들면, 많은 양의 주택 재고를 관리하는 것은 iBuyers에게 복잡한 물류 문제가 될 수 있다. 그러나, 그들은 운영을 능률적으로 하기 위해 자동화와 데이터 기반 프로세스에 의존한다. 예를 들어 오픈도어가 주택을 구입할 때 자사의 알고리즘은 자동으로 해당 부동산을 재판매할 준비를 하는 데 필요한 수리 및 개조를 평가한다. 그런 다음 회사는 자동화된 조달 및 스케줄링 시스템을 사용하여 주택 개선 프로세스를 효율적으로 관리한다.

[그림 50] iBuyer
출처 : https://www.zillowgroup.com/ibuyer-report/

또한 iBuyers는 데이터 분석을 통해 시장 수요를 예측하고 주택 재고를 최적화한다. iBuyers는 현지 시장 동향, 계절성, 구매자 선호도 등의 요소를 분석하여 어떤 부동산을 구매할지, 언제 상장할지, 어떤 가격으로 경쟁력을 유지할지 등을 정보에 입각한 결정을 내릴 수 있다. 재고 관리 및 운영 효율성에 대한 이러한 데이터 기반 접근 방식을 통해 iBuyer는 빠르게 주택을 전환하고 수익을 창출하는 동시에 판매자와 구매자 모두에게 원활한 경험을 제공할 수 있다.

iBuyer 회사는 고급 데이터 분석, 알고리즘 및 자동화를 활용하여 주택 구매 및 판매 과정 전반에 걸쳐 더 빠르고 정확하며 데이터 기반 의사결정을 내릴 수 있다. 이러한 기술 기반 접근 방식은 iBuyer를 기존의 부동산 모델과 차별화하여 업계를 혼란스럽게 하고 보다 효율적이고 투명하며 고객 중심적인 경험을 제공할 수 있도록 한다.

2. 고객 만족도 향상:

iBuyer는 소비자에게 보다 원활하고 투명한 주택 구매 및 판매 경험을 제공하는 것을 목표로 한다. 유연한 마감 일정, 통합 서비스(integrated services)(예: 모기지, 타이틀(title)[49]) 및 특정 장애물 제거와 같은 기능은 현대 기술에 정통한 주택 소유자에게 매력적이다.

먼저, 매끄럽고 투명한 주택 판매 경험이다. 예를 들면, 전통적인 주택 매매에서, 그 과정은 주택 소유자들에게 불투명하고 좌절감을 줄 수 있다. 그들은 관련된 다양한 단계들, 일정, 그리고 관련된 비용을 이해하는 데 어려움을 겪을 수 있다. 반

---

[49] 'title'은 부동산의 법적 소유권을 말한다. 부동산을 매매할 때에는 매도인으로부터 매수인에게 명의가 이전되어야 하고, 매수인이 명확하고 논쟁의 여지가 없는 소유권을 취득하도록 보장한다. "통합 서비스(예: 모기지, 타이틀)"에서 "title"은 iBuyers가 고객 경험을 향상시키기 위해 제공하는 통합 서비스 중 하나를 말한다. 타이틀(title) 서비스의 통합이 주택 소유자에게 어떤 혜택을 줄 수 있는지에 대한 예를 들면, 주택 소유자가 iBuyer에게 자신의 부동산을 매각하기로 결정했다고 가정해보자. 전통적으로 판매자로부터 구매자에게 소유권을 이전하는 과정은 여러 단계를 거쳐야 하며 시간이 많이 걸리고 복잡할 수 있다. 하지만 아이바이어가 제공하는 통합 타이틀(title) 서비스를 통해 이 과정은 간소화된다. 먼저, 타이틀(title) 검색으로 iBuyer는 부동산의 타이틀(title) 매각에 영향을 미칠 수 있는 유치권, 방해물 또는 법적 문제가 없는지 확인하기 위해 철저한 제목 검색을 지원한다. 둘째, 타이틀(title) 보험으로 iBuyer는 거래의 일부로서 타이틀(title) 보험을 제공할 수 있다. 타이틀(title) 보험은 최초 타이틀(title) 검색 동안 발견되지 않은 타이틀(title) 결함으로부터 구매자(및 해당하는 경우 대출자)를 보호한다. 셋째, 명의개서로 명의개서가 확실하다고 판단되어 매매계약이 체결되면 iBuyer는 매도인으로부터 매수인으로의 명의개서를 처리한다. 여기에는 필요한 법적 서류를 작성하여 관련 기관에 제출하는 것이 포함된다. 넷째, 클로징 프로세스로 iBuyer는 타이틀(title) 서비스를 전체 거래에 통합함으로써 클로징 프로세스를 간소화할 수 있다. 주택 소유자는 iBuyer의 팀에서 필요한 모든 서류를 관리함으로써 보다 효율적이고 번거롭지 않은 클로징 경험을 누릴 수 있다. 즉, iBuyer의 타이틀(title) 서비스 통합은 소비자의 주택 매매 프로세스를 간소화해 안심하고 보다 원활한 거래 경험을 제공하는 데 도움이 된다.

면, iBuyers는 좀 더 투명하고 효율적인 판매 경험을 제공하는 것을 목표로 한다. 오퍼패드나 질로우 오퍼즈 같은 플랫폼은 최초 현금 제안부터 최종 마감까지 모든 과정을 명확하게 설명한다. 주택 소유자는 제안, 필요한 예상 수리 및 판매 예정 일정에 대한 자세한 정보에 액세스할 수 있다. 이러한 투명성 수준은 판매자가 거래 전반에 걸쳐 통제력과 정보를 더 많이 느낄 수 있도록 도와준다.

둘째, 통합 서비스 및 유연한 일정이다. 예를 들면, 주택을 구입하거나 판매하는 깃은 종종 주택 담보 대출, 소유권 및 에스크로, 이동 물류와 같은 여러 서비스를 조정하는 것을 포함한다. 전통적인 모델에서 주택 소유자는 서로 다른 공급자와 일정을 조정해야 할 수도 있다. iBuyers는 플랫폼 내에서 통합 서비스를 제공함으로써 이 문제를 해결하고자 한다. 예를 들어 오픈도어는 주택 소유자가 전체 프로세스를 간소화할 수 있도록 사내 모기지와 타이틀 서비스를 제공한다. 또한 iBuyers는 유연한 마감 일정을 제공하여 판매자가 원하는 대로 이사 날짜를 선택할 수 있다. 이러한 편리함은 직장 이전이나 가족 변화와 같은 삶의 사건을 처리할 수 있는 주택 소유자에게 특히 매력적이다. iBuyers는 이러한 통합 서비스와 유연한 옵션을 제공함으로써 현대적이고 기술에 정통한 주택 소유자의 선호도를 충족시켜 보다 원활하고 고객 중심적인 경험을 제공한다.

iBuyer들은 전통적인 부동산 거래 과정의 문제점과 좌절을 인식한다. 이들은 기술을 활용하고 고객 경험에 집중함으로써 이러한 문제를 해결하고 소비자에게 보다 편리하고 투명하며 만족스러운 주택 매매 여정을 제공하고자 한다.

3. 변화하는 산업 역학

iBuyers의 부상은 전통적인 부동산 산업을 붕괴시켜 전통적인 에이전트, 브로커 및 기타 플레이어가 적응하고 혁신하도록 만들었다. iBuyers는 시장 점유율을 장악하고 기존 부동산 중개 모델의 지배력에 도전하고 있다.

먼저, 기존 플레이어의 적응과 혁신이다. 예를 들면, iBuyers의 등장은 전통적인 부동산 중개업자와 중개업자들이 비즈니스 모델에 적응하고 혁신하도록 상당한 압력을 가했다. 많은 부동산 회사들이 iBuyer 모델과 더 잘 경쟁하기 위해 자체 기술 플랫폼과 데이터 분석 기능에 투자하기 시작했다. 예를 들어, 일부 증권사는 iBuyer 접근 방식을 모방해 자사의 상장을 위한 인스턴트 오퍼 프로그램이나 인스턴트 바이아웃 옵션을 개발했다. 또한 전통적인 에이전트들은 고객에게 보다 원활하고 데이터 중심적인 경험을 제공하기 위해 기술 중심의 도구와 마케팅 전략을 활용하는 경우가 늘어나고 있다. 여기에는 가상 홈 투어, 디지털 트랜잭션 관리, 고급 가격 알고리즘 등이 포함된다. 전통적인 부동산 업체들은 기술을 적응시키고 수용함으로써 iBuyer의 혼란에 직면하여 관련성을 유지하고 경쟁력을 유지하려고 시도하고 있다.

Features	Opendoor	Offerpad	Knock	Zillow	Redfin
Direct Buy	Yes	Yes	Yes	Yes	Yes
Listing on Market	Yes	Yes	No	No	No
Home improvement advance	No	Yes	Yes	Managed by Zillow	Managed by Redfin
Cities	41	17	51	25	8
Closes Offer in	2 weeks but could be Flexible	10 days	Upto 6 months	Flexible	10-90 days
Service Charge	>5%	4%-7% and 3% realtor commissions	1.25%	7%-9%	6%-12%

[그림 51] iBuyer 특징
출처 : https://hireaiva.com/blog/ibuyer/

둘째, 기존 브로커리지(Brokerage) 모델의 문제점이다. 예를 들면, iBuyer 모델은 전통적인 부동산 중개 회사의 지배력과 주택 거래에 대한 대리인 중심 접근에 상당한 위협이 된다. 오픈도어와 질로우 오퍼즈와 같은 iBuyer들은 부동산 중개업자의 필요성을 차단함으로써 주택 매매 시장에서 점점 더 많은 점유율을 차지하고 있다. 이는 오랫동안 부동산 중개업을 유지해 온 전통적인 수수료 기빈 수익 모델을 방해하고 있다. iBuyer 접근 방식의 편리성과 신속성을 선택하는 주택 소유자가 증가함에 따라 주택 판매 과정에서 전통적인 에이전트의 역할은 덜 중심적이 된다. 이러한 소비자 선호의 변화는 전통적인 부동산 산업에서 에이전트 주도 거래에 의존하는 것에 도전한다. 이에 일부 증권사들은 iBuyer와 협력하거나 iBuyer 서비스를 자사 제품에 통합하는 하이브리드 모델을 모색하기 시작했다. 이는 경쟁력을 유지하기 위해 적응하고 진화해야 할 필요성에 대한 업계의 인식을 반영한다.

iBuyers의 부상은 부동산 산업의 전통적인 역동성을 근본적으로 붕괴시켰고, 기존 플레이어들은 그들의 전략을 재고하고 비즈니스 모델을 혁신해야 했다. iBuyers가 시장 점유율을 계속 포착하고 전통적인 부동산 중개 관행의 지배력에 도전함에 따라, 이 계속되는 변화는 산업을 재구성하고 있다.

4. 액세스 및 유동성 확대

특히 전통적인 판매가 어려울 수 있는 상황에서 iBuyer는 주택 소유자에게 집을 팔 수 있는 더 빠르고 더 보장된 경로를 제공할 수 있다. 이는 주택 소유자의 특정 부문에 대한 유동성과 주택 시장에 대한 접근성을 향상시킬 수 있다.

먼저, 보다 신속하고 확실한 판매 프로세스이다. 예를 들면, 특히 일부 주택 소유자의 경우, 전통적인 부동산 시장에서 주택 판매 과정이 어렵고 예측하기 어려울 수 있다. 예를 들어, 직장 이전, 이혼 또는 경제적 어려움에 처한 사람들은 집을 빨리 팔아야 할 수 있지만, 전통적인 상장 및 협상 과정은 시간이 많이 걸리고 불확실할 수 있다. iBuyers는 이러한 주택 소유자에게 집을 팔 수 있는 더 빠르고 보장된 경로를 제공한다. iBuyers는 판매자가 현금 제안을 즉시 제공함으로써 몇 주 또는 몇 달이 걸릴 수 있는 전통적인 상장 및 마케팅 프로세스를 우회할 수 있도록 한다. 이는 특히 집을 일정에 맞춰 팔아야 하거나 시장에 대비해 집을 마련하고 전시를 준비하며 잠재 구매자와 협상할 수 있는 자원이나 유연성이 없는 주택 소유자에게 도움이 될 수 있다.

[그림 52] 부동산 거래와 iBuyer
출처 : https://8z.com/blog/how-ibuyers-and-power-buyers-are-changing-the-game

둘째, 소외 주택 소유자의 유동성 및 접근성 향상이다. 예를 들어, 전통적인 부동산 시장은 한정된 재정적 자원을 가진 주택 소유자, 어려운 개인적 환경 또는 덜 바람직한 위치에 있는 부동산과 같은 일부 주택 소유자에게 접근성이 떨어지거나 덜 매력적일 수 있다. 이처럼 서비스가 부족한 주택 소유자들은 iBuyer를 통해 유동성을 높이고 주택 시장에 접근할 수 있다. iBuyer는 공개 시장에서 판매하기 어려울 수도 있는 주택에 대해서도 즉각적인 현금 제안을 제공함으로써 보다 간단하고 확실한 판매 옵션을 제공한다. 이는 압류에 직면하거나 실직 또는 기타 재정적 어려움으로 인해 매각이 필요한 주택과 같은 어려움에 처한 주택 소유자에게 특히 유용할 수 있다. iBuyer 모델은 이러한 주택 소유자에게 전통적인 주택 매각에 대한 실행 가능한 대안을 제공할 수 있다.

iBuyers는 더 빠르고, 더 보장되고, 덜 부담스러운 주택 판매 프로세스를 제공함으로써 주택 시장에서 접근성과 유동성을 확장하는 데 도움을 줄 수 있다. 이는 기존의 부동산 채널을 통해 주택을 판매하기 위해 고군분투했을 수도 있는 독특한 개인적 또는 재정적 문제에 직면한 주택 소유자에게 특히 가치가 있을 수 있다.

5. 잠재적 위험 및 규제 우려 사항

iBuyer 모델은 주택 가격에 대한 잠재적인 영향, 과대평가의 위험, 그들의 관행에 대한 규제 조사와 같은 몇 가지 우려를 제기했다. iBuyers가 계속 성장하고 발전함에 따라 이러한 문제를 해결하는 것이 중요할 것이다.

먼저, 주택가격에 미치는 잠재적 영향이다. 예를 들면, iBuyer 모델의 광범위한 채택이 특정 시장의 전체 주택 가격에 부정적인 영향을 미칠 수 있다는 우려가 있다. 그 주장은 iBuyer가 광범위한 구매력과 모든 현금 제안을 할 수 있는 능력을 가지고 있기 때문에 잠재적으로 주택 가격을 상승시키고 전통적인 주택 구매자의 주택 가격을 더 저렴하게 만들 수 있다는 것이다. iBuyers는 재고와 시장 점유율을 유지하기 위해 특히 뜨거운 부동산 시장에서 주택에 대해 더 높은 가격을 지불할 의사가 있을 수 있기 때문이다. 그러면 주택 가격이 상승하고 일부 구매자를 가격에서 끌어내리며 잠재적으로 주택 거품을 만드는 사이클이 발생할 수 있다. 규제 당국과 정책 입안자들은 iBuyers가 지역 주택 시장에 미칠 잠재적 영향을 면밀히 모니터링하고 있으며, 경제성과 접근성에 대한 의도하지 않은 결과를 완화할 수 있는 방법을 고려하고 있다.

둘째, 과대평가 위험 및 규제 조사이다. 예를 들면, iBuyer 모델의 또 다른 우려는 iBuyer가 부동산의 실제 시장 가치를 초과하는 가격을 제공할 수 있는 잠재적인 과대평가 위험이다. 이는 주택 가격을 책정하기 위해 알고리즘과 데이터 모델에 의존하기 때문에 발생할 수 있으며, 이는 지역 시장 상황이나 부동산의 특정 특성을 항상 정확하게 반영하지 않을 수 있다. 미국 소비자금융보호국(CFPB)[50] 등 규제당국은 iBuyer의 가격 관행과 이들 기업이 정보가 없거나 취약한 주택 소유자를 이용할 가능성에 우려를 표명했다. 이에 따라 iBuyer들은 규제 강화에 직면해 있으며, 당국은 이들의 사업 관행과 공시 사항, 소비자에게 피해를 줄 수 있는 잠재적인 반경쟁 행위 등을 조사하고 있다.

iBuyer가 시장 점유율을 지속적으로 확대하고 성장함에 따라 이러한 위험과 규제 문제를 해결하는 것은 매우 중요할 것이다. 정책 입안자와 업계 이해 관계자는 iBuyer 모델의 잠재적 이점과 소비자를 보호하고 건강하고 공평한 주택 시장을 유지하기 위한 필요성의 균형을 맞추는 방법에 대해 고심하고 있다.

요약하면, iBuyer의 부상은 기술, 데이터 및 고객 중심 접근 방식의 적용을 기반으로 한 부동산 산업의 중요한 변화를 의미한다. iBuyer는 여전히 새로운 모델이지만 주택 구매, 판매 및 거래 방식을 계속 변화시킬 준비가 되어 있다.

6. iBuyer

미국에서 인스턴트 바이어(instant buyer, 또는 iBuyer)는 기업이 개인 판매자로부터 직접 주거용 부동산을 구입하여 최종적으로 재매각하는 부동산 거래 모델

---

50) 소비자금융보호국(CFPB)의 주요 역할과 책임은 먼저, 소비자 보호로 CFPB의 주요 임무는 금융시장에서의 불공정, 기만 또는 남용 행위로부터 소비자를 보호하는 것이다. 여기에는 소비자가 모기지, 신용카드, 대출 등 금융상품과 서비스에 대한 명확한 정보에 접근할 수 있도록 보장하는 내용이 포함된다. 둘째, 금융 규제 시행으로 CFPB는 진실인 대출법, 공정한 신용 보고법 등 연방 소비자 금융 법규를 집행하는 역할을 담당한다. CFPB는 이러한 법을 위반한 기업에 대해 과징금 및 과징금 부과를 포함한 집행 조치를 취할 수 있다. 셋째, 금융 부문 모니터링으로, CFPB는 은행, 대출기관 및 기타 금융기관의 활동을 면밀히 모니터링하여 소비자에게 피해를 줄 수 있는 잠재적 위험이나 문제를 파악한다. 여기에는 소비자 불만 및 시장 데이터를 분석하여 새로운 이슈나 불공정 행위를 파악하는 것이 포함된다. 넷째, 규칙 개발 및 구현으로, CFPB는 금융 서비스 산업의 소비자 보호를 위해 새로운 규칙과 규정을 만들 권한을 가진다. 여기에는 투명하고 공정하며 소비자가 접근할 수 있도록 금융상품과 서비스에 대한 가이드라인과 기준을 개발하는 것이 포함된다. 다섯째, 소비자 교육으로 CFPB는 소비자가 정보에 입각한 새성석 의사결정을 할 수 있도록 교육하고 권한을 부여하는 역할도 수행한다. 여기에는 예산 편성, 신용 관리, 사기 방지와 같은 개인 금융 주제에 대한 교육 자원, 도구 및 지침을 제공하는 것이 포함된다. CFPB의 주요 업무는 공정하고 투명한 금융시스템을 촉진하기 위해 소비자 보호, 금융규제 집행, 시장 감시, 규칙 제정, 금융 관련 사항에 대한 국민 교육 등이다.

이다. iBuyer 모델은 전통적인 주택 매매 과정에서 인식되는 비효율성과 문제점에 대한 대응으로 2010년대 초에 등장했다. 오픈도어, 질로우 오퍼즈, 오퍼패드와 같은 회사들은 기술과 데이터를 활용하여 부동산 거래를 간소화하는 것을 목표로 이 개념을 개발했다. 아이바이어 모델을 사용하는 회사의 예로는 오픈도어(Opendoor), 질로우 오퍼(Zillow Offers), 레드핀나우(RedfinNow) 등이다. 이들 아이바이어 스타트업은 영업 규모를 확대하고 전통적인 부동산 산업을 교란시키기 위해 상당한 벤처캐피털 자금을 조달했다.

[그림 53] iBuyer

출처 : https://www.thetruthaboutmortgage.com/what-is-an-ibuyer/

용어의 배경을 보면, 인스턴트(instant)라는 용어는 이러한 유형의 사업이 전통적인 부동산 중개인보다 부동산에 더 빠른 현금 제공을 목표로 한다는 사실을 의미한다. 부동산의 가치 평가는 온라인에서 이루어지며 기계 학습 및 AI 기술을 사용하는 즉각적이거나 거의 즉시적인 프로세스이다. 아이바이어라는 용어는 2017년 5월 29일 에버코어 ISI의 주식 리서치 애널리스트인 스티븐 김(Stephen Kim)이 고객에게 보낸 "아이바이어의 부상"이라는 제목의 보고서에서 만들어졌다.

7. iBuyer 프로세스

1) 즉시 현금 제공

iBuyer 모델의 핵심은 주택 소유자에게 부동산에 대한 즉각적인 현금 제안을 제공할 수 있는 능력이다. iBuyer는 독점 알고리즘과 데이터 분석을 사용하여 주택

의 가치를 평가하고 주택 소유자가 정보를 제출한 후 일반적으로 24-48시간 이내
에 거의 즉시 제안을 한다. iBuyer 회사는 시장 데이터, 판매자가 공급하는 정보,
지역 부동산 중개인의 입력을 컴퓨터로 생성한 분석을 사용하여 주거용 부동산에
대한 즉각적인 현금 제안을 한다. 집을 판매하고자 하는 개인은 회사 웹사이트에
부동산에 대한 기본 정보를 입력하도록 요청받는다. 주로 기계 학습과 자동화된 데
이터 분석에 의해 주도되는 과정에서 부동산의 대략적인 가치가 결정되고 최초 제
인이 이루어진디. 판매자가 제안을 수락하면 회사는 제공된 데이터가 건물이 실제
상태와 일치하는지 확인하기 위해 부동산에 대한 검사를 주선한다. 판매자의 관점
에서 볼 때, 자신의 부동산을 판매하는 과정은 2주 미만이 소요될 수 있다. 그러므
로 iBuyer 회사는 부동산을 구입한 후 건물에서 필요한 수리 또는 수정을 수행한
다. 그런 다음 부동산은 재매각된다.

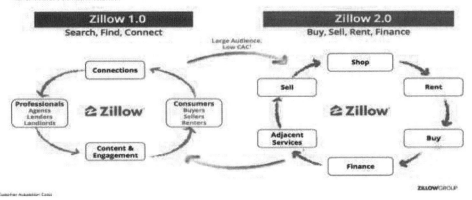

[그림 54] Zillow iBuyer
출처 : https://d3.harvard.edu/platform-digit

2) 홈 검사 및 수리

iBuyers는 주택 구입 후 필요한 수리나 개보수가 있는지 확인하기 위해 정밀 검
사를 실시할 예정이다. 그런 다음 이러한 수리 및 개선 완료를 조정하여 공개 시
장에서 재판매할 수 있는 주택을 준비한다.

먼저, 철저한 홈 검사를 한다. 예를 들면, 오픈도어나 오퍼패드와 같은 iBuyer가
주택을 구입할 때, 그들은 전문 검사관을 파견하여 부동산을 철저히 검사한다. 이
검사는 일반적인 주택 구매자의 검사를 훨씬 넘어선다. iBuyer의 검사관들은 기초

와 구조부터 전기, 배관, HVAC 시스템에 이르기까지 가정의 모든 측면을 검사할 것이다. 그들은 아무리 사소한 문제나 결함이라도 식별하기 위해 전문 도구와 전문 지식을 사용한다. 이 꼼꼼한 검사를 통해 iBuyer는 주택의 상태를 정확하게 평가하고 부동산을 재판매하기 위한 최상의 조건으로 확보하는 데 필요한 정확한 수리 및 개조를 결정할 수 있다.

둘째, 수리 및 개조 조정이다. 예를 들면, iBuyer는 점검 후 상세한 수리 계획 및 일정을 작성한다. 그들은 계약자, 공급자 및 프로젝트 관리자 네트워크를 활용하여 필요한 작업을 효율적으로 완료한다. 예를 들어, 오픈도어는 수리 과정을 감독하는 건설 전문가들로 구성된 사내 팀을 보유하고 있다. 그들은 자동화된 시스템을 사용하여 다양한 영업 사원들의 일정을 잡고, 배송을 조정하며, 작업이 그들의 기준에 맞게 완료되도록 보장한다. iBuyer는 종종 구매한 집을 개조하는 데 상당한 자원을 투자하고, 기본적인 수정을 넘어 잠재 구매자의 마음을 사로잡을 수 있는 미용적 개선을 만든다. 여기에는 부엌, 욕실, 바닥재를 업데이트하거나 인테리어를 칠하는 것이 포함될 수 있다. 주택을 오픈마켓에 빠르게 상장하고 판매할 수 있는 입주 준비가 된 바람직한 부동산으로 바꾸는 것이 목표이다.

iBuyer는 철저한 검사를 수행하고 수리 및 개조를 조정함으로써 집의 상태를 종합적으로 이해하고 집을 시장에 적합한 매력적인 상장으로 효율적으로 전환할 수 있다. 이 과정은 iBuyer 모델에서 전통적인 주택 판매와 구별되는 핵심 부분이다.

3) 홈 리스팅 및 재판매

주택이 개조되면 iBuyer는 판매 부동산을 나열하고 마케팅 및 판매 채널을 활용하여 구매자를 찾는다. iBuyer는 거래에서 이익을 창출하기 위해 종종 몇 달 이내에 주택을 신속하게 재판매하는 것을 목표로 한다.

먼저, 개조된 주택 목록을 게시한다. 예를 들면, Opendoor 또는 다른 iBuyer가 구입한 주택에 대해 필요한 수리 및 개조를 완료한 후 다음 단계는 공개 시장에 판매할 부동산을 나열하는 것이다. iBuyers는 자신의 부동산 플랫폼과 마케팅 채널을 활용하여 상장을 촉진한다. 여기에는 자신의 웹사이트에 집을 게시하는 것은 물론, Zillow와 Realtor.com 와 같은 인기 있는 부동산 포털에 상장을 신디케이트하는 것도 포함된다. iBuyers는 또한 데이터 기반 가격 전략을 사용하여 최근의 유사한 판매, 현지 시장 동향 및 부동산에 대한 개선 사항과 같은 요소를 기반으로 주택에 대한 최적의 정가를 결정한다. 주택 가격을 경쟁적으로 책정하여 잠재 구매자를 유치하고 빠른 판매를 촉진하는 것이 목표이다.

둘째, 신속한 재판매 일정이다. 예를 들면, iBuyer 모델의 핵심 부분은 초기 구매 후 몇 달 이내에 주택을 신속하게 재판매할 수 있다는 것이다. 이처럼 빠른 턴어라운드는 iBuyers가 거래를 통해 이익을 창출하는 데 중요하다. iBuyers는 집이 시장에 출시되는 시간을 최소화함으로써 보유 비용을 줄이고 수리 및 개조를 통해 추가한 가치를 활용할 수 있다. 오피페드와 같은 회사들은 평균 90일 이하의 주택 재판매 시간을 보고했다. 이는 전통적인 부동산 시장에서 수개월 동안의 일반적인 주택 매매 일정보다 훨씬 빠른 것이다. iBuyer는 마케팅 범위, 가격 전략 및 판매 전문 지식을 활용하여 개조된 주택에 대한 구매자를 최대한 빨리 찾고 투자 수익을 창출할 수 있다.

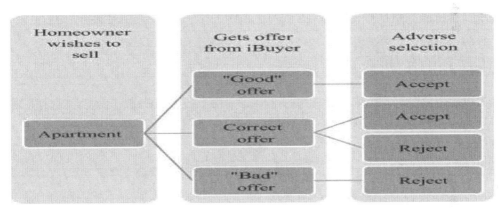

[그림 55] iBuyer offers
출처 : Eirik Helgaker, Are Oust & Arne J. Pollestad(2023)

iBuyer는 효율적으로 개조된 주택을 나열하고 빠른 일정으로 재판매함으로써 수익을 창출하고 재고의 흐름을 안정적으로 유지할 수 있다. 이러한 빠른 거래 주기는 전통적인 부동산 산업과 구별되는 iBuyer 비즈니스 모델의 핵심 구성 요소이다. iBuyer 거래 모델에 따라 운영되는 사업체는 일반적으로 전통적인 부동산 회사에 의해 부과되는 수수료보다 약간 더 높은(1-4%) 판매자에게 발생하는 수수료로 수익을 창출한다. Instant buyer 회사의 관점에서, 더 높은 수수료는 잠재적으로 장기간 부동산을 보유하는 것과 관련된 투자 위험을 커버한다. 판매자의 경우, 수수료는 전통적인 부동산 모델보다 훨씬 더 빠른 부동산 판매 프로세스와 판매

전에 부동산에 대한 수리 및 개선을 수행할 필요를 방지하는 대가로 지불된다.

4) 통합 서비스

많은 iBuyer들은 모기지 대출, 타이틀 보험, 에스크로 서비스 등 부동산 관련 서비스를 보다 포괄적으로 제공하기 위해 제품을 확장했다. 이를 통해 iBuyer는 구매자와 판매자 모두에게 보다 원활하고 합리적인 경험을 제공할 수 있다.

먼저, 모기지론 서비스이다. 예를 들면, Zillow Offers 및 Opendoor와 같은 회사는 iBuyer 플랫폼에 모기지 대출 기능을 통합했다. 이를 통해 질로우나 오픈도어에 집을 팔고 있는 주택 소유자들도 같은 회사를 통해 직접 주택담보대출 금융을 받을 수 있다. iBuyers는 주택 소유자가 별도의 대출 기관과 조정할 필요가 없으므로 사내 모기지 서비스를 제공하여 전체 거래를 간소화할 수 있다. 이는 주택 매매 과정에서 발생할 수 있는 복잡성과 마찰점을 줄일 수 있다. 또한 iBuyers는 데이터와 통찰력을 활용하여 잠재적으로 고객에게 보다 경쟁력 있는 모기지 금리와 조건을 제공하여 전반적인 경험을 향상시킬 수 있다.

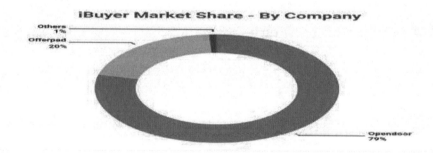

[그림 56] market share
출처 : https://www.rubyhome.com/blog/ibuyer-stats/

둘째, 타이틀(title) 및 에스크로 서비스이다. 예를 들면, Opendoor와 같은 일부 iBuyers는 이러한 중요한 서비스를 사내에서 제공하기 위해 타이틀 및 에스크로 회사를 인수했다. 오픈도어가 주택을 구입하면 타이틀 검색, 타이틀 보험, 에스크로 프로세스를 모두 자체 통합 플랫폼에서 처리할 수 있다. 이는 주택 소유자가 별도의 타이틀 회사 또는 에스크로 에이전트와 조정할 필요를 제거하여, 터치 포인트의 수와 거래의 잠재적인 지연을 감소시킨다. 아이바이어는 타이틀과 에스크로 기능을 제어함으로써 고객을 위한 전체 주택 구매 및 판매 경험에 대한 더 높은 수준의 투명성과 통제를 보장할 수도 있다.

iBuyer는 이러한 통합 부동산 서비스를 제공함으로써 주택 판매자와 구매자 모두에게 보다 원활하고 능률적인 경험을 제공할 수 있다. 이러한 "원스톱 샵" 방식은 일반적으로 전통적인 부동산 거래와 관련된 번거로움과 복잡성을 최소화하여 iBuyer 모델을 기존 산업과 더욱 차별화할 수 있도록 도와준다.

5) 데이터 기반 접근 방식

iBuyer는 주택 가격을 책정하고 재고를 관리하며 운영을 최적화하기 위해 고급 데이터 분석, 기계 학습 및 자동화에 크게 의존한다. 이러한 데이터 기반 접근 방식을 통해 iBuyer는 기존 부동산 모델에 비해 더 빠르고 정보에 입각한 의사 결정을 내릴 수 있다.

먼저, 알고리즘 주택 가격이다. 예를 들면, iBuyer 모델의 핵심은 주택 소유자에게 즉각적인 현금 제공을 제공하는 것이다. iBuyer는 정교한 가격결정 알고리즘을 사용하여 이를 달성한다. 오픈도어와 질로우 오퍼즈와 같은 회사들은 부동산 특성, 최근 매출, 시장 동향, 심지어 실시간 이웃 정보를 포함한 방대한 데이터를 분석하는 독점 가치 평가 모델을 개발했다. 이 알고리즘들은 몇 분 또는 몇 시간 안에 빠르게 주택의 가치를 평가하고 경쟁력 있는 오퍼 가격을 제시할 수 있다. 이런 데이터 기반 접근 방식을 통해 아이바이어는 기존 부동산 중개업자보다 더 정확하고 객관적으로 주택 가격을 책정할 수 있다.

둘째, 인벤토리 및 운영 최적화이다. 예를 들면, 많은 양의 주택 재고를 관리하는 것은 iBuyers에게 복잡한 물류 문제가 될 수 있다. 그러나 그들은 데이터 분석과 자동화를 활용하여 운영을 간소화한다. iBuyer들은 시장 수요를 예측하고 주택 재고를 최적화하기 위해 예측 모델을 사용한다. 그들은 계절성, 구매자 선호도, 현지 시장 동향 등의 요소를 분석하여 최적의 구매 부동산 수와 유형, 재판매 시기 등을 파악한다. 또한 iBuyers는 데이터 기반 시스템을 사용하여 집 수리 및 개조 프로세스를 사동화하고 소성한다. 그들의 알고리즘은 필요한 개신 시항을 자동으로 평가하고 필요한 영업 인력과 자재를 예약하여 효율성을 높이고 비용을 절감할 수 있다.

iBuyers는 고급 데이터 분석, 기계 학습 및 자동화에 의존함으로써 주택 구매 및 판매 과정 전반에 걸쳐 더 빠르고 더 많은 정보에 입각한 의사 결정을 내릴 수 있다. 이러한 데이터 기반 접근 방식은 전통적인 부동산 업계에서 자주 사용되는 보다 주관적이고 수동적인 방법과 차별화되어 iBuyers가 보다 큰 규모와 효율성으로 운영할 수 있도록 한다.

iBuyer 모델은 최근 몇 년간 큰 인기를 끌면서 전통적인 부동산 산업을 붕괴시키고 전통적인 중개회사들의 지배력에 도전하고 있다. 아이바이어 시장이 계속 진화함에 따라 주택을 사고 파는 방식의 미래를 형성할 것으로 보인다.

VI. 프롭테크의 미래

1. 프롭테크 미래

[그림 57] 신문 기사

1) 한국

현재 위의 기사처럼 우리나라의 프롭테크 산업은 몇 가지 어려움에 직면해 있다. 그 상황과 잠재적인 이유를 분석하면 다음과 같다. 프롭테크 산업 구조조정이다. 최고위직이 구조조정되고 있다는 사실은 프롭테크의 판도에 중대한 변화가 있음을 시사한다. 이는 인수합병, 파산, 또는 특정 프롭테크 부문에서 초점이 이동하기 때문일 수 있다. 투자 애로사항이다. 적자가 증가하면서 프롭테크 기업들의 투자 유치가 어려워지고 있다. 투자자들은 금융 불안이 있는 산업에 돈을 투자하는 것을 경계할 수 있다.

위기의 가능한 이유는 시장 침체이다. 부동산 시장의 침체는 건전한 시장에 의존하는 프롭테크 기업들에게 영향을 미칠 수 있다. 예를 들어 온라인 상장 플랫폼과 같은 거래 기반 프롭테크 솔루션을 제공하는 기업들은 침체기에 활동이 감소할 수 있다.

둘째, 과다평가이다. 프롭테크 산업은 투자자들의 열정이 회사의 가치를 지속 가능한 수준 이상으로 끌어올린 과대평가 기간을 경험했을 수 있다. 시장 조정은 지속 불가능한 비즈니스 모델을 제거하는 것일 수 있다.

수익성 부족이다. 일부 프롭테크 기업은 수익성 달성에 어려움을 겪으며 투자자들의 경계심으로 이어질 수 있다. 투자자들은 수익성에 대한 명확한 경로를 가진 프롭테크 기업을 찾고 있을 가능성이 높다.

그러므로 수익성에 초점 맞추어야 한다. 수익성에 대한 명확한 경로를 입증할 수 있는 프롭테크 기업은 현재의 상황에서 투자자들에게 더 매력적일 가능성이 높다. 혁신으로 업계의 중요한 요구를 해결하는 혁신적인 솔루션에 초점을 맞춘 기업은 성공할 가능성이 높다. 여기에는 부동산 분야의 효율성, 지속 가능성 또는 경제성을 향상시키는 프롭테크 솔루션이 포함될 수 있다. 통합으로 강력한 회사가 약한 회사를 인수하거나 전략적 파트너십을 형성하는 프롭테크 산업 내에서 통합을 볼 수 있다.

전반적으로 프롭테크 산업은 조정기를 거칠 가능성이 높다. 변화하는 시장의 역동성에 적응하고 가치를 발휘할 수 있는 기업은 미래 성장에 유리한 위치에 있을 것이다.

2) 미국

미국의 프롭테크 산업은 현재 적자 증가와 비즈니스 모델에 대한 우려로 인해 많은 기업들이 투자 유치에 어려움을 겪고 있는 가운데 중대한 도전에 직면해 있다.

먼저, 자금 조달 경색이다. 지난 1년 동안 프롭테크 산업의 자금 조달이 급격히 감소했다. 크런치베이스의 자료에 따르면 미국의 프롭테크 스타트업들은 2022년에 26억 달러만 조달했는데, 이는 2021년에 조달한 62억 달러보다 58% 감소한 수치이다. 이러한 자금 조달 경색으로 인해 많은 기업들이 직원을 해고하고, 운영을 축소하거나 심지어 완전히 중단해야 했다.

둘째, 비즈니스 모델 과제로 많은 프롭테크 기업들은 시장 점유율을 확보하고 미래 수익원을 얻기 위해 종종 대폭 할인된 가격 또는 심지어 무료로 서비스를 제공하는 것에 의존하는 비즈니스 모델에 대한 정밀 조사에 직면해 왔다. 그러나 이러한 접근 방식은 손실을 증가시켰고 투자자들은 이러한 모델의 장기적인 실행 가능성에 대해 점점 더 회의적이 되고 있다.

셋째, 시장 과포화로 최근 몇 년간 프롭테크 산업은 스타트업의 유입으로 시장 과포화와 치열한 경쟁을 겪고 있다. 특히 온라인 부동산 플랫폼과 부동산 관리 소프트웨어와 같은 분야에서 기업들은 차별화와 수익성을 달성하기가 어려웠다.

넷째, 경제 불확실성으로 금리 상승, 인플레이션 우려, 경기 침체 가능성 등 현재의 경제 상황은 투자자들로 하여금 고위험 고성장 프롭테크 기업에 대한 투자에 더욱 신중하게 만들었다. 많은 사람들이 좀 더 기성 기업이나 수익 모델이 검증된 기업을 신뢰하고 있다.

다섯째, 규제 문제로 부동산 산업은 엄격한 규제를 받고 있으며, 프롭테크 기업들은 특히 부동산 거래, 데이터 개인 정보 보호 및 공정 주택법과 같은 복잡한 법적 및 규제 환경을 탐색하는 데 어려움을 겪고 있다.

미국의 어려움에 직면한 프롭테크 기업의 예를 보면, 대표적인 아이바이어(즉시 구매자) 플랫폼인 오픈도어는 2022년 인력의 18%를 해고하고 사업 모델과 금리 상승에 대한 우려 속에 주가가 급락했다. 기술 지원 부동산 중개업체인 컴퍼스는 상당한 손실에 직면해 시가총액이 2021년 80억 달러 이상에서 2023년 약 10억 달러로 감소했다[51]. 부동산 시장 대기업인 질로우는 이 이니셔티브로 10억 달러 이

---

51) 기술 지원 부동산 중개업체인 컴퍼스가 직면한 어려움을 보면, 급속한 성장과 높은 비용으로 컴퍼스는 최근 몇 년 동안 대리인을 공격적으로 고용하고 새로운 시장으로 확장하면서 빠르게 성장했다. 회사는 마케팅, 기술 및 대리인에 대한 인센티브에 많은 비용을 지출하면서 이러한 급속한 성장은 높은 비용을 수반했다. 주택 시장이 냉각되고 금리가 상승함에 따라 컴퍼스는 높은 연소율을 유지하기 위해 고군분투했다. 해고 및 비용 절감으로 증가하는 손실에 대응하여 컴퍼스는 2022년부터 1,000명(인력의 약 25%) 이상의 직원을 감원하는 여러 차례의 해고를 단행했다. 회사는 또한 실적이 저조한 사무실 폐쇄 및 공급업체 계약 재협상과 같은 기타 비용 절감 조치를 시행했다. CEO 퇴임으로 2023년 1월 컴퍼스의 창업자이자 CEO인 로버트 레프킨이 그의 역할에서 물러났다. 이러한 리더십 변화는 회사의 미래 방향과 전략을 둘러싼 불확실성을 가중시켰다. 재무적 어려움으로 컴퍼스는 2022년 4억 9400만 달러의 순손실을 기록했으며, 매출 성장세는 크게 둔화되었다. 또한 투자자들이 비즈니스 모델과 전망에 대해 경계심을 갖는 등 추가 자금 확보에도 어려움을 겪고 있다. 비즈니스 모델 정밀 조사에서 부동산 중개에 대한 높은 비용과 기술에 초점을 맞춘 접근 방식으로 인해 컴퍼스는 비판에 직면해 있다. 일부 업계 전문가들은 컴퍼스의 기술 제공이 자사의 가파른 간접비와 대리인 인센티브를 정당화하기에 충분한 가치를 제공하는지에 대해 의문을 제기했다. 전략의 변화로 컴퍼스는 이러한 어려움에 대응하여 공격적인 확장에서 벗어나 수익성과 비용 효율성에 더 집중하는 전략으로 방향을 틀었다. 회사는 2024년까지 긍정적인 현금 흐름을 달성하겠다는 의사를 밝혔다. 잠재적 인수 또는 합병으로 재정적 어려움 속에서 컴퍼스가 더 큰 부동산 회사 또는 기술 회사의 인수 또는 합병을 모색할 수도 있다는 추측이 있었다. 그러나 회사는 독립적으로 유지할 계획이라는 입장을 고수해 왔다. 그 어려움에도 불구하고 컴퍼스는 미국 전역에 12,000개 이상의 에이전트를 보유하고 있는 부동산 업계에서 여전히 중요한 위치를 차지하고 있다. 그러나 회사의 장기적인 생존과 성공을 위해서는 현재 시장 상황을 파악하고 투자자의 신뢰를 회복하는 능력이 매우 중요할 것이다.

상의 손실을 입은 후 2021년 아이바이잉 사업부를 폐쇄했다.

프롭테크 기업들은 이러한 어려움을 극복하기 위해 지속 가능한 수익 모델 개발, 운영 효율성 제고, 투자 유치를 위한 가시적인 가치 제안을 제시하는 데 주력할 것을 요구받고 있다. 또한 기업들이 입지를 강화하고 수익성을 달성하고자 함에 따라 업계 통합 및 기존 부동산 업체와의 파트너십이 강화될 수 있다.

2. 2027년 탑 6가지 Proptech 트렌드

부동산 기술은 검색, 구매, 판매, 임대 등을 포함한 전통적인 부동산 여정을 빠르게 파괴하고 있다. 최근 프롭테크 스타트업 의 급속한 성장이 많은 주목을 받고 있다.

올해 이후에 모니터링해야 할 가장 큰 proptech 트렌드는 다음과 같다.

1) 전자 서명이 표준이 됨

전염병으로 인해 전자 서명 부동산 계약이 주류 솔루션이 되었다. 실제로 글로벌 디지털 서명 시장은 2021년부터 2027년까지 연평균 26.3%씩 성장할 것으로 예상된다. "디지털 서명"에 대한 전 세계 Google 검색이 5년 동안 120% 증가했다. 또한 글로벌 디지털 서명 시장은 2025년까지 50억 달러, 2032년에는 약 175억 달러에 이를 것으로 예상한다. 이러한 성장 전망의 두 가지 주요 이유는 a) 유연성과 b) 보안 때문이다.

하지만 전자 서명이 실제로 어떻게 주류로 자리잡게 될까요? 한 가지 전략은 Google Drive 및 Dropbox와 같은 클라우드 기반 애플리케이션과의 통합을 구축하는 것이다. 이렇게 하면 문서 서명과 교환이 한 곳에서 이루어진다. 실제로 이런 일이 이미 일어나고 있다. 샌프란시스코에 본사를 둔 스타트업인 HelloSign은 최근 작업 흐름과 전자 서명 시장 점유율을 확대하기 위해 Dropbox에 인수되었다. 이를 통해 Dropbox는 시장에 진출할 수 있다. 그리고 사용자에게 보안과 단순성을 제공하는 클라우드 플랫폼이다. 전자 서명 급증으로 인해 전통적으로 직접 서명이 필요했던 프로세스인 가상 공증도 중단되었다.

가상 공증이 가능하게 된 것은 전염병으로 인해 행정 명령이 내려졌기 때문이다. DocuSign은 텍사스주 오스틴 스타트업 LiveOak Technologies를 인수한 후 디지털 공증 분야에 진출할 수 있었다. LiveOak은 DocuSign에 인수되었다. 미국에서는 연간 약 13억 개의 문서가 공증된다. 이는 이 공간이 2024년 이후에도 크게 성장할 가능성이 있음을 보여준다. 이제 서명은 대부분 가상이므로 블록체인의 스마트 계약을 통해 이러한 거래가 얼마나 많이 발생하는지 보는 것은 흥미로울 것이다. 실제로 Deloitte는 블록체인을 "상업용 부동산의 차세대 기술"로 명명했다. Deloitte는 블록체인 기술을 부동산 거래의 게임 체인저로 간주한다.

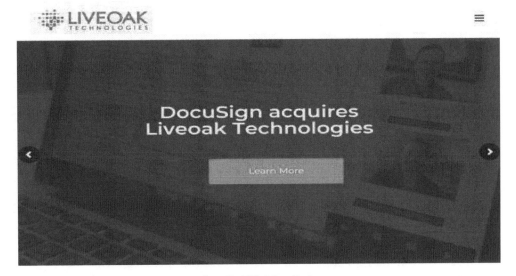

[그림 58] LiveOak
출처 : https://explodingtopics.com/blog/proptech-trends

2) 부동산 업계는 독점 광고 솔루션을 활용한다.

부동산 공간을 뒤흔드는 새로운 디지털 광고 플랫폼이 등장하고 있다. 그리고 이 독특한 산업에 맞는 맞춤형 솔루션을 제공한다. 예를 들어, Audience Town이다. 오디언스타운은 부동산 광고를 보다 쉽고 효율적으로 만들고자 한다. Audience Town은 새로운 시장으로 확장하고 플랫폼을 지속적으로 성장시키기 위해 210만 달러의 새로운 자금을 확보했다. 전반적으로 부동산 광고는 300억 달러 규모의 산업이다. 그리고 이 자금은 Audience Town의 확장을 위한 데이터 및 소프트웨어 기능을 가속화할 것이다.

3) Audience Town

오디언스 타운은 일반적인 디지털 광고 플랫폼이 아니라 부동산 산업을 위해 특별히 고안된 틈새 플랫폼이다. 오디언스 타운을 좀 더 구체적으로 분석해 보면, 부동산 디지털 광고 환경에서 오디언스 타운이 어떻게 작동하는지 알 수 있다.

1. 부동산 오디언스에 집중하고 있다.

타깃팅으로 오디언스 타운은 적극적으로 집을 구하거나 이사 과정에 있거나 주택 개선 제품에 관심이 있는 잠재 고객을 타깃팅하는 데 탁월하다. 이러한 타깃팅 방식은 부동산 중개인, 중개인, 이사 및 주택용품 회사가 높은 관련성을 가진 오디언스에게 다가갈 수 있도록 해준다.

데이터 기반 전략에서 오디언스 타운은 부동산에 특화된 데이터를 활용해 광고 캠페인에 정보를 제공한다. 이 데이터에는 인구 통계, 위치, 검색 기록, 부동산 관심사 등이 포함될 수 있다. 광고주는 이 데이터를 활용해 관련 메시지를 통해 타깃 캠페인을 진행할 수 있다.

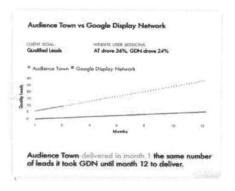

[그림 59] 오디언스 타운
출처 : https://explodingtopics.com/blog/proptech-trends

2. 옴니채널 광고이다.

다중 채널로 오디언스 타운은 다음을 포함한 다양한 디지털 채널에 걸쳐 광고를 허용한다.

에를 들면, 스트리밍 텔레비전, 오디오 광고(팟캐스트 등), 온라인 동영상 광고, 모바일 광고, 디스플레이 광고(현수막 등) 등을 활용한다.

3. 캠페인 관리이다.

플랫폼은 이러한 다양한 채널에서 광고 캠페인을 관리하고 추적하는 도구를 제공한다. 이를 통해 광고주는 중앙 집중식으로 캠페인 성과를 파악할 수 있고, 데이터 통칠력을 기빈으로 최저회할 수 있다.

또한, 추가 기능으로 퍼포먼스 분석에서 오디언스 타운은 도달, 참여 및 리드 생성과 같은 캠페인 성과에 대한 통찰력을 제공하는 분석 기능을 제공한다. Self-Service Options에서 플랫폼에는 캠페인 생성, 예산 편성 및 성과 모니터링을 위한 셀프 서비스 대시보드와 같은 기능이 있을 수 있다. CRM과의 통합에서 잠재적으로 오디언스 타운은 부동산 CRM(고객 관계 관리) 소프트웨어와 통합되어 보다 능률적인 작업 흐름을 제공한다.

부동산 전문가들이 오디언스 타운을 활용하는 방법에 대한 몇 가지 예가 있다.

부동산 중개업자는 특정 가격대의 집을 찾는 특정 지역 사람들에게 광고를 타깃으로 삼을 수 있다. 모기지 대출자는 오디언스 타운을 사용하여 모기지에 대한 사전 승인을 받고 주택을 구입할 준비가 된 잠재 고객에게 연락할 수 있다. 주택 개량 회사는 최근에 주택을 구입한 사람들과 개조 서비스에 관심이 있을 수 있는 사람들을 대상으로 광고를 할 수 있다.

전반적으로 오디언스 타운은 다양한 디지털 채널에서 데이터 기반 광고 캠페인을 통해 타깃 오디언스에게 도달할 수 있도록 함으로써 부동산 전문가 및 관련 기업에 유용한 도구를 제공한다. 어떤 산업을 위한 일반적인 디지털 광고 플랫폼은 아니지만 부동산 광고 공간에서는 탁월하다.

부동산 전문가가 활용할 수 있는 또 다른 솔루션은 동네 소셜 네트워킹 앱인 Nextdoor이다. 'Nextdoor'에 대한 Google 검색 증가율은 10년 만에 71% 증가했음을 알 수 있다. 이 앱은 사용자가 의미 있는 상호 작용을 만들 수 있는 지역 커뮤니티를 구축한다. 지역 에이전트는 주택과 자신을 판매하기 위해 지역 목록 플랫폼을 사용아고 있나. 이 플랫폼은 지역 에이진드기 지역 주택 소유자 및 구매자와 연결하여 해당 지역에서 입지를 구축할 수 있는 진입점을 제공한다. Nextdoor의 성장은 향후 IPO가 임박한 상황에서도 둔화될 것으로 보이지 않는다. 부동산 스타트업 넥스트도어가 기업공개(IPO)를 계획하고 있음을 알 수 있다. Nextdoor는 현재 11개국 290,000 개 이상의 지역에 도달하고 있으며 초지역화 캠페인을 위한 틈새 광고 시장을 계속 구축하고 있다.

4) 소셜 네트워킹 앱인 넥스트도어

현지 소셜 네트워킹 앱인 넥스트도어에 대한 정보이다.

1. 이웃 중심 플랫폼으로 넥스트도어는 하이퍼로컬 소셜 네트워킹 플랫폼으로 이웃을 연결하고 더 강력한 커뮤니티를 구축하는 것을 목표로 한다. 사용자는 자신의 물리적 위치에 따라 개인 이웃 네트워크에 참여할 수 있으며, 이를 통해 이웃 주민과 상호 작용할 수 있다.

2. 커뮤니티 중심 콘텐츠로 앱은 지역 토론, 정보 공유 및 커뮤니티 이벤트를 용이하게 하도록 설계되었다. 이웃은 업데이트, 추천, 경고, 분류를 게시할 수 있고 심지어 이웃 감시 그룹이나 소셜 모임을 조직할 수도 있다.

3. 이웃 안전 및 보안에서 넥스트도어의 핵심 기능 중 하나는 이웃 안전 및 보안을 촉진하는 것이다. 주민들은 의심스러운 활동을 신고하고 범죄 및 안전 업데이트를 공유하며 지역 법 집행 기관 또는 이웃 감시 그룹과 협력할 수 있다.

4. 지역 비즈니스 홍보로 넥스트도어는 지역 기업과 서비스 제공자가 주변 고객에게 자사 제품을 광고하고 홍보할 수 있는 플랫폼을 제공한다. 여기에는 특별 제안, 공지, 심지어 고객 리뷰도 포함될 수 있다.

5. 시정 및 공공기관 통합에서 많은 지방자치단체, 공공기관, 긴급서비스 등이 넥스트도어와 제휴하여 특정 지역이나 도시의 주민들과 공식 업데이트, 공지, 긴급 경보 등을 공유하고 있다.

6. 이웃 지도 및 디렉토리에서 앱은 사용자 이웃의 지도 보기를 제공하고 네트워크의 일부인 주변의 가정과 회사를 표시한다. 개인 정보는 자발적으로 공유되지 않는 한 개인 정보는 비공개로 유지되지만, 사용자는 이웃의 디렉토리에도 접근할 수 있다.

7. 검증 프로세스에서 넥스트도어는 플랫폼의 무결성을 보장하기 위해 사용자가 이웃 네트워크에 가입하기 전에 물리적 주소를 확인해야 한다. 이러한 검증 프로세스는 커뮤니티의 진정성과 하이퍼로컬성을 유지하는 데 도움이 된다.

Nextdoor의 영향을 보면, Nextdoor는 자연재해나 응급상황에서 의사소통을 촉진하고 구호활동을 조정하며 피해지역 내에서 중요한 정보를 전파하는 데 중요한 역할을 해왔다. 계약자, 배관공 또는 조경가와 같은 지역 기업은 Nextdoor를 활용하여 잠재 고객과 연결하고 서비스 영역 내에서 명성을 쌓았다. 이웃 감시단은 플랫폼을 활용해 안전 요령을 공유하고 의심스러운 활동을 신고하며 순찰을 조정하는 등 지역사회 안전 의식에 기여해 왔다. 지자체들은 넥스트도어와 제휴를 맺고 지역 행사, 건설 사업, 정책 변화 등에 대한 최신 정보를 공유해 주민들과 더 나은 소통을 도모하고 있다.

넥스트도이의 인기와 잠재적인 이점에도 불구하고, 넥스트도어는 온건한 두전, 개인 정보 보호 문제, 그리고 가끔 잘못된 정보를 퍼뜨리거나 이웃 포럼 내에서 열띤 토론을 벌이는 것과 관련하여 약간의 비판에 직면했다. 즉, 넥스트도어는 지역 소셜 네트워킹 플랫폼으로서의 인기와 잠재적인 이점에도 불구하고 여러 비판과 도전에 직면해 있다. 몇 가지 주요 관심사를 확장해 보면, 다음과 같다.

먼저, 중간 정도의 과제(Moderation challenges)로 많은 수의 커뮤니티 포럼과 사용자 제작 콘텐츠로 인해 토론과 콘텐츠를 조정하는 것은 어려운 작업이 될 수 있다. 열띤 토론과 모욕적인 언어, 그리고 차별적이거나 인종차별적인 댓글이 플랫폼에 게시된 사례가 있다. 넥스트도어의 조정 정책의 실효성과 유해하거나 부적절한 내용을 신속하게 처리할 수 있는 능력에 대한 우려가 제기되고 있다.

둘째, 개인 정보 보호 문제로 개인정보는 기본적으로 비공개로 유지되지만, 일부 사용자들은 개인정보가 오용되거나 악용될 가능성에 대한 우려를 제기했다. 사용자가 잠재적인 위험을 인지하지 못한 채 집 주소나 개인 정보 등 민감한 정보를 공유하는 사례가 있었다. 플랫폼의 데이터 수집 및 제3자와의 공유 관행에 대한 우려도 제기되고 있다.

셋째, 잘못된 정보의 확산으로 많은 소셜 미디어 플랫폼과 마찬가지로 넥스트도어는 잘못된 정보, 루머, 검증되지 않은 주장의 확산에 취약했다. 범죄나 안전사고에 대한 보고와 같은 지역화된 잘못된 정보는 지역사회 내에서 불필요한 공황이나 불신을 야기할 수 있다. 플랫폼은 잘못된 정보의 확산에 대처하기에 충분하지 않고 강력한 사실 확인 메커니즘이 부족하다는 비판에 직면했다.

넷째, 열띤 논쟁과 이웃간의 갈등으로 넥스트도어의 초국지적 특성은 때때로 이웃 내의 긴장과 갈등을 증폭시킬 수 있다. 정치, 인종, 지역 정책 등 민감한 주제에 대한 논의는 때때로 격렬한 논쟁으로 이어졌고 이웃 간의 긴장을 고조시켰다. 이웃들이 플랫폼을 이용해 불만을 표출하거나 온라인 괴롭힘을 하는 사례가 발생해 현실적인 갈등으로 이어지고 있다.

이러한 우려를 해결하기 위해 넥스트도어는 조정 도구를 개선하고, 개인 정보 보호 정책을 강화하며, 잠재적으로 해롭거나 오해의 소지가 있는 내용을 표시하는 기능을 도입하는 것과 같은 다양한 조치를 시행했다. 그러나 많은 사람들은 이웃 간의 토론과 상호 작용을 위해 안전하고, 존중하며, 신뢰할 수 있는 환경을 보장하기 위해 더 많은 일을 해야 한다고 주장한다.

5) 임대 부동산 관리 및 자동화의 시작이다.

자동화는 부동산 관리에 혼란을 가져오고 있다. 확장된 플랫폼 덕분에 다가구 자산 관리는 부동산 소유자의 요구에 실시간으로 적응할 수 있다. 플랫폼은 기술 격차를 메우고 효율성과 수익을 강화하는 데 필요한 도구와 지원을 제공한다. 예를 들어, Knock CRM은 2021년에 2천만 달러를 모금한 후 이 공간을 맡을 계획이다. Knock CRM 그들의 플랫폼은 자산 관리에서 많은 지루한 작업을 자동화한다. 특히 Knock CRM은 자산 관리자에게 대규모 파트너 포트폴리오를 관리할 수 있는 유연성을 제공한다. Knock CRM은 신규 사용자가 전환할 때 임대 리드 비율이 20% 증가한다고 보고한다. 부동산 관리 시장은 2029년까지 370억 달러 이상에 이를 것으로 예상한다.

6) Knock CRM, 부동산 관리 소프트웨어 플랫폼

Knock CRM이 임대 부동산을 관리하고 자동화하는 데 초점을 맞추고 있다. Knock CRM은 임대 부동산 소유자 및 관리자를 위해 특별히 설계된 부동산 관리 소프트웨어 플랫폼이다. 핵심 기능은 임대 운영의 다양한 측면을 자동화하고 효율화하는 것을 중심으로 한다.

1. 세입자 관리로, 노크 CRM을 통해 부동산 관리자는 세부 세입자 프로필을 유지 관리하고 임대료 지불을 추적하며 유지 관리 요청을 처리하고 임대 계약 및 갱신을 관리할 수 있다.

2. 부동산 마케팅으로 이 플랫폼은 인기 임대 목록 사이트에 빈 부동산을 나열하고, 전시를 예약하고, 입주 예정자의 리드와 문의를 관리하는 도구를 제공한다.

3. 유지 보수 및 공급업체 관리로 자산 관리자는 작업 주문을 작성하고 공급업체 또는 유지 보수 직원에게 작업을 할당하며 수리 또는 개조 상태를 추적할 수 있다.

4. 재무 관리로 Knock CRM은 임대 부동산과 관련된 비용 추적, 재무 보고서 생성 및 회계 작업 관리를 위한 기능을 제공한다.

5. 커뮤니케이션 및 포털로 세입자와 부동산 소유자는 온라인 포털에 접속하여 유지보수 요청을 제출하고 결제하며 업데이트를 받을 수 있어 커뮤니케이션 및 문서 공유를 간소화할 수 있다.

6. 자동화 및 워크플로우로 플랫폼은 미리 정의된 워크플로우를 기반으로 임대료 일림, 연체료 게신, 임대 갱신 알림, 작업 할당 등 다양한 프로세스를 자동하하는 것을 목표로 한다.

7. 통합으로 Knock CRM은 인기 있는 회계 소프트웨어, 결제 게이트웨이 및 기타 타사 도구와 통합하여 원활한 자산 관리 경험을 제공할 수 있다.

임대 부동산 관리를 위해 Knock CRM을 사용하는 것의 몇 가지 주요 이점은 효율성 향상, 조직 개선, 임차인 관계 개선 및 운영을 보다 효과적으로 확장할 수 있는 능력을 포함한다. 시장에 빌드리움(Buildium), 앱폴리오(AppFolio), 임대료 관리자(Rent Manager)와 같은 다른 부동산 관리 소프트웨어 솔루션이 있지만 노크 CRM은 중소 임대 부동산 포트폴리오를 위한 사용자 친화적이고 비용 효율적인 옵션으로 자리매김하고 있다.

노크 CRM은 사용자 친화적이고 비용 효율적인 솔루션으로 중소 규모의 임대 부동산 포트폴리오를 공략하여 부동산 관리 소프트웨어 시장에서 차별화하는 것을 목표로 하고 있어요. 노크 CRM이 빌드리움, 앱폴리오, 임대료 관리자와 같은 경쟁사들과 어떻게 경쟁하는지에 대한 추가 사항을 보면, 다음과 같다. 단순성 및 사용 편의성으로 Knock CRM은 광범위한 기술 전문 지식을 가지고 있지 않을 수 있는 속성 관리자를 위해 설계된 깨끗하고 직관적인 사용자 인터페이스를 강조한다. 이는 보다 복잡한 엔터프라이즈 수준의 솔루션을 제공하는 일부 경쟁업체와 대조된다. 저렴한 가격으로 Knock CRM의 가격 모델은 종종 관리되는 유닛 수에 따라 투명한 수수료와 유연한 계획을 통해 소규모 임대 사업자에게 더 쉽게 접근할 수 있고 확장 가능한 것으로 포지셔닝된다. 핵심 렌탈 관리 기능에 집중함으로 일부 경쟁사는 광범위한 고급 기능을 제공하지만 Knock CRM은 소규모 사업자에게 불필요안 복십싱 없이 필수 렌덜 관리 도구를 제공하는 데 중점을 둔다. 모바일 접근성에서 Knock CRM은 모바일 앱과 반응형 설계를 제공하여 속성 관리자가 플랫폼에 액세스하고 이동 중에도 운영을 관리할 수 있어 소규모 팀에 유리할 수 있다. 개인화된 지원에서 Knock CRM은 소규모 기업으로서 규모가 크고 확립된 경쟁사에 비해 개인화된 고객 지원 및 대응력을 제공할 수 있다. 통합 유연성에서 통합을 사용할 수 있지만 Knock CRM은 다양한 타사 도구와 함께 작업할 수 있는 유연한 플랫폼으로 자리매김하여 속성 관리자가 필요에 따라 기술 스택을 사용자 지정할 수 있다.

그러나 빌디움, 앱폴리오, 렌트 매니저와 같은 대형 경쟁사들은 더 강력한 기능 세트, 엔터프라이즈 수준의 운영을 위한 확장성, 그리고 다른 비즈니스 툴과의 더 깊은 통합을 제공할 수 있다는 점에 유의해야 한다. 각 솔루션의 적합성은 임대 부동산 사업의 구체적인 요구, 예산 및 성장 계획에 달려 있다.

ManageCasa는 또 다른 선도적인 자동화 자산 관리 소프트웨어이다. 그들은 최근 Stripe과 제휴하여 부동산 관리자와 집주인이 임대료 지불, 부동산 비용 및 장부 관리 솔루션을 자동화할 수 있는 새로운 지불 플랫폼을 출시했다. 회사는 현재 2,000명 이상의 자산 관리자가 ManageCasa를 사용하고 있다고 보고한다.

7) ManageCasa

재산관리 소프트웨어 플랫폼이나 서비스로 ManageCasa는 임대 부동산 관리 솔루션으로 몇 가지 일반적인 사항을 제공한다. 핵심 기능은 다른 부동산 관리 소프트웨어와 마찬가지로 ManageCasa는 세입자 심사, 온라인 임대료 지불, 유지 관리 요청 추적, 회계/재무 보고 및 마케팅 빈 유닛을 위한 기능을 제공한다. 목표 시장은 "ManageCasa"라는 이름은 임대 부동산을 효율적으로 관리하기 위해 중앙 집중식 플랫폼이 필요한 주거용 부동산 관리자 및 임대인을 대상으로 한다. 차별화 요소에서 ManageCasa는 경쟁 시장에서 두각을 나타내기 위해 사용자 친화적인 인터페이스, 모바일 접근성, 인기 도구와의 통합 또는 중소 부동산 포트폴리오에 대한 저렴한 가격과 같은 측면을 강조하고 있다. 클라우드 기반 또는 온프레미스로 대부분의 최신 자산 관리 솔루션은 클라우드 기반으로 어디에서나 액세스할 수 있지만 일부는 여전히 온프레미스 구축 옵션을 제공할 수 있다. 보고 및 분석에서 강력한 보고 기능, 사용자 정의 가능한 대시보드 및 데이터 분석 도구는 속성 관리 소프트웨어의 핵심이다. 통합에서 : ManageCasa는 기능에 따라 회계 소프트웨어, 테넌트 스크리닝 서비스, 온라인 상장 플랫폼 및 기타 보완 도구와 통합할 수 있다.

ManageCasa의 핵심 기능은 다음을 포함한 자산 관리 작업을 위한 강력한 기반을 제공한다. 상장 및 마케팅 결원(Listing and marketing vacancies), 입주자 선별 및 관리, 임대료 징수 및 온라인 결제 관리, 유지보수 요청 및 작업 주문 추적과 재무보고서 생성 등이다.

기타 자산 관리 솔루션과의 비교하면, 다음 표와 같다.

[표 3] 부동산 관리 전문회사 비교

특징	관리 카사	빌드리움	앱폴리오
대상자	임대인, 중소형 부동산 관리자	중소형 부동산 관리자	중대형 부동산 관리자
무료 요금제 이용 가능	네(최대 3대)	아니요	
가격	경제적	ManageCasa보다 비쌈	ManageCasa보다 비쌈
회계 특징	기본 회계 도구	견고한 회계 특징	견고한 회계 특징
유지관리	작업지시 추적, 커뮤니케이션 도구	고급 유지관리 도구	고급 유지관리 도구
통합	제한된 통합	다양한 도구와의 더 많은 통합	다양한 도구와의 더 많은 통합

특징은 확장성으로 다양한 자산 포트폴리오에 대응하는 ManageCasa 무료 요금제를 사용하면 최대 3개의 유닛을 관리할 수 있는 반면 유료 계층은 더 큰 포트폴리오를 수용할 수 있다. 사용성에서 이 플랫폼은 사용자 친화적인 인터페이스로 유명하여 모든 기술적인 유용성을 가진 집주인과 부동산 관리자가 쉽게 탐색할 수 있다. 모바일 앱으로 ManageCasa는 이동 중에도 부동산을 관리하고 임차인과 소통하며 유지보수 요구사항을 해결할 수 있는 모바일 앱을 제공한다. 의사소통 도구로 플랫폼은 메시징 및 온라인 포털과 같은 기능을 통해 집주인, 부동산 관리자 및 세입자 간의 의사소통을 용이하게 한다.

특정 요구 사항에 따라, 최적의 자산 관리 솔루션은 특정 요구 사항에 따라 달라진다. 작은 포트폴리오를 관리하고 경제성을 우선시한다면 ManageCasa가 적합할 수 있다. 더 큰 포트폴리오나 복잡한 회계 요구 사항에는 Buildium 또는 AppFolio가 더 적합할 수 있다. 확장성에서도 미래 성장 계획을 고려해야 한다. 포트폴리오 확장이 예상되는 경우 필요에 따라 확장할 수 있는 플랫폼을 선택해야 한다. 통합에서도 회계 소프트웨어나 테넌트 스크리닝 서비스와 같이 플랫폼이 이미 사용 중인 도구와 통합되는지 평가해야 한다.

[그림 60] ManageCasa
출처 : https://explodingtopics.com/blog/proptech-trends

8) 조각 부동산 투자에 대한 관심 증가

Reddit 그룹 WallStreetBets가 금융계에서 유명해지면서 소매 투자 세계도 급격히 증가했다. 이러한 추세는 주식 및 암호화폐 시장을 넘어선 것이다. 투자자들도 부동산 투자에 참여하고 싶어한다. 부동산 구매를 시작하는 데 필요한 상당한 양의 자본으로 인해 Proptech 회사는 부분 및 크라우드 펀딩 부동산 투자 기회에 집중하기 시작했다.

글로벌 크라우드 펀딩 부동산 시장은 2018년 130억 달러에서 2027년에는 약 8,700억 달러로 연평균 58%의 성장률을 기록할 것으로 예상한다. 리퍼블릭(Republic)은 투자자들이 초기 단계의 스타트업에 접근할 수 있도록 허용하면서 시작된 스타트업이다. Republic.co[52]에 대한 관심은 지난 5년간 4,400% 증가했

---

52) Republic.co 은 온라인 주식 크라우드펀딩 캠페인을 통해 기업들이 투자자들로부터 자본을 조달할 수 있도록 하는 투자 크라우드펀딩 플랫폼이다. Republic.co는 비즈니스 모델로 Republic은 비인가 투자자가 민간 기업에 투자할 수 있도록 하는 지분 크라우드 펀딩 규제에 따라 운영된다. 기업들은 지분/소유 지분을 판매하여 자금을 조달하기 위한 온라인 캠페인을 만든다. 투자자들은 캠페인을 둘러볼 수 있고 유망하다고 생각되는 회

다.

부동산 투자 플랫폼 컴파운드(Compound)를 인수한 뒤 부동산에 뛰어들었다. 부동산 부분 투자 공간의 다른 플레이어로는 Fundrise, Groundfloor, RealtyMogul 등과 같다. 이들 세 경쟁업체 모두 상업용 부동산에 대한 진입장벽이 낮다(최소 투자 금액은 $500~$5,000이다). 사용자 친화적인 UI, 선별된 부동산 거래 및 더 쉬운 액세스의 이점은 이러한 플랫폼을 부동산 포트폴리오 구축을 시작하려는 사람들에게 매력적인 솔루션으로 만든다.

9) 스마트 홈이 표준이 되다

부동산을 스마트 홈으로 전환하는 것은 부동산 가치를 높이고 새로운 세대의 주택 구매자를 유치할 수 있는 새로운 방법이다. 실제로 최근 연구에 따르면 "Z세대" 임차인 의 62%가 체육관이나 편리한 주차와 같은 기존 편의 시설보다 스마트 홈 기술을 더 중요하게 생각하는 것으로 나타났다.

Z세대에서 가장 기술적인 연구에 초점을 맞춘 GenZ의 구성원은 IoT, AI 또는 원격으로 가전제품을 제어하는 기능 등 가정의 기술에 많은 비중을 둔다.

Ecobee는 자산을 보호하고 자동화하기 위해 가정에 설치할 온도 조절기, 카메라, 센서를 제작하는 스마트 홈 자동화 회사이다. 또한 부동산 소유자가 상업용 건물과 다가구 건물 모두의 온도 조절 장치를 관리할 수 있도록 SmartBuildings라는 비즈니스 솔루션을 제공한다.

스마트 홈 기기의 가정용 보급률은 대략 43.8%에 달한다. 2026년에는 62.7%까지 성장할 것으로 예상된다. SmartRent와 같은 경쟁업체도 설치 및 관리 프로세

사에 10달러 정도만 투자할 수 있다. 투자 프로세스로 투자자는 계정을 만들고 신원 확인을 거친다. 그런 다음 다양한 산업에서 적극적인 모금 캠페인을 탐색할 수 있다. Republic은 회사, 경영진, 재무 지표, 위험 등에 대한 정보를 제공한다. 관심이 있는 경우 투자자는 캠페인 기간 동안 일정 금액을 투자할 것을 약속할 수 있다. 자금 조달 목표가 달성되면 투자가 처리된다. 회사 감사로 Republic은 크라우드 펀딩을 승인하기 전에 기업을 분석하는 내부 심사 절차를 가지고 있다. 여기에는 사업 계획, 재정, 법적 지위 검토 및 실사가 포함된다. 특정 기준을 충족하는 회사만 플랫폼에서 자금을 조달할 수 있다. 예를 보면, 에셰어즈(Eshares, 주식 관리 소프트웨어)는 2018년 미국에서 약 9,000명의 투자자로부터 50만 달러 이상을 조달했다. 테라(블록체인 데이터 스토리시)는 2019년 1만7000여명의 투자자로부터 70만달러를 조달했다. 시드인베스트(공화당이 인수한 스타트업 투자 플랫폼)는 인수 전까지 220개 이상의 스타트업에 3억 달러 이상의 자금을 지원했다. Republic은 단지 인가된/기관 투자자 대신에 일반 대중에게 접근을 제공함으로써 스타트업 투자를 대중화하는 것을 목표로 한다. 그것의 모델은 기업들이 온라인에서 대규모 투자자 풀로부터 더 적은 라운드를 조달할 수 있도록 한다.

스를 자동화하는 방법을 찾고 있다. SmartRent의 주요 서비스로는 스마트 아파트, 주차 관리, 커뮤니티 Wi-Fi, 보안 제어 자동화 등이 있다. 2020년에 SmartRent는 범위를 확대하기 위해 6천만 달러를 모금했다. 이 스타트업은 다세대 부동산 소유자를 위한 자동화된 설치 프로세스와 완전 관리형 서비스 기반 접근 방식을 제공한다.

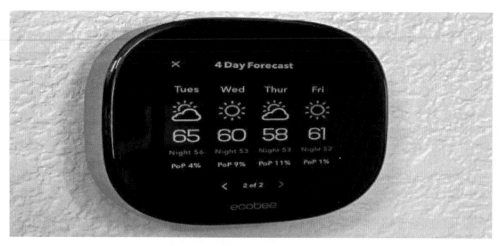

[그림 61] ecobee
출처 : https://www.newsweek.com

  스마트 홈 오토메이션 회사인 에코비에 대한 주요 세부 정보이다. 기업의 개요로서, 에코비(Ecobee)는 2007년 설립된 캐나다의 기업으로 토론토에 본사를 두고 있다. ecobee는 스마트 온도 조절 장치, 온도 및 점유 센서, 스마트 조명 스위치, 스마트 카메라 및 접촉 센서를 만드는 캐나다에 설립된 홈 자동화 회사이다. 그들은 2021년 미국 회사 Generac Holdings에 인수되었다. 온도 조절기는 내장된 터치스크린, 웹 포털 또는 iOS, Android 및 Apple Watch 에서 사용할 수 있는 앱을 사용하여 제어된다. 기타 장치는 앱이나 웹 포털을 통해서만 제어된다. 온도 조절기나 카메라는 다른 장치의 스마트 홈 허브 역할을 한다. 조명 스위치에는 온도 조절 장치나 카메라가 필요하지 않지만 허브 기능은 제공하지 않는다. 또한 ecobee는 제품 라인을 보완하기 위해 일련의 구독 서비스를 제공한다. 그들의 주요 제품 라인은 주거용 및 가벼운 상업용 스마트 WiFi 지원 온도 조절기이다. 또한 객실 센서, 스마트 전등 스위치, 보안 카메라 및 홈 모니터링 시스템을 제공한다.

온도 조절 장치는 에코비의 대표 제품은 에코비4와 에코비 스마트 서모스탯과 같은 스마트 서모스탯이다. 이 온도 조절기는 실내 센서와 점유 감지를 사용하여 점유된 열/냉각실만 사용한다. 모바일 앱, 음성(Amazon Alexa, Apple HomeKit 등)을 통해 제어할 수 있으며 사용자 일정에 자동으로 적응할 수 있다. 원격 센서, 일기 예보 및 에너지 보고서와 같은 기능은 난방/냉각을 최적화하는 데 도움이 된다.

홈 보안에서 2022년 에코비는 180° 시야와 사람 감지 기능을 갖춘 스마트 카메라 보안 카메라를 출시했다. Haven 홈 모니터링 시스템에는 엔트리 센서, 모션 센서 및 스마트 비디오 초인종이 포함된다. 온 홈 모니터링 및 자동화를 위해 온도 조절기 및 모바일 앱과 통합된다.

스마트 홈 통합으로 에코비 기기는 아마존 알렉사, 구글 어시스턴트, 애플 홈킷 등과 같은 주요 스마트 홈 플랫폼과 함께 작동한다. 이를 통해 음성 제어, 스케줄링 및 다른 스마트 장치와의 통합이 가능하다.

에코비는 온도 조절기와 HVAC 제어에 중점을 둔 에너지 효율적이고 사용하기 쉬운 스마트 홈 솔루션으로 자리매김하고 있으며 가정 보안 카메라와 센서로도 확장되고 있다. 그들의 제품은 에너지 비용을 줄이고 원격 홈 모니터링을 가능하게 하는 것을 목표로 한다.

10) "IBuyers"의 증가

iBuyers는 주택을 신속하게 판매하기 위해 빠르게 진행되는 부동산 판매 및 자동화된 평가 모델을 만들고 있다. iBuyers는 데이터에 크게 의존하며 종종 눈에 띄지 않게 주택을 구입한다. iBuyers의 인기가 높아지면서 주택 소유자의 관심이 빠르게 높아졌다. 판매자의 71%는 iBuyers를 사용하여 주택을 판매하는 것을 고려할 것이라고 밝혔다.

미국의 경우, 10명 중 7명이 넘는 판매자가 한 조사에 따르면 대다수의 주택 판매자가 자신의 주택을 iBuyer에 판매하는 것으로 나타났다. 특히 코로나는 iBuying의 일부 이점(직접 방문 및 상호 작용 감소)을 입증하는 데 도움이 되었다.

Knock CRM의 CEO는 향후 10년 내에 전체 주택 판매의 절반이 iBuyers에 의해 구매될 것이라고 믿고 있다. 신속한 판매는 전통적인 부동산 판매가 일반적으로 제공하지 않는 확실성과 편리함을 제공한다는 믿음이 있다. 이러한 예측에도 불구하고 iBuying은 현재 전체 주거용 부동산 시장의 약 1% 만을 보유하고 있다.

Opendoor 는 빠르게 시장 점유율과 인기를 얻고 있는 iBuyer proptech 스타트업이다. 9월에 Chamath Palihapitiya는 SPAC IPO를 통해 회사를 공개했다. Opendoor는 집을 구입하는 데 5~6%의 서비스 수수료를 부과한다. 이에 비해 판매자가 부동산 중개인을 통해 직면하는 추가 수수료는 6~10% 사이일 수 있다.

Opendoor와 경쟁하는 다른 플레이어는 다음과 같습니다.

즉시 제인을 생성하는 부동산 중개 회사인 RedFin, Knock을 사용하면 사용자는 기존 집을 팔기 전에 새 집을 구입할 수 있다. Zillow는 다양한 도구를 사용할 수 있는 선도적인 온라인 부동산 시장이다. 향후 3~4년은 많은 iBuying 스타트업에게 있어 고성장의 해가 될 것으로 보인다.

미국과 마찬가지로 한국에서도 주목해야 할 6가지 중요한 Proptech 트렌드에 해당한다. 새로운 스타트업에 힘입어 Proptech 산업은 빠르게 성장하고 있다. 전자 서명부터 인공 지능, 사물 인터넷에 이르기까지 디지털 혁신을 추진하는 스타트업은 우리가 한때 알고 있던 부동산 산업을 뒤흔들 수 있는 위치에 있다.